OS ASTROS GUIAM O
SEU DESTINO

ANDRÉ MANTOVANNI

OS ASTROS GUIAM O
SEU DESTINO

ASTROLOGIA PRÁTICA PARA DESCOBRIR
O PROPÓSITO DA SUA VIDA

Editora
Pensamento
SÃO PAULO

Copyright © 2020 André Mantovanni.

Copyright © 2020 Editora Pensamento-Cultrix Ltda.

1ª edição 2020.

Todos os direitos reservados. Nenhuma parte deste livro pode ser reproduzida ou usada de qualquer forma ou por qualquer meio, eletrônico ou mecânico, inclusive fotocópias, gravações ou sistema de armazenamento em banco de dados, sem permissão por escrito, exceto nos casos de trechos curtos citados em resenhas críticas ou artigos de revista.

A Editora Pensamento não se responsabiliza por eventuais mudanças ocorridas nos endereços convencionais ou eletrônicos citados neste livro.

Editor: Adilson Silva Ramachandra
Gerente editorial: Roseli de S. Ferraz
Gerente de produção editorial: Indiara Faria Kayo
Preparação de originais: Alessandra Miranda de Sá
Editoração eletrônica: Lucas Campos / Indie 6 Design Editorial
Design de capa: Lucas Campos / Indie 6 Design Editorial
Revisão: Vivian Miwa Matsushita

Dados Internacionais de Catalogação na Publicação (CIP)
(Câmara Brasileira do Livro, SP, Brasil)

Mantovanni, André
  Os astros guiam o seu destino: astrologia prática para descobrir o propósito da sua vida / André Mantovanni. -- São Paulo: Editora Pensamento-Cultrix, 2020.

  ISBN 978-85-315-2127-0

  1. Astrologia 2. Astrologia - História 3. Esoterismo 4. Signos e símbolos I. Título.

20-33379 CDD-133.509

Índices para catálogo sistemático:
1. Astrologia : História 133.509
Maria Alice Ferreira - Bibliotecária - CRB-8/7964

Direitos reservados
EDITORA PENSAMENTO-CULTRIX LTDA.
Rua Dr. Mário Vicente, 368 – 04270-000 – São Paulo – SP
Fone: (11) 2066-9000
http://www.editorapensamento.com.br
E-mail: atendimento@editorapensamento.com.br
Foi feito o depósito legal.

"Nada posso lhe oferecer que não exista em você mesmo. Não posso abrir-lhe outro mundo além daquele que há em sua própria alma. Nada posso lhe dar, a não ser a oportunidade, o impulso, a chave. Eu o ajudarei a tornar visível o seu próprio mundo, e isso é tudo."

– Hermann Hesse, *Lektüre für Minuten*, 1971

Para meus pais Laércio (in memoriam) e Claudirce –
sol e lua que me fazem transbordar de vida.
Para Josana, mestra querida do coração, por me ensinar,
com generosidade, a decifrar o céu, e para Bruna,
por me apontar as muitas estrelas brilhantes dentro de mim.

SUMÁRIO

Prefácio **19**
Introdução **22**

CAPÍTULO 1 • BREVE HISTÓRIA DA ASTROLOGIA **25**
    A Astrologia hoje **28**

CAPÍTULO 2 • O QUE É O MAPA ASTRAL? **29**
    Os signos **33**
    Planetas e luminares **38**
    Signo Ascendente, Meio do Céu, Descendente e Fundo do Céu **41**
    As casas **42**
    Os aspectos **44**

CAPÍTULO 3 • OS 12 SIGNOS DO ZODÍACO **47**
    Áries **48**
        A imagem interior **50**
        A sombra de Áries **50**
        Raio X do ariano **51**
        Os arianos no trabalho **52**
        A saúde dos arianos **52**
        Áries no amor **52**
        A família e os amigos **53**
        A sorte para o signo de Áries **53**

Touro 54
A imagem interior 56
A sombra de Touro 56
Raio X do taurino 57
Os taurinos no trabalho 58
A saúde dos taurinos 58
Touro no amor 58
A família e os amigos 59
A sorte para o signo de Touro 59

Gêmeos 60
A imagem interior 62
A sombra de Gêmeos 62
Raio X do geminiano 63
Os geminianos no trabalho 64
A saúde dos geminianos 64
Gêmeos no amor 64
A família e os amigos 65
A sorte para o signo de Gêmeos 65

Câncer 66
A imagem interior 68
A sombra de Câncer 68
Raio X do canceriano 69
Os cancerianos no trabalho 70
A saúde dos cancerianos 70
Câncer no amor 70
A família e os amigos 71
A sorte para o signo de Câncer 71

Leão **72**

A imagem interior **74**

A sombra de Leão **74**

Raio X do leonino **75**

Os leoninos no trabalho **76**

A saúde dos leoninos **76**

Leão no amor **76**

A família e os amigos **77**

A sorte para o signo de Leão **77**

Virgem **78**

A imagem interior **80**

A sombra de Virgem **81**

Raio X do virginiano **82**

Os virginianos no trabalho **82**

A saúde dos virginianos **82**

Virgem no amor **83**

A família e os amigos **83**

A sorte para o signo de Virgem **83**

Libra **84**

A imagem interior **86**

A sombra de Libra **87**

Raio X do libriano **88**

Os librianos no trabalho **88**

A saúde dos librianos **88**

Libra no amor **89**

A família e os amigos **89**

A sorte para o signo de Libra **89**

Escorpião **90**

    A imagem interior 92

    A sombra de Escorpião 93

    Raio X do escorpiano 93

    Os escorpianos no trabalho 94

    A saúde dos escorpianos 94

    Escorpião no amor 94

    A família e os amigos 95

    A sorte para o signo de Escorpião 95

Sagitário **96**

    A imagem interior 98

    A sombra de Sagitário 99

    Raio X do sagitariano 100

    Os sagitarianos no trabalho 100

    A saúde dos sagitarianos 101

    Sagitário no amor 101

    A família e os amigos 102

    A sorte para o signo de Sagitário 102

Capricórnio **103**

    A imagem interior 105

    A sombra de Capricórnio 106

    Raio X do capricorniano 107

    Os capricornianos no trabalho 107

    A saúde dos capricornianos 107

    Capricórnio no amor 108

    A família e os amigos 108

    A sorte para o signo de Capricórnio 108

Aquário **109**
    A imagem interior **111**
    A sombra de Aquário **112**
    Raio X do aquariano **113**
    Os aquarianos no trabalho **113**
    A saúde dos aquarianos **113**
    Aquário no amor **114**
    A família e os amigos **114**
    A sorte para o signo de Aquário **114**

Peixes **115**
    A imagem interior **117**
    A sombra de Peixes **118**
    Raio X do pisciano **119**
    Os piscianos no trabalho **119**
    A saúde dos piscianos **120**
    Peixes no amor **120**
    A família e os amigos **121**
    A sorte para o signo de Peixes **121**

CAPÍTULO 4 • LUMINARES E PLANETAS **123**
Luminares e planetas pessoais **124**
  O Sol – o herói dentro de nós **125**
    O Sol e a personalidade **128**
    Posicionamentos do Sol **129**
    O Sol nos signos **129**
    Correspondências do Sol **131**

A Lua – o Eu Emocional **132**

    A Lua e os humores **133**

    Posicionamentos da Lua **135**

    A Lua nos signos **135**

    Correspondências da Lua **138**

Mercúrio – o comunicador **139**

    Mercúrio e o raciocínio **141**

    Posicionamentos de Mercúrio **142**

    Mercúrio nos signos **142**

    Correspondências de Mercúrio **145**

Vênus – a amante **146**

    A Estrela da Manhã e a Estrela do Entardecer **148**

    Vênus e o romance **148**

    Posicionamentos de Vênus **150**

    Vênus nos signos **150**

    Correspondências de Vênus **153**

Marte – o guerreiro vitorioso **154**

    Marte e a força interior **156**

    Posicionamentos de Marte **157**

    Marte nos signos **157**

    Correspondências de Marte **160**

Os planetas sociais **161**

Júpiter – o grande rei **162**

    Júpiter e o espírito de liderança **164**

    Posicionamentos de Júpiter **165**

    Júpiter nos signos **165**

    Correspondências de Júpiter **168**

Saturno – o desafiador **169**
    O retorno de Saturno **171**
    Saturno e os medos da alma **172**
    Posicionamentos de Saturno **173**
    Saturno nos signos **173**
    Correspondências de Saturno **176**

Os planetas transpessoais **177**

Urano – o libertador **178**
    Urano e o espírito libertário da geração **179**
    Posicionamentos de Urano **180**
    Urano nos signos **181**
    Correspondências de Urano **183**

Netuno – o sonhador **184**
    Netuno e as aspirações da alma **185**
    Posicionamentos de Netuno **187**
    Netuno nos signos **187**
    Correspondências de Netuno **189**

Plutão – o guardião dos segredos **190**
    Plutão e os domínios infernais **192**
    Posicionamentos de Plutão **194**
    Plutão nos signos **194**
    Correspondências de Plutão **196**

CAPÍTULO 5 • AS CASAS ASTROLÓGICAS **197**
Tipos de casa astrológica **198**
Interpretação das casas astrológicas **200**
    O signo, o astro regente e as casas vazias **200**
Outros signos em cada casa **201**

Signos interceptados **201**

Planetas confinados **202**

Casa 1 – o Ascendente **203**

Temas fundamentais **203**

Signo Ascendente **203**

Interpretação do signo Ascendente **204**

Planetas **206**

Lição espiritual **207**

Casa 2 – as posses **208**

Temas fundamentais **208**

Signo regente **208**

Planetas **211**

Lição espiritual **212**

Casa 3 – a comunicação **213**

Temas fundamentais **213**

Signo regente **213**

Planetas **215**

Lição espiritual **216**

Casa 4 – a família e o lar **217**

Temas fundamentais **217**

Signo regente – Fundo do Céu **217**

Planetas **219**

Lição espiritual **220**

Casa 5 – a alegria de viver e se expressar **221**

Temas fundamentais **221**

Signo regente **221**

Planetas **223**

Lição espiritual **224**

Casa 6 – a saúde e o trabalho **225**
    Temas fundamentais **225**
    Signo regente **225**
    Planetas **227**
    Lição espiritual **228**

Casa 7 – os relacionamentos e as parcerias **229**
    Temas fundamentais **229**
    Signo Descendente **229**
    Planetas **232**
    Lição espiritual **233**

Casa 8 – a sombra e as profundezas dos instintos **234**
    Temas fundamentais **234**
    Signo regente **234**
    Planetas **237**
    Lição espiritual **238**

Casa 9 – os propósitos e as crenças **239**
    Temas fundamentais **239**
    Signo regente **239**
    Planetas **242**
    Lição espiritual **243**

Casa 10 – a autoridade e o reconhecimento **245**
    Temas fundamentais **245**
    Meio do Céu **245**
    Planetas **248**
    Lição espiritual **249**

Casa 11 – os amigos e os grupos **251**
    Temas fundamentais **251**
    Signo regente **251**
    Planetas **254**
    Lição espiritual **255**

Casa 12 – o mergulho na totalidade **256**
    Temas fundamentais **256**
    Signo regente **256**
    Planetas **260**
    Lição espiritual **261**

CAPÍTULO 6 • ASPECTOS **262**
    Aspectos positivos *versus* aspectos negativos **264**
        Como interpretar os aspectos **265**
            Aprofundando a interpretação dos aspectos **270**

CAPÍTULO 7 • QUÍRON E A FERIDA SAGRADA **271**
    O mito do Curador Ferido **271**
    Quíron nos signos **274**
    Quíron nas casas astrológicas **275**

CAPÍTULO 8 • LILITH: A DEUSA NEGRA QUE NOS HABITA **276**
    O mito da Mulher Terrível **276**
    Lilith nos signos **280**
    Lilith nas casas astrológicas **282**

CAPÍTULO 9 • A RODA DA FORTUNA: O POTE DE OURO NO FIM DO ARCO-ÍRIS **283**
    O mito da Deusa da Boa Sorte **283**
    Introdução à interpretação da Roda da Fortuna **285**
    A Roda da Fortuna nos signos **286**
    A Roda da Fortuna nas casas astrológicas **287**

Pósfácio **288**
Referências Bibliográficas **290**

PREFÁCIO

Na aurora dos tempos, durante o princípio da Criação Cósmica, quando ainda não havia um início ou um fim, pois todas as coisas estavam retidas no Imanifesto, tudo era escuro e vazio, e assim a Divindade ordenou:

> Haja um firmamento no meio das águas, e que ele separe as águas das águas, e assim se fez. Deus fez o firmamento, que separou as águas que estão sob o firmamento das águas que estão acima do firmamento; e Deus chamou o firmamento "Céu". Houve uma tarde e uma manhã: o dia segundo. (Gênesis 1,6-8)

E assim se fez o firmamento céu. Encantado com a infinitude do milagre criado, a Divindade, que é mantenedora de tudo o que vive, ordenou mais uma vez:

> Que haja luzeiros no firmamento do céu para separar o dia e a noite; que eles sirvam de sinais, tanto para festas quanto para os dias e os anos; que sejam luzeiros no firmamento do céu para iluminar a terra, e assim se fez. Deus fez dois luzeiros maiores: o grande luzeiro como poder do dia e um pequeno luzeiro como poder da noite, e as estrelas. Deus colocou no firmamento o céu para iluminar a terra, para comandar o dia e a noite, para separar a luz das trevas, e Deus viu que isso era bom. (Gênesis 1,14-18)

O Sagrado perpetuou que isso seria bom e necessário para os deuses e para toda a humanidade.

Por meio da linguagem poética presente na cosmogonia do Livro do Gênesis, parte da Torá ou Pentateuco – os cinco primeiros livros contidos na Bíblia –, podemos perceber que a beleza da luz das estrelas contra a imensidão do escuro céu noturno sempre encantou a humanidade, desde o início dos tempos. Silenciosos e misteriosos, os astros assistiram do alto o nascimento do mundo e o alvorecer da humanidade, que um dia olhou para cima e se maravilhou com a dança estelar. O fascínio pelas luzes celestes instigou e inspirou o ser humano, que então se colocou na busca por desvendar seus segredos.

Por meio da observação da noite, nossos ancestrais entenderam a maravilhosa dança luminosa que acontecia no palco desconhecido e infinito sobre a cabeça deles, e assim passaram a estudar os ritmos, padrões e movimentos dessa dança. Foi dessa forma que descobriram a harmoniosa mecânica celeste, cuja luz distante viajava para tocar o solo do mundo e harmonizar também os fluxos de energia que eram derramados sobre a Terra.

As cheias dos rios, os nascimentos, a vida e a morte, todos os grandes acontecimentos pareciam seguir o ritmo dessa dança celeste, e o ser humano entendeu que, vislumbrando o mundo manifestado ao redor, ele seria capaz de tocar o brilho das estrelas.

"Somos feitos de poeira das estrelas", essa famosa frase proclamada pelo célebre astrônomo e cientista Carl Sagan nos ensina algo que nossos antepassados já intuíam: tudo o que há na Terra não passa de um resquício da matéria lançada no espaço pela explosão e morte desses corpos luminosos. Tudo o que há em nosso planeta é oriundo, em essência, de material estelar. Entretanto, apenas quando o ser humano eleva sua face para o alto e a luz das constelações se reflete em seus olhos curiosos é que as estrelas podem contemplar a própria beleza. Foi no olhar instigado da humanidade que os astros puderam se maravilhar com o próprio mistério pela primeira vez.

Da mesma maneira, nós, seres humanos do século XXI, que vivemos em um tempo histórico em que a ciência alcançou um potencial há pouco tempo inimaginável, ainda voltamos a mente para o céu estrelado, para buscar orientação com a pergunta fundamental que tem acompanhado nossa espécie desde o seu surgimento: Quem somos nós?

Ora, se somos feitos da poeira das estrelas, que sejam elas, com seu ritmo encantador, que nos guiem para desvendar esse mistério.

Assim como a humanidade evoluiu, o conhecimento astrológico também o fez, e hoje, em um tempo no qual os reinos interiores da psique humana, dos arquétipos e do inconsciente se tornam conhecidos, a Astrologia representa um mapa que pode nos conduzir ao longo dessa jornada interior.

Mais do que servir a previsões do dia a dia – como muitas pessoas pensam que seja seu único propósito –, a Astrologia pode nos ajudar a mergulhar profundamente em nossa própria história, convidando-nos a conhecer as profundezas da alma e de nossa ligação com o céu.

Em uma época na qual muitas pessoas parecem viver sem propósito, quando o brilho do milagre da vida parece ter sido nublado pela monotonia do homem contemporâneo, que, por meio dos avanços tecnológicos, caminha sob a ilusão de que o mundo já foi completamente explicado e desvendado, devemos mais uma vez procurar o encantador céu estrelado para nos lembrar da imensidão, do desconhecido e do Eterno Misterioso.

A ciência pode explicar muito sobre como o universo opera, mas falha ao responder perguntas muito mais antigas: Qual é o sentido de nossa vida? Por que estamos aqui? Qual é o nosso propósito?

Em relação a todas essas perguntas, a Astrologia pode iluminar o horizonte, que guardará muitas respostas, e as estrelas podem ser os luzeiros que brilham para indicar o caminho.

Esta obra faz transbordar meu coração de alegria, sendo um convite para que você faça seu trajeto pelas sendas interiores, tendo os pés tocados pela luz das estrelas.

Seja bem-vindo, caminhante!

Que a sua jornada pela vida seja abençoada com a dádiva do entendimento e que esse antigo conhecimento que aqui compartilho com você sirva como bússola em direção ao seu verdadeiro Eu.

– **André Mantovanni**, primavera de 2019

INTRODUÇÃO

*"Se as coisas são inatingíveis... ora!
Não é motivo para não querê-las...
Que tristes os caminhos, se não fora
A presença distante das estrelas!"*

– Mario Quintana, "Das Utopias"

Antigamente, a sabedoria da Astrologia permanecia velada atrás de tabelas, gráficos e cálculos muito complicados, e desenhar um mapa astral exigia um imenso domínio de conhecimento matemático, geométrico e astronômico, em que um pequeno erro poderia ser fatal e comprometer todo o trabalho. Em contrapartida, com a chegada da Era de Aquário e a popularização da informação por meio do universo digital, basta um clique no celular ou *tablet* para que tenhamos acesso instantâneo ao gráfico completo do mapa astral de quem desejarmos. Hoje, em poucos segundos, qualquer um pode obtê-lo facilmente. Mas, ainda assim, o que fazer com ele?

Com a popularização da Astrologia, veio também sua banalização, e, apesar de haver muita informação de alta qualidade disponível para o estudioso persistente, nem sempre o primeiro conteúdo que chega aos olhos curiosos daqueles que estão interessados nessa sabedoria antiga consegue exprimir sua riqueza, causando a impressão de que a Astrologia não passa de um sistema obsoleto formado por um conjunto de estereótipos ultrapassados. Além disso, todos os manuais de Astrologia clássicos, apesar de excelentes e extremamente ricos, parecem muito densos e pouco atrativos para o iniciante de nossa época.

Pensando nisso, esta obra nasceu para responder às perguntas de nosso tempo e para o leitor moderno que deseja começar a se aventurar de maneira mais profunda na interpretação do mapa astral. De modo claro, objetivo e direto, ela é um convite para que você possa desvendar os segredos que se escondem por trás desse gráfico que à primeira vista pode parecer muito simples, mas que na realidade é um mapa para compreender a beleza da alma humana. Longe de querer dar as respostas finais, ele apresentará a você bases sólidas para que inicie esta jornada, e espero que também desperte sua curiosidade e o instigue a continuar pela senda interminável do aprendizado astrológico – um caminho ao qual eu mesmo tenho me dedicado ao longo dos anos. Aqui, você encontrará um conhecimento prático e estruturado para ajudar a entender mais sobre sua própria personalidade, os temas do seu cotidiano, as diferentes áreas da vida e as necessidades mais íntimas do seu coração.

No Capítulo 1, você entenderá as origens da Astrologia e como essa sabedoria viva foi se moldando a diferentes lugares e épocas, chegando até nós como uma ferramenta ainda muito atual e útil para responder às dúvidas da alma humana e ajudá-la a dar sentido à própria vida. No Capítulo 2, você será apresentado a todos os conceitos básicos necessários para entender os elementos que compõem o mapa astral: os planetas e luminares, signos, casas astrológicas, aspectos, signos interceptados, e assim por diante. Os capítulos seguintes destinam-se à interpretação de cada elemento do mapa astral – basta que tenha seu próprio mapa em mãos e, com palavras-chave, associações, tabelas e pequenas propostas de reflexão, você será conduzido a pensar sobre os diferentes setores da sua vida e as forças que existem dentro de si, afinal, é isso que o mapa astral deve ser: um espelho no qual podemos contemplar nossa própria face e enxergar aquilo que não percebemos no dia a dia.

Que esta obra seja essa porta de entrada para os segredos que as estrelas estão tão ansiosas para compartilhar conosco! Que a luz dos astros que brilham acima de nós possa iluminar o caminho para o propósito da sua vida!

CAPÍTULO 1

BREVE HISTÓRIA DA ASTROLOGIA

Para os povos antigos, não se fazia uma grande distinção entre Astronomia e Astrologia. Para eles, o universo era compreendido como um todo harmônico e conectado, regido por uma sequência universal de ciclos e forças que estavam além do controle humano. Tudo o que existia estava sujeito a essas poderosas energias, que faziam com que a vida fluísse.

O movimento dos astros celestes era visto como um produto dessa lei que regia todo o universo, e, portanto, compreender esse movimento era uma maneira de ampliar o conhecimento sobre tudo o que há e também compreender a lógica existente por trás da criação.

A Astrologia não é mera superstição. Na verdade, ela é a mãe da Astronomia, pois originalmente a observação dos ciclos celestes servia também a propósitos místicos, e não apenas técnicos ou científicos. Para os povos antigos, não havia essa moderna separação entre ciência e religião.

Quem primeiro estudou o céu e sua difícil matemática foram os astrólogos, desenvolvendo tabelas, cartas estelares e cálculos capazes de prever e explicar o ritmo celeste. Dessa maneira, em um céu sempre povoado por deuses, as imagens dos planetas e das constelações se tornaram – ou talvez fosse melhor dizer *se revelaram* – poderosos símbolos para as muitas nuances da experiência humana. Assim, ao compreender a interação entre esses corpos celestes, também era possível entender como a vida humana se movimentava.

Foi na região da Mesopotâmia que o conhecimento da Astrologia começou a se desenvolver, há mais de 6 mil anos. Diversos povos ali habitavam, como os babilônicos, persas e sumérios, mas foram os caldeus que levaram a fama de primeiros astrólogos – e, por muito tempo, esses dois nomes (caldeus e astrólogos) significavam exatamente a mesma coisa, designando o "povo que estuda as estrelas". Habitantes de uma região que favorecia o estudo e a observação do céu noturno, eles puderam perceber que havia uma faixa no céu, ocupada por estrelas fixas, através da qual se moviam os luminares: o Sol, a Lua, e também um conjunto de outras cinco "estrelas errantes" – sendo este exatamente o significado da palavra planeta. Essas estrelas eram Vênus, Marte, Mercúrio, Júpiter e Saturno. A faixa celeste por onde se moviam os planetas e estavam as constelações foi chamada pelos caldeus de Caminho de Anu.

Os ritmos do movimento dos corpos celestes passaram a ser organizados em mapas chamados de efemérides, e esse conhecimento astrológico era buscado tanto para assuntos importantes e determinantes, como em relação ao governo e às guerras, quanto para orientar a vida cotidiana e o trabalho – uma de suas principais aplicações era na agricultura, nas chuvas e cheias dos rios.

Toda a vida na Terra parecia observar o mesmo ritmo dos astros celestes, não necessariamente porque era determinada por eles, mas por partilharem da mesma natureza, da mesma *assinatura espiritual* de uma inteligência superior.

Naquele tempo, porém, a Astrologia ainda não era usada para analisar a vida de cada ser humano, pois, para esses povos antigos, simplesmente não existia nossa noção moderna de individualidade completa e absoluta. Assim como cada corpo celeste era um elemento de uma harmonia muito superior e coletiva, cada pessoa era vista como uma peça na engrenagem social, compreendida como um todo. Foi só mais tarde que a Astrologia ganhou essa famosa finalidade para a qual é quase exclusivamente buscada por nós hoje em dia.

O que aconteceu depois foi fundamental para o desenvolvimento da Astrologia como a conhecemos: os gregos passaram a ter contato com os povos mesopotâmicos. Muitos dos filósofos gregos estudaram com os sábios daquela região, e esse conhecimento passou a se integrar ao pensamento grego quando Alexandre, o Grande, venceu os persas. Foi então que todo o conhecimento astrológico recebeu a influência pitagórica da filosofia dos números, e também a doutrina dos quatro elementos e das polaridades, que hoje são conhecimentos fundamentais e básicos para a compreensão da Astrologia moderna. Na época do Império Romano, conceitos importantes como o signo Ascendente e as doze

Casas Astrológicas passaram a integrar o mapa astral. Não devemos esquecer que Roma também conquistou o Egito, outro centro importante que realizava estudos astrológicos, e onde todas essas influências puderam se encontrar e moldar o conhecimento sobre os astros.

Com o desenvolvimento de um pensamento mais racional e lógico, houve um tempo em que a Astrologia se tornou banalizada e ridicularizada, nascendo assim sua aparente rival, a Astronomia, que se apresentava como uma arte mais sóbria e menos fantasiosa. O ser humano passou a acreditar apenas naquilo que podia ser observado, e todo o conhecimento astrológico passou a ser considerado supersticioso e limitante. Esse pensamento foi fruto de uma mentalidade separatista, incapaz de perceber a harmonia entre todas as coisas, como faziam os povos antigos, mas entendendo o universo como compartimentalizado. Foi a queda do Império Romano que trouxe as primeiras crises para o pensamento astrológico, que, apesar de ser combatido, permaneceu vívido e atuante.

Durante a Idade Média, apesar de enfrentar ampla resistência por parte de muitos, o saber astrológico resistiu, e na Renascença vemos que nomes importantes dedicaram-se ao seu estudo, como Galileu e Paracelso. O próprio Copérnico, cuja obra provou ser o Sol o centro do sistema solar, e não a Terra, trabalhou em parceria com astrólogos para desenvolver sua tese.

Mas apenas em tempos muito mais recentes os outros planetas do mapa astral foram descobertos no céu, por meio do desenvolvimento da tecnologia e da criação dos telescópios. Foi isso que nos trouxe Urano, Netuno, Plutão e até mesmo os outros asteroides que às vezes são considerados por astrólogos mais modernos: Quíron, Ceres e Vesta.

Tudo isso provocou dois movimentos diferentes na Astrologia: a chamada Astrologia Antiga, que permanecia com seus clássicos sete planetas astrológicos, e a Astrologia Moderna, que reconhece dez planetas principais e outros corpos celestes de menor importância. Perceber isso é bastante interessante para notarmos como a Astrologia sempre foi um conhecimento vivo, que foi crescendo e se modificando ao longo do desenvolvimento da própria humanidade.

A Astrologia hoje

Mas e hoje? Será que ainda há espaço para a Astrologia? Em um tempo em que a ciência avança com uma rapidez nunca vista e a sociedade se transforma radicalmente em cada vez menos tempo, que relevância tem a Astrologia para nós?

Ora, é verdade que os tempos mudaram, e hoje não dependemos da compreensão do movimento dos astros para prever as cheias dos rios ou plantar nossas sementes. Mas a Astrologia, como uma Arte Viva, também mudou, e se adaptou muito bem aos tempos e às necessidades do ser humano contemporâneo.

O desenvolvimento do conhecimento psicológico também teve um grande impacto na Astrologia, e seus símbolos antigos passaram a ser compreendidos como forças arquetípicas presentes no interior de cada um de nós. Esse intercâmbio moderno entre ambas as áreas do conhecimento trouxe à Astrologia uma nova possibilidade: tornar-se um mapa da alma, capaz de explicar ao ser humano as poderosas forças que se atraem e se repelem dentro de si.

O mapa astral deixou de ser visto como o destino escrito nas estrelas e passou a ser compreendido como uma poderosa chave, capaz de abrir o inconsciente e nos fazer compreender melhor nosso universo interior.

Por isso, engana-se profundamente quem ainda pensa na Astrologia como algo primitivo, supersticioso e sem um lugar relevante em nossos tempos – essas pessoas ainda estão presas ao passado, repetindo discursos que tiveram início na Idade Média.

Se há algo que comprova a eficácia e a sabedoria que a Astrologia possui, e sua relevância para nossa vida hoje em dia, essa prova está na sobrevivência dessa arte tão antiga. Tudo o que se torna obsoleto e fora de uso morre e desaparece, sendo devorado pelo tempo e esquecido pela humanidade. A preservação e o desenvolvimento da Astrologia são a prova viva de sua eficácia e seu poder.

A Astrologia permanece como uma arte importante não só para as previsões de ciclos e acontecimentos, mas acima de tudo como uma ferramenta poderosa de autoconhecimento e aprofundamento de nossa busca interior. Ela proporciona a clareza necessária para a evolução da consciência e nos aproxima mais de todos os nossos reais projetos de vida e propósitos de alma, integrando opostos, ampliando potenciais criativos e anunciando o futuro com todas as suas possibilidades mais luminosas.

CAPÍTULO 2

O QUE É O MAPA ASTRAL?

À primeira vista, a imagem de um mapa astral pode parecer bastante intimidadora se não estivermos familiarizados com os símbolos e conceitos que são usados na Astrologia. (Vide página 44).

O primeiro passo para saber como interpretar um mapa é conhecer quais são os elementos que fazem parte dele e o que esse diagrama representa.

A melhor forma de compreender o mapa astral é pensar nele como uma fotografia do céu no momento do seu nascimento, tirada exatamente no lugar onde você nasceu.

As informações necessárias para calcular o mapa astral são tanto a data e o horário exatos quanto a localização precisa do seu nascimento. Assim, nós saberemos *quando* e *onde* essa fotografia do céu foi tirada. Pequenas variações de horário ou lugar significam mudanças nessa imagem, por isso é importante ser preciso. Algumas pessoas nascem em data e horário específicos, mas são registradas com datas e horários diferentes; nesse caso, o que conta são as informações do nascimento.

Já que o mapa astral é uma imagem circular que mostra o céu no lugar e na hora do seu nascimento, podemos dizer que o centro desse círculo celeste é justamente você. Ou seja, o mapa astral mostra a imagem do céu tendo a sua chegada ao mundo como eixo, ao redor do qual se moviam os astros e as estrelas – isso significa que cada um de nós é o centro do próprio universo. Para a Astrologia, todos os elementos do mapa astral são como uma extensão, uma projeção de nós mesmos.

Desde os tempos mais remotos, a humanidade tem se voltado para as estrelas na tentativa de desvendar o mistério da existência. O mapa astrológico de nascimento (ou carta natal) contém em si uma quantidade quase infinita de mensagens importantes para descobrirmos muito sobre nós e o nosso destino.

Todas as suas experiências, desta vida e de outras encarnações, estão descritas dentro de um mapa de forma simbólica, bem como facilidades e dificuldades que podemos desenvolver ao longo desta jornada terrena.

Com a evolução da consciência humana ao longo dos últimos milênios, o homem passou a compreender esse mapa como uma bússola para a qual podemos olhar com os olhos da alma e do coração, e encontrar respostas significativas para o nosso desenvolvimento e o do mundo ao redor.

A Astrologia dispõe de chaves que nos conduzem a um processo profundo de autoconhecimento e despertar de consciência que indica, dentre tantas questões, talvez as mais importantes: Quem sou eu? Para onde devo ir? Qual é minha missão de vida?

Alguns anos atrás, desenhar um mapa astral era uma tarefa muito difícil, que envolvia uma série de cálculos complexos e, se um pequeno erro fosse cometido, isso significava comprometer completamente todo o diagrama e suas interpretações.

Hoje em dia, muitos sites e aplicativos permitem que façamos o nosso mapa com um clique. Basta que você informe a data, o horário e o local de nascimento, e em apenas alguns segundos obterá o gráfico completo. Procure um desses sites ou aplicativos e obtenha esse diagrama para poder interpretá-lo, com o auxílio deste livro, ao longo dos próximos capítulos.

Mas quais são os elementos que formam o mapa astral?

Existem três elementos que compõem a imagem do nosso mapa: os 12 signos do zodíaco, os planetas e as 12 casas. Isso significa que todos esses elementos estão presentes em absolutamente todos os mapas astrais, e a combinação entre esses elementos e símbolos retratam nossa individualidade.

Você já deve ter ouvido frases como: "Eu não tenho Touro no meu mapa", ou então "Eu não tenho signos de Água" – isso não pode ser verdade, afinal, nenhum planeta ou estrela saiu do céu no momento do seu nascimento! Todos eles estavam lá em algum lugar, estabelecendo relação uns com os outros, e, mesmo que você não tenha planetas em determinado signo, eles ainda estarão lá, regendo uma casa.

Quando dizemos: "Eu sou de Escorpião" ou "Minha prima é do signo de Libra", estamos apenas nos referindo ao signo onde o Sol se encontra no mapa, que diz respeito à nossa identidade e características fundamentais, mas isso não explica tudo sobre nós.

Lembre-se: todos os luminares, planetas e signos estão no céu no momento de nascimento de cada um, e, para entendermos melhor quem somos, é preciso olhar para todos eles.

Talvez você esteja se perguntando como podemos explicar a totalidade da experiência humana em suas inúmeras possibilidades por meio de 2 luminares e 8 planetas, 12 casas e 12 signos. Se cada pessoa é única e possui características tão próprias, como esses elementos dão conta de explicar a vida de bilhões de pessoas que compartilham este planeta?

O segredo está na forma como esses elementos se combinam. Pense no nosso alfabeto: ele tem apenas 26 letras, mas, por meio da combinação delas, podemos falar sobre absolutamente tudo o que existe (e até sobre o que não existe!). Do mesmo modo, a combinação única de todos esses elementos no céu no momento do seu nascimento e a relação entre cada astro, signo e casa criam um mapa astral exclusivo.

Mas como entender o que é cada signo, astro e casa? Para começar, poderíamos pensar da seguinte maneira:

- Cada planeta ou luminar representa um pequeno personagem dentro de nós.
- Cada signo representa um modo de ser e compreender o mundo ou a forma como esses personagens se expressam.
- Cada casa representa uma área da vida humana.

Ou seja, cada planeta ou luminar representa uma *força* que existe dentro de nós. O signo no qual esse planeta se encontra nos fala sobre *como* essa força se expressa, enquanto a casa representa *onde* ela se manifesta em nossa vida.

Se pensarmos no mapa astral como uma peça de teatro, os planetas e luminares representariam os personagens; os signos seriam suas personalidades/expressões; e as casas, os cenários onde eles atuam.

Marte, por exemplo, representa o guerreiro interior: nosso poder de iniciativa, a capacidade de agir, a vontade, e também a agressividade e os instintos. Como esse guerreiro se comporta?

Precisamos saber o signo em que Marte se encontra em nosso mapa natal. Se estiver no signo de Touro, por exemplo, que traz a energia da estabilidade, isso significa que somos pessoas focadas e orientadas para os planos e objetivos de longo prazo – seu lema é "devagar e sempre". Já no signo de Escorpião, esse guerreiro interior se expressa na busca por superação, poder, competitividade, visando sempre uma posição de controle na vida. Mas, além disso, também precisamos saber a casa, ou seja, a área da vida onde esse personagem interior atua. Pessoas com Marte em Áries são conhecidas por serem impacientes, impulsivas e briguentas; porém, se essa combinação estiver na casa 6, por exemplo, que é relacionada ao trabalho, significa que toda essa energia é direcionada para essa área específica da vida.

Existe, ainda, aquilo que chamamos de aspectos: não basta analisar apenas cada planeta individualmente, os signos e as casas em que se encontram, mas precisamos entender também as relações formadas entre todas essas posições. Ainda usando o exemplo do teatro, isso representaria a forma como cada um desses personagens se relaciona na história de nossa vida, fortalecendo-nos e nos ajudando, ou então criando tensões e inimizades.

Pensando que cada mapa astral é uma fotografia única do céu no momento de nosso nascimento, apesar de todos termos os mesmos 2 luminares, 8 planetas, 12 signos e 12 casas, a combinação individual que eles estabelecem no mapa representa a narrativa de uma história diferente, uma peça de teatro única, uma obra de arte original e exclusiva, que é a vida de cada ser humano.

Ao mesmo tempo que todos nós compartilhamos dessas estruturas fundamentais (aquilo que foi chamado de arquétipo), cada um terá uma personalidade diferente e uma história de vida própria. Estudando esses elementos e entendendo o que eles são e como se relacionam, podemos viver melhor a experiência humana. É nesse sentido que a Astrologia se torna tão rica e tão importante para nós.

A seguir, você conhecerá o que são os signos, os planetas e os luminares, as casas e os aspectos, e também aprenderá a reconhecer seus símbolos. Nos próximos capítulos, poderá interpretar a forma como todos esses elementos se relacionam.

Os signos

Os 12 signos do zodíaco se distribuem ao redor do espaço circular do céu em intervalos iguais e são nomeados com base nas constelações que os povos antigos observaram naquela região do céu.

Uma curiosidade: os signos não são exatamente as estrelas, mas uma região no céu que é ocupada por elas. Cada constelação tem um tamanho diferente, ou seja, se fôssemos considerar apenas as estrelas, cada signo teria um tempo de duração diferente.

Já sabemos que todos os planetas estarão em um dos signos do zodíaco em nosso mapa, mas, para entender o que eles são de fato, é preciso dar lugar ao astro que desempenha um papel central para nós: o Sol.

A Astrologia ocidental tem como eixo a relação entre o Sol, a Terra e as estrelas. À medida que o Sol faz sua viagem anual pelos céus, ele passa cerca de trinta dias em cada signo, e é justamente isso que a nossa data de aniversário determina: o signo solar. Assim como o ano civil começa no dia 1º de janeiro, o ano novo astrológico é marcado pelo ingresso do Sol no signo de Áries, o equinócio vernal (entre 21 e 23 de março), que marca o início da primavera no Hemisfério Norte e do outono no Hemisfério Sul.

Em muitas mitologias antigas, o Sol é visto como uma deidade que nasce no solstício de inverno, a noite mais longa do ano e o momento de maior escuridão, como a esperança de que os tempos quentes e luminosos do verão estariam prestes a retornar. Após essa data, observamos que lentamente os dias começam a ganhar força e o tempo de Sol no céu vai aumentando cada vez mais. A celebração do solstício de inverno era tão importante que até mesmo o Natal foi fixado perto dela, pois, no Hemisfério Norte, acontece entre os dias 21 e 23 de dezembro.

Em sequência, os 12 signos são:

Áries – Touro – Gêmeos – Câncer – Leão – Virgem – Libra – Escorpião – Sagitário – Capricórnio – Aquário – Peixes

Quando pensamos na jornada do Sol ao longo dos 12 signos a cada ano, poderíamos pensar neles como as etapas de uma história. Agora, quando relacionados a um planeta, o que os signos fazem é dar a ele determinadas qualidades, uma lente através da qual essa força interior vai se expressar.

Mas o que dá a cada signo suas características e qualidades? São apenas as formas que os antigos enxergavam nas estrelas? Na verdade, não.

Cada signo representa a combinação de dois princípios: um elemento da natureza (Fogo, Terra, Ar e Água) e uma energia (Cardinal, Fixa e Mutável). Se multiplicarmos os 4 elementos pelas 3 energias, teremos os 12 signos do zodíaco: um para cada combinação possível. Para entendermos como isso se relaciona aos signos, precisamos voltar ao movimento anual da Terra e do Sol, que, ao longo de um ano, também provoca outro fenômeno importante: as quatro estações do ano.

As mudanças das estações refletiam transformações na natureza, que foram observadas pelos povos antigos e usadas como base para descrever os 12 signos: cada um deles representa um momento nesse ciclo anual da Terra e do Sol. Esse grande ciclo de quatro estações em constante movimento, uma após a outra, também se expressa de modo mais tênue na passagem dos signos através dos quatro elementos da natureza: Fogo, Terra, Ar e Água. Isso significa que Áries, o primeiro signo, é associado ao Fogo; Touro é associado à Terra, e assim por diante.

Fogo e Ar são elementos expansivos, voltados para a ação no mundo, enquanto Terra e Água são elementos cuja energia se volta para dentro, para o eu e o mundo interior. Metaforicamente, dizemos que Fogo e Ar são elementos masculinos (projetivos), enquanto Terra e Água são femininos (receptivos). Assim, percebemos que na sequência dos signos há uma alternância entre masculino e feminino. Pessoas que têm uma concentração maior de planetas em signos masculinos tendem a ter uma personalidade extrovertida, enquanto a predominância de signos femininos gera uma personalidade introvertida.

O Fogo é o elemento da força, do poder interior, da coragem e da transformação. Sua energia é quente, intensa, brilhante e rápida como as chamas. A paixão, alegria de viver, impulsividade e iniciativa são características dos signos regidos por esse elemento. A Terra é o elemento da materialidade e do mundo manifestado, das sensações, do trabalho, da família, do dinheiro, do corpo e de tudo o que pode ser tocado e experimentado por meio dos cinco sentidos. A estabilidade e as fundações sólidas são características da Terra. O Ar é o elemento da mente e do pensamento, da curiosidade e do mundo abstrato, da filosofia, comunicação e expressão. Representa a busca pelo conhecimento e do entendimento sobre a natureza da vida. Já a Água é o elemento das emoções, da intuição, dos sonhos e símbolos – de tudo o que não pode ser explicado, apenas sentido. Ela nos traz a sensibilidade e a capacidade de estabelecer relações e conexões profundas uns com os outros. São as profundezas de nosso ser, aquilo que está abaixo da superfície.

Isso nos dá a seguinte classificação:

- **Signos de Fogo**: Áries, Leão, Sagitário.
- **Signos de Terra**: Touro, Virgem, Capricórnio.
- **Signos de Ar**: Gêmeos, Libra, Aquário.
- **Signos de Água**: Câncer, Escorpião, Peixes.

Portanto, cada signo traz as qualidades essenciais de um desses elementos da natureza. Mas o que diferencia os três signos regidos por um mesmo elemento? Simples: o período da estação do ano em que cada signo está ativado pelo Sol.

Se temos um ano de 12 meses com 4 estações, isso significa que cada uma das 4 estações tem a duração de 3 meses. Os signos que marcam o início de cada estação são chamados de **cardinais** – eles têm o poder de expandir, projetar, iniciar. Representam os novos impulsos e a força da ação. Quanto mais signos cardinais ativos no mapa, mais vontade teremos para começar novos projetos. Seu excesso pode fazer com que comecemos muitas coisas sem nunca terminá-las; sua falta pode nos levar à estagnação e à dificuldade em realizar mudanças em nossa vida.

O segundo mês de cada uma das estações do ano marca o período de mais "pureza" – a estação anterior já ficou longe, e ainda falta bastante tempo para que a próxima se aproxime. Por isso, esse é o período de mais estabilidade e o auge da estação. Os signos associados a esse período são chamados de **fixos**, pois trazem o poder da determinação, a persistência, a concentração, a manifestação, o controle e a segurança. O excesso ou a falta de signos fixos ativados representa uma presença maior ou menor dessas características em nossa personalidade.

Por fim, o terceiro e último mês de cada estação representa o período de transição entre elas. Os signos que marcam o fim das estações são chamados de **mutáveis** porque é exatamente isso que expressam: a flexibilidade e a transformação, a capacidade de mudar de forma, as trocas, o movimento. Esses signos tornam a personalidade dinâmica e nos ajudam a contornar problemas e situações difíceis na vida. Quando ativados em excesso, podem nos tornar indecisos e instáveis.

Assim, temos:

- **Signos cardinais**: Áries, Câncer, Libra, Capricórnio.
- **Signos fixos**: Touro, Leão, Escorpião e Aquário.
- **Signos mutáveis**: Gêmeos, Virgem, Sagitário, Peixes.

Combinando a energia de um dos elementos com a energia atribuída a eles, temos:

	FOGO	TERRA	AR	ÁGUA
CARDINAL	Áries — Fogo que queima.	Capricórnio — Terra que sustenta.	Libra — Ar que conecta.	Câncer — Espelho de água.
FIXO	Leão — Fogo que brilha.	Touro — Terra fértil.	Aquário — Ar que preenche.	Escorpião — Água das profundezas.
MUTÁVEL	Sagitário — Fogo que eleva.	Virgem — Terra estável.	Gêmeos — Ar que se expande.	Peixes — Água das marés.

Portanto, se organizarmos todas as classificações e informações anteriores, teremos a seguinte configuração:

SIGNO	PERÍODO	POLARIDADE	ELEMENTO	ENERGIA	TEMA DE VIDA
Áries	21 de março a 20 de abril	Masculino	Fogo	Cardinal	"Eu sou."
Touro	21 de abril a 20 de maio	Feminino	Terra	Fixa	"Eu tenho."
Gêmeos	21 de maio a 20 de junho	Masculino	Ar	Mutável	"Eu penso."
Câncer	21 de junho a 22 de julho	Feminino	Água	Cardinal	"Eu sinto."
Leão	23 de julho a 22 de agosto	Masculino	Fogo	Fixa	"Eu governo."
Virgem	23 de agosto a 22 de setembro	Feminino	Terra	Mutável	"Eu organizo."
Libra	23 de setembro a 22 de outubro	Masculino	Ar	Cardinal	"Eu harmonizo."
Escorpião	23 de outubro a 21 de novembro	Feminino	Água	Fixa	"Eu desejo."
Sagitário	22 de novembro a 21 de dezembro	Masculino	Fogo	Mutável	"Eu elevo."
Capricórnio	22 de dezembro a 20 de janeiro	Feminino	Terra	Cardinal	"Eu conquisto."
Aquário	21 de janeiro a 18 de fevereiro	Masculino	Ar	Fixa	"Eu conheço."
Peixes	19 de fevereiro a 20 de março	Feminino	Água	Mutável	"Eu acredito."

O que chamamos de **cúspide** é a linha que divide um signo do outro, um ponto de transição entre eles. Quando um planeta ou luminar está localizado na cúspide entre dois signos, consideraremos que ele está no signo em direção ao qual se movimenta, mas ele poderá ainda carregar muitas características do signo do qual está saindo.

Por exemplo, quando nascemos no dia em que o Sol ingressa em um novo signo, ele pode estar posicionado na cúspide entre o signo anterior e o próximo. Assim, consideraremos que a pessoa terá como signo solar aquele no qual o Sol ingressou, mas que sua personalidade ainda trará traços do signo do qual o Sol está saindo. O mesmo é válido para todos os outros planetas e aquilo que representam. Falemos deles, então.

Planetas e luminares

A Astrologia clássica considerava apenas sete planetas, aqueles que podiam ser observados a olho nu: Sol, Lua, Marte, Mercúrio, Júpiter, Vênus e Saturno. Esses sete planetas regem os dias da semana e na maioria dos idiomas, inclusive, dá o nome a eles. Posteriormente, acrescentaram-se a essa lista Urano, Netuno e Plutão. Muitos também passaram a considerar alguns asteroides na análise do mapa natal, dos quais trataremos em outro momento do livro.

Provavelmente você está se perguntando: "O Sol e a Lua? Planetas? Mas eles não são luminares?". Sim, é verdade que o Sol e a Lua não são planetas, no sentido que essa palavra tem hoje para nós. Se olharmos para a origem da palavra *planeta*, descobriremos que ela significa apenas "estrela errante", ou seja, era usada para designar os astros celestes que estavam em constante movimento, em contraste com as constelações, que pareciam fixas. Por isso, na Astrologia clássica, Sol e Lua eram chamados de planetas – corpos celestes em movimento.

Hoje em dia, a Astrologia vem se adequando às novas terminologias, e agora usamos o termo *luminar* para nos referirmos à Lua e ao Sol, deixando de lado a obsoleta terminologia de *planeta* para esses dois astros celestes. Visto que, mesmo na interpretação do mapa astral, os luminares têm um papel de preponderância e destaque na interpretação da nossa personalidade, já que é para esses dois corpos celestes que sempre olhamos primeiro, também faz sentido usar para eles uma terminologia diferente daquela utilizada para as demais "estrelas errantes".

Cada luminar ou planeta representa um aspecto da nossa personalidade e revela necessidades, impulsos, áreas específicas do nosso Eu.

Existem quatro classificações para esses dez corpos celestes usados na interpretação do mapa astral. Primeiro, os **luminares**, Sol e Lua, que assumem um papel importante em nossa personalidade imediata. Em segundo lugar, temos os chamados **planetas pessoais**, que são os que se movem mais rapidamente através dos signos: Marte, Mercúrio e Vênus – eles se somam aos luminares para determinar nossa personalidade mais básica e sua dinâmica. Depois, temos os **planetas sociais**, Júpiter e Saturno, que representam aspectos da personalidade que estão no limiar da vida pessoal e coletiva, e também nossos objetivos e desafios. Finalmente, temos os **planetas geracionais**: Urano, Netuno e Plutão, que levam muitos anos para completar uma volta inteira ao redor do céu e, por isso, falam sobre a influência das tendências coletivas sobre nós e como elas interagem com os aspectos mais pessoais da personalidade. Isso revela que a Astrologia não compreende o ser humano como um ser isolado e individual.

Resumindo, poderíamos dizer que os luminares e planetas pessoais são aqueles que revelam como vamos nos comportar e atuam nas áreas da vida em que temos o livre-arbítrio e tomamos nossas próprias decisões – eles não mostram o que vamos fazer, mas como faremos. Já os planetas sociais revelam aspectos da vida que fogem do nosso controle, como as tendências de experiências e a sorte – aquilo que não depende apenas de nós. Os planetas geracionais falam da nossa bagagem cultural e temporal, dos ciclos maiores e do momento da humanidade nos quais estamos inseridos. Isso responde a outras perguntas bastante comuns: A Astrologia acredita em destino? Tudo já está determinado? A resposta parece ser um meio-termo, pois, mesmo que a nossa personalidade dinâmica nos dê autonomia, parece que, de algum modo, temos algumas "paradas obrigatórias" na jornada da vida.

Como cada planeta ou luminar trata de um aspecto do ser, eles também possuem um ou mais signos sob sua regência. Isso significa que ambos compartilham da mesma natureza. Quando esses astros são distribuídos no céu pelos signos do zodíaco em nosso mapa, há determinados posicionamentos chamados de **dignidades** e **debilidades planetárias**. Como cada planeta e cada signo têm natureza própria, talvez essas duas forças sejam mais ou menos harmônicas. Um planeta de energia ativa e projetiva se expressa melhor através de um signo que tenha características semelhantes.

A melhor posição para um planeta ou luminar é o signo que está sob sua regência. Assim, a melhor posição para a Lua é Câncer, para Vênus é Touro ou Libra, e assim por diante. Quando isso acontece, dizemos que o astro está **domiciliado** – ele se sente em casa e se expressa com naturalidade. Caso esteja no signo diametralmente oposto da sua regência, ele estará **exilado**, o que significa que aquele signo expressa uma energia contrária à tendência do planeta, e por isso ele estará enfraquecido e contrariado.

Cada um desses astros também terá um signo de **exaltação** e outro de **queda**, que representam pontos intermediários entre o exílio e o domicílio. A exaltação representa uma "segunda casa" para o planeta – ele não está no seu lugar mais natural, mas ali as forças são compatíveis e ambos se beneficiam. Se olharmos para o signo oposto da exaltação, encontraremos o signo de queda: um segundo ponto de energias contraditórias, fraquezas e limitações no mapa, não tão negativo quanto o exílio, mas que expressa forças diferentes.

ASTRO	POTÊNCIA INTERIOR	TEMA	REGÊNCIA/DOMICÍLIO
Sol	O Eu Verdadeiro/ O Herói Interior	O ideal do ser, a identidade, a mente consciente, os aprendizados.	Leão
Lua	O Eu Emocional	Sentimentos, sonhos, hábitos, os vínculos afetivos, expectativas, a infância e a mãe.	Câncer
Marte	O Guerreiro	Ação, iniciativa, coragem, competitividade, agressividade, paixão, determinação.	Áries
Mercúrio	O Comunicador	Aprendizado, curiosidade, comunicação, inteligência, raciocínio, interesses.	Gêmeos, Virgem
Vênus	O Amante	O poder de atração, as relações sociais, arte, harmonia, beleza.	Touro, Libra
Júpiter	O Rei	Sorte, crescimento, expansão, sucesso, abundância, entendimento.	Sagitário
Saturno	O Desafiador	Ordem, leis e regras, restrição, responsabilidade, ambição, dificuldades.	Capricórnio
Urano	O Libertador	Mudanças, rebeldia, liberdade, evolução, solidariedade, humanitarismo.	Aquário
Netuno	O Sonhador	Compreensão, meditação, sabedoria, conexão com a coletividade, empatia.	Peixes
Plutão	O Guardião dos Segredos	Transformação, poder, o inconsciente, a impermanência, os finais e a morte.	Escorpião

ASTRO	EXALTAÇÃO	QUEDA	EXÍLIO
Sol	Áries	Libra	Aquário
Lua	Touro	Escorpião	Capricórnio
Marte	Capricórnio	Câncer	Touro, Libra
Mercúrio	Aquário	Leão	Sagitário, Peixes
Vênus	Peixes	Virgem	Áries, Escorpião
Júpiter	Câncer	Capricórnio	Gêmeos, Virgem
Saturno	Libra	Áries	Câncer, Leão
Urano	Escorpião	Leão	Touro
Netuno	Leão	Aquário	Virgem
Plutão	Virgem	Peixes	Touro

Signo Ascendente, Meio do Céu, Descendente e Fundo do Céu

Provavelmente você deve estar se perguntando: Mas e quanto ao signo Ascendente? Onde ele fica? Para entender o que ele é, voltemos à ideia do mapa astral como uma fotografia do céu no momento do nascimento. Não imagine essa fotografia como se ela tivesse sido tirada do espaço – ela é mais parecida com uma foto panorâmica tirada no local e no horário do seu nascimento, ou seja, o centro dela é a própria Terra. Isso quer dizer que o mapa astral retrata o céu do ponto de vista do local onde você estava ao nascer, com você (e nosso planeta) bem no centro dele.

Se cortarmos o mapa astral horizontalmente em duas metades, essa linha representa o próprio horizonte ligando o leste e o oeste. Logo, a metade de cima do mapa representa o céu acima de nós, o céu visível, enquanto a metade de baixo representa o céu invisível, que está "embaixo da Terra". Assim como o Sol e a Lua nascem todos os dias no leste e se põem no oeste, cada um dos signos também nasce no leste, eleva-se pelos céus e se põe no oeste. Esse movimento é como um carrossel ou um relógio de ponteiros – a diferença é que, em vez de o ponteiro (a Terra) se movimentar, quem gira são os 12 números ao seu redor.

Assim, temos sempre seis constelações visíveis, na região superior do mapa, e outras seis que não podem ser vistas naquele momento, na região inferior.

O **signo Ascendente** será aquele que estiver se elevando na linha do leste do seu mapa astral no momento do nascimento, como se ele também estivesse "nascendo" no horizonte. Esse signo representa o aspecto mais visível da sua personalidade, aquilo que será projetado para o mundo, sua maneira de se expressar e a forma como os outros verão você.

Diametralmente oposto a ele, do outro lado do horizonte, haverá um signo que estará "se pondo", como o Sol no fim da tarde, saindo da metade visível do mapa e indo em direção à sua parcela invisível. Esse será seu **signo Descendente**, que representa seu oposto complementar e o par ideal. Se o Ascendente representa o Eu, o Descendente representa o Outro – aquilo que o atrairá em outras pessoas e a energia necessária para balancear sua personalidade. Também expressa nossa própria maneira de nos relacionarmos.

Assim, com essa linha horizontal, cortamos nosso mapa em duas metades. Façamos agora uma segunda linha, desta vez vertical, também passando pelo centro – uma cruz de braços iguais que divide o mapa em quatro quadrantes. O signo que estiver tocado por essa linha no topo do nosso mapa, no centro do céu visível, é chamado de **Meio do Céu**, que fala principalmente do nosso trabalho e papel social que tendemos a ocupar, explicando *como* iremos desempenhar essa função. Também mostra nossas aspirações e aquilo que desejamos nos tornar, para onde desejamos ir. Oposto a ele, no centro da parte invisível do céu, estará o signo do **Fundo do Céu**, que representa as camadas mais profundas do nosso ser, nossas bases, a ancestralidade, a casa e a família. Também revela os aspectos mais íntimos da nossa personalidade, os quais têm tendência a ficarem ocultos.

As casas

Finalmente, as casas do mapa astral representam os setores da nossa vida. Na etapa anterior, já dividimos o mapa astral em quatro quadrantes; agora, para obter as 12 casas zodiacais, devemos dividir cada quadrante em 3 partes – como uma *pizza* de 12 fatias. As casas ocupam o céu a partir da linha leste do horizonte, onde está o signo Ascendente, continuando em sentido anti-horário, ou seja, em um movimento oposto ao dos planetas e signos. Isso significa que as primeiras 6 casas do mapa astral ficarão localizadas na porção invisível do céu no mapa astral, enquanto as casas de 7 a 12 correspondem à metade visível.

As casas devem ser compreendidas como o *espaço* no céu ao longo do qual se movem tanto os signos quanto os planetas e luminares. O que o mapa astral mostrará são os astros que estavam ocupando cada uma das 12 casas na hora do nascimento e, assim, revelará as energias que se expressarão em cada setor de nossa vida.

Assim como cada signo é regido por um planeta ou um luminar diferente, cada casa zodiacal também é regida por um signo: a casa 1 tem como temas os mesmos associados ao signo de Áries; a casa 2 tratará dos mesmos assuntos que são relacionados ao signo de Touro, e assim por diante.

Os temas das 12 casas são os seguintes:

CASA	REGENTE	TEMAS DA VIDA
1	Áries	A personalidade, a forma como se apresenta para o mundo, autoimagem, o aspecto físico.
2	Touro	As posses, segurança, dinheiro.
3	Gêmeos	Comunicação, aprendizagem, laços familiares (em especial os irmãos), vida social.
4 - Fundo do Céu	Câncer	O lar, a família, os pais, raízes, afetividade, hereditariedade.
5	Leão	Autoestima, criatividade, a sorte, filhos, objetivos, expressão, artes.
6	Virgem	Trabalho, saúde, doenças, qualidade de vida, o cotidiano, hábitos.
7	Libra	Relações, parcerias, leis, casamento, ética, gostos pessoais e estéticos.
8	Escorpião	Transformações, espiritualidade, sexualidade, heranças, finalizações.
9	Sagitário	Filosofia, religião, viagens longas, formação superior, experiências importantes.
10 - Meio do Céu	Capricórnio	Responsabilidade, *status* social, prestígio, vida pública, ambições.
11	Aquário	Afinidades, amizades, grupos, solidariedade, os ideais pessoais.
12	Peixes	Inconsciente, karma, obstáculos, intuição, decepções, amores impossíveis.

Os aspectos

Entendemos que cada signo representa uma força interior; cada planeta ou luminar mostra um aspecto da nossa personalidade; e cada casa simboliza uma área específica de nossa vida. O último elemento que precisamos analisar são os aspectos: as relações estabelecidas entre os planetas e os luminares no mapa astral, de acordo com o ângulo formado entre eles.

Quando você estiver olhando um mapa astral, os aspectos estarão representados como linhas que conectam os símbolos dos planetas e os luminares. Dependendo da distância entre eles, certos padrões geométricos são formados, e cada um deles representa um tipo de interação entre essas forças.

Os aspectos mostram os traços mais básicos de nossa personalidade, pois revelam a dinâmica do potencial de cada planeta dentro de nós. De modo geral, destacamos cinco aspectos que podem ser estabelecidos pelos astros em nosso mapa: o **sextil** e o **trígono** são aspectos harmônicos e positivos, em que os astros trabalham juntos; a **quadratura** e a **oposição** indicam tensões e desarmonia entre as forças planetárias; a **conjunção** representa que a atuação de um astro será sempre influenciada pela presença do outro, ou seja, eles trabalharão juntos, o tempo todo – isso pode ser positivo ou negativo, dependendo dos planetas envolvidos.

Veja a seguir o que cada um desses aspectos pode indicar em termos gerais:

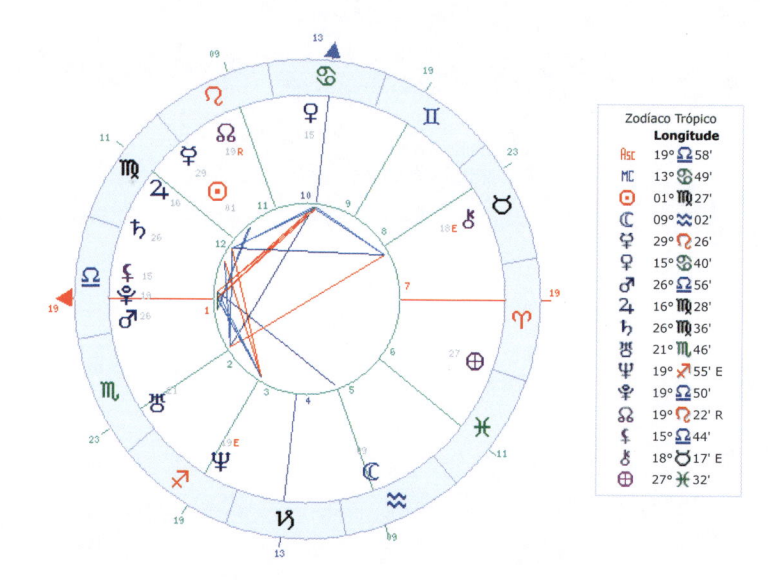

ASPECTO	DISTÂNCIA	CARACTERÍSTICAS
Conjunção	0°	União de forças entre os planetas. Potencialização.
Sextil	60°	Cooperação, parceria, harmonia.
Quadratura	90°	Obstáculos, conflitos, desafios.
Trígono	120°	Movimento, fluidez, sorte.
Oposição	180°	Confronto, tensão, direções opostas.

Existem ainda outros aspectos, como o quintil, o semissextil, a semiquadratura e o quincúncio, mas, para uma interpretação básica e geral do mapa, consideram-se apenas os aspectos principais que foram apresentados na tabela anterior. Caso você tenha interesse em explorar mais profundamente os aspectos do seu mapa, recomendo que procure um astrólogo de sua confiança.

De maneira geral, tudo o que você precisa saber para começar a interpretar um mapa astral foi reunido aqui.

Nos próximos capítulos, você vai entender melhor cada um dos itens explicados anteriormente e compreender como eles se relacionam, para que possa começar a se aventurar na interpretação do seu mapa astral.

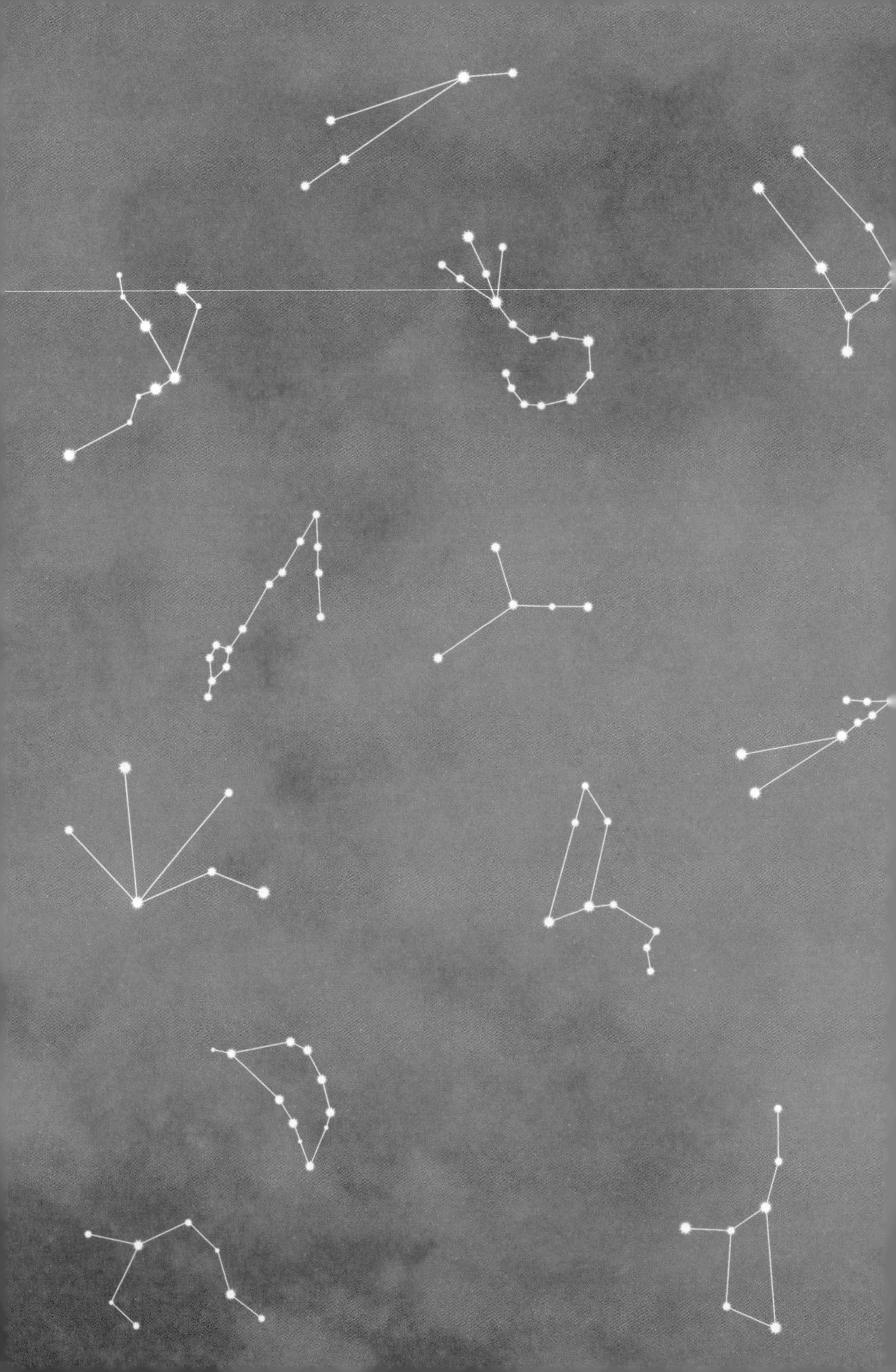

CAPÍTULO 3
OS 12 SIGNOS DO ZODÍACO

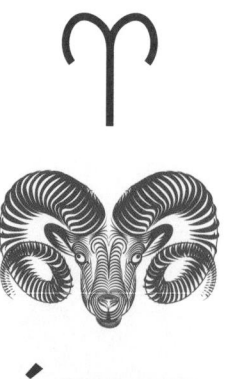

ÁRIES

REGENTE	QUALIDADE	ELEMENTO
Marte	Cardinal	Fogo

Fogo que queima.

EU SOU. Eu sou o Fogo dos inícios, a fagulha que se acende na escuridão para trazer movimento e força. Por onde eu passo, há transformação, pois por meio das minhas labaredas nada pode permanecer o mesmo. Eu toco e transformo, eu ouso e desafio – desistir não faz parte de mim, pois, quando os caminhos estão fechados, eu sou a coragem e a energia para abri-los. Meu espírito é explorador e aventureiro, e, se a natureza do Fogo é queimar, buscarei sempre novos começos para alimentar minha alma. Eu sou livre, e nada poderá conter minhas chamas. Sou forte como o relâmpago que cruza os céus e imbatível como a lava de um vulcão em erupção. Eu derrubarei as barreiras, desafiarei os limites e não descansarei enquanto não vencer todas as batalhas. Eu sou Áries e incendiarei o mundo com a intensidade e a paixão por viver.

Áries é o primeiro signo do zodíaco, e por isso representa o poder dos nascimentos e da diferenciação. Os arianos estão sempre em busca de afirmar sua identidade e explorar seu potencial interior. Todos eles sentem que dentro de si há um enorme potencial ainda inatingido e não descansarão enquanto não sentirem que essa potência está se expressando e se manifestando no mundo. São conhecidos por sua coragem inabalável e heroica. Para os arianos, a vida é uma grandiosa aventura, e as barreiras e os desafios não são nada além de combustível para o fogo ardente e apaixonado que esse signo emana.

É por isso que os arianos são os grandes pioneiros do zodíaco e vivem sob o lema: "Se há uma vontade, há um caminho". Desistir não é com eles, muito pelo contrário – precisam se sentir desafiados o tempo todo. Regidos pelo planeta Marte, o Guerreiro, os arianos entendem a vida como um grande campo de batalha e não admitirão perder. Para esses desbravadores, a vitória e o sucesso são as únicas opções.

Em Áries, a energia é sempre expansiva e projetiva: ela quer se lançar no mundo e se manifestar com o máximo do seu potencial. Aqui não existe moderação, muito pelo contrário! Tudo é muito intenso, cheio de paixão e calor. No reino de Áries, não existem meios-termos: é tudo ou nada.

Arianos são apaixonados pela vida e desejam obter o máximo que puderem dela. Estão sempre buscando novas aventuras e adoram a sensação de adrenalina; são excelentes para começar novos projetos e explorar territórios novos – todo ariano tem algum tipo de espírito empreendedor.

A dificuldade que precisam enfrentar é manter o foco e a disciplina para terminar tudo aquilo que começam. A rotina e a mesmice não são apreciadas pelos arianos. Eles gostam de se sentir sempre desafiados a ir cada vez mais além, explorando o máximo de sua capacidade.

Há uma competitividade natural na personalidade dos arianos, que buscam sempre ser o número um – não para provar algo para as outras pessoas, mas simplesmente porque, lá no fundo, eles sabem que podem.

A impaciência e a impulsividade também são suas marcas registradas, e esse signo é famoso por falar ou agir antes de pensar. Isso faz com que os arianos sempre se comportem de maneira autêntica, sendo originais e prezando muito por permanecerem fiéis aos próprios objetivos.

A liberdade também é um valor ariano fundamental. Eles não toleram nada que pareça privá-los ou restringir sua natureza expansiva como o fogo. Todo esse ímpeto pode lhes dar um ar de "mandão" ou dominador, e é verdade que arianos se tornam ótimos líderes, afinal, preferem governar a si mesmos a obedecer às ordens de alguém que não admiram. Ao mesmo tempo, sua aura magnética tem o poder de atrair as pessoas, motivo pelo qual os arianos costumam sempre estar acompanhados de muitos amigos. São otimistas e sempre veem nas dificuldades uma possibilidade de vitória.

A força ariana não pode ser contida nem controlada. Ela precisa se expressar, e os planetas e as áreas da vida no mapa natal que estiverem nesse signo terão uma fonte inesgotável de energia para usar. Mesmo quando todos estão cansados, o impulso perpétuo do fogo desse signo não os deixa parar ou desistir. Por isso, os arianos também precisam aprender o momento de parar e recarregar as baterias para não chegar à exaustão.

A imagem interior

Arianos vivem sob a imagem psíquica do Desbravador que deseja explorar o mundo e descobrir a própria identidade. Devemos lembrar que, no zodíaco, Áries vem depois do signo de Peixes, que representa o oceano primordial da vida; por isso, esse signo de Fogo simboliza também o nascimento da vida a partir do útero, a individualidade e o desejo por se diferenciar do todo, encontrando características que façam do indivíduo alguém único e autêntico.

A sombra de Áries

Se os arianos vivem sob o ideal do guerreiro imbatível, a imagem sombria interior que precisam confrontar é a do covarde, do impotente e do incapaz.

O grande medo que assombra os arianos é de se verem derrotados e abatidos. Se para eles a vida é como uma grande batalha, nada pode ser mais terrível do que se verem como um perdedor.

Isso pode fazer com que toda a energia e o vigor dos arianos se voltem contra eles mesmos, e, ao invés de sentir que travam uma batalha com o mundo, se perceberão em uma constante guerra interior. Isso fará deles tiranos irredutíveis. Ao se darem conta de que são incapazes de se controlar, tentarão controlar os outros. Na dificuldade de expressar seu potencial, sua energia pode acabar vindo à tona na forma de comportamentos autodestrutivos e prejudiciais a si mesmos.

Então o autoritarismo, a cobrança excessiva e uma necessidade de dominação se estabelecerão em sua personalidade, que, ao invés de desbravadora e expansiva, vai se tornar contraída, rígida, intolerante e destruidora.

A saída dessa imagem sombria é reconhecer as próprias limitações e encarar a vida com mais suavidade, sabendo que às vezes podemos perder a batalha, mas isso não significa perder a guerra.

Raio X do ariano

TEMPERAMENTO	Tempestuoso e explosivo, mas também inocente e ingênuo, como uma criança nos primeiros anos de vida.
PERSONALIDADE	Intensa, instintiva e com um grande espírito de liberdade. Valoriza muito a independência e a autossuficiência. Traz um traço de autoridade e liderança. É criativo e empreendedor, sem medo de novos começos.
VALOR FUNDAMENTAL	A independência.
MOTIVAÇÃO INTERIOR	A superação dos próprios limites.
QUALIDADES	Determinação, iniciativa, coragem, vigor, heroísmo, pioneirismo, liderança, força.
DEFEITOS	Egoísmo, isolamento, ingenuidade, impulsividade, cólera, ira, visão limitada, destrutividade.
DESAFIO	Aprender a diferenciar as reais necessidades dos desejos e impulsos.

Os arianos no trabalho

A ambição é uma característica importante para os arianos, e, nesse sentido, posições de liderança, funções de autonomia e independência são valorizadas. Eles precisam se sentir constantemente desafiados e motivados no ambiente profissional. Atividades que envolvam metas e conquistas também podem atrair esse signo. Devem tomar cuidado para não serem obcecados demais com o trabalho e chegarem à exaustão.

Bastante dinâmicos e ágeis, os arianos têm muita iniciativa e gostam de fazer as coisas à própria maneira. Veem no trabalho uma possibilidade de se desafiar, realizando seu potencial e se impondo novas superações continuamente. Por serem bastante ambiciosos, buscarão sempre se destacar para alcançar cargos de mais prestígio e poder.

A saúde dos arianos

Ponto forte: Áries é um signo de muito vigor físico e resistência corporal. Quando ficam doentes, os arianos costumam se recuperar rapidamente.
Ponto fraco: Devem tomar cuidado com problemas de saúde na região da cabeça: enxaquecas, doenças na região dos olhos e ouvidos, disfunções cerebrais. O vigor ariano muitas vezes traz dificuldade para perceber que o corpo precisa de cuidados ou mesmo de repouso e descanso.

Áries no amor

Quando se apaixona, o ariano vivencia seus sentimentos com muita intensidade e entrega ao outro, dedicando-se bastante ao parceiro. Gosta de ver o outro crescer e se beneficiar por meio do relacionamento, e nesse sentido colocará sua energia à disposição para fazer o parceiro explorar também todo o seu potencial, da mesma maneira que os próprios arianos fazem. Negativamente, Áries pode trazer dificuldades em confiar no outro, possessividade, ciúme e, às vezes, superficialidade nas relações por buscar sempre a sensação da primeira vez.

♥ **Como conquistar os arianos:** *Eles são atraídos por pessoas fortes e independentes, que sabem como usar seu charme pessoal. Os arianos gostam da sensação da conquista e preferem sentir que estão à frente na sedução.*

A família e os amigos

Arianos dão muito valor à família, mas não se sentem presos a ela. Morar longe ou passar longos períodos fora não é um grande problema para eles. Dão muita importância para sua vida social e gostam de estar sempre rodeados de pessoas, experimentando situações novas. Costumam ser muito populares e possuem uma aura que atrai os outros para si. Apesar disso, selecionam muito bem suas relações verdadeiras, pois precisam se sentir bastante identificados para permitir que alguém faça parte de sua vida genuinamente.

A sorte para o signo de Áries

Cor: vermelho

Palavra-chave: independência

Dia da semana: terça-feira

Ervas e/ou flores: manjericão, gerânio, pimentas

Arcanjo: Samuel

Cristais: cornalina, ágata de fogo

Aromas: canela, sangue de dragão

Metal: ferro

Números: 1, 5

Tarô: O Mago

TOURO

REGENTE	QUALIDADE	ELEMENTO
Vênus	Fixo	Terra
Terra fértil.		

EU TENHO. Minha Terra é o solo fértil que gentilmente abraça as sementes para que germinem e cresçam fortes e belas. Meu é o toque gentil sobre a pele, o perfume dos campos que inebriam o espírito, a beleza das flores que encanta os olhos e os deliciosos sabores que alimentam e matam a fome; meu também é o riso de alegria daqueles que são saciados pelos frutos da Terra. Sou a firmeza e a resistência das montanhas e colinas, e nada pode me derrubar, mas também sou alegre como o desabrochar dos brotos primaveris. Meu tempo é sempre longo e duradouro, firme como os troncos das árvores que sustentam as copas verdes. Eu ensino o dom da paciência, pois minha mudança é lenta e depende da ação do tempo. Trago a estabilidade necessária para que todos se sintam seguros e satisfeitos. Diante do meu poder, a vida floresce, sempre bela. Eu sou Touro: a terra firme que acaricia e sustenta os seus pés descalços a cada passo.

Os taurinos são regidos pelo planeta Vênus, a Deusa do Amor e da Beleza, e esse signo representa a beleza da Terra verdejante que floresce na primavera. Assim são os taurinos: fortes e resistentes, nutridores e constantes, charmosos e preocupados com a beleza.

A segurança é um valor fundamental para todos os taurinos. Em tudo o que fazem, há uma enorme necessidade de saber onde estão pisando e de sentir que o chão é firme. Por isso, preocupam-se em construir bases sólidas na vida; o trabalho, a casa e o dinheiro são fundamentais para que os taurinos se sintam bem. E, da mesma maneira que a Terra nutre as sementes na primavera, há nos taurinos um senso de serviço e doação – eles precisam sentir que sua vida de alguma forma tem um sentido maior, que contribua com outras pessoas.

A praticidade e a objetividade também são características marcantes desse signo. Taurinos costumam enxergar a vida e as escolhas de maneira bastante direta, com base em seu senso de certo e errado, prazeroso e desagradável, possível e impossível. Não perderão muito tempo tentando desbravar novos caminhos e correr riscos se uma alternativa já conhecida e mais segura se colocar diante deles. A estabilidade é crucial para que se sintam bem. É em razão dessa forma clara e direta de encarar as situações da vida que os taurinos ganham sua fama de serem os mais teimosos do zodíaco, mas saiba que isso não tem a ver com ser teimoso simplesmente – é só que eles enxergam o mundo e a vida de maneira bastante concreta e, para eles, as coisas são exatamente como se mostram: se uma pedra é sempre sólida e se a água sempre escorregará por entre os dedos, qual o sentido de esperar que as rochas sejam flexíveis ou de perder tempo tentando segurar a água nas mãos? Suas expectativas são bem definidas e baseadas naquilo que conseguem perceber de imediato, e um taurino ficará muito descontente se precisar se envolver em atividades nas quais não veja sentido ou fundamento.

Touro é a presença no aqui e agora. A constância é fundamental para eles, então, esse é um signo que às vezes demora a aquecer e sair da inércia, mas, quando começa a se movimentar, permanecerá no mesmo ritmo com bastante determinação.

Há também um senso de harmonia muito importante para os taurinos, que dão grande importância para a experiência corporal e sensorial. Eles adoram ter os cinco sentidos estimulados e estão sempre em busca de prazer e conforto. Para esse signo vaidoso, beleza e harmonia são qualidades muito desejadas, e taurinos não se dão bem em ambientes, relações e situações poluídas ou bagunçadas em demasia. Se praticidade é sua palavra-chave, é a simplicidade que os faz se sentirem em casa.

Eles também têm uma ótima relação com o dinheiro e gostam de ser recompensados pelo que fazem; além disso, administram bem suas posses e buscam investir a menor quantidade de recursos para obter o que desejam. Por buscarem segurança em tudo o que fazem, os nativos deste signo nunca trocarão o certo pelo duvidoso – preferem a certeza de ter e manter o que querem à adrenalina de uma nova conquista que não lhes proporcione segurança.

Seu movimento é lento como o da Terra; seu lema é "devagar e sempre", e é bom que os taurinos possam se divertir e aproveitar o percurso, mesmo que isso signifique fazer algumas paradas além do necessário. A pressa definitivamente não é uma característica do signo de Touro.

A imagem interior

Os taurinos vivem sob a imagem interior do Jovem Amante. Assim como a terra verdejante da primavera, que gera flores e folhas verdes exuberantes, os nativos deste signo possuem um senso interior de alegria e prazer, mas também a força e a vitalidade que a própria imagem do touro nos desperta. Disso surge ainda a ideia interior de estabilidade, segurança e firmeza, tão importantes para todos eles.

Essa imagem psíquica está profundamente associada à ideia da fertilidade, ou seja, de algum tipo de criação, permanência e continuidade. Daí sobrevém a profunda relação taurina com tudo o que é material, prático e objetivo.

A sombra de Touro

Se a imagem interior que inspira os taurinos é a segurança, a estabilidade e a produtividade, a imagem sombria que carregam em seu interior e que os aterroriza é a da improdutividade e incapacidade. Seu grande medo é não ser capaz de ter o próprio sustento, ou, pior, sentir que, ao invés da fértil terra da primavera, sua vida se torna um solo arenoso e infértil, sem sentido e incapaz de nutrir as pessoas que dependem deles (ou das quais sentem obrigação de cuidar, de algum modo).

Touro é um signo de natureza provedora, por isso o medo da escassez e da falta de recursos os aterroriza. Isso pode levar os taurinos a assumirem uma postura de acúmulo de posses ou mesmo um comportamento egoísta, enraizado em uma necessidade de autopreservação. Isso pode dotá-los de um grande espírito conservador e de apego a "verdades universais", em uma tentativa de garantir estabilidade e manter seu lugar-comum.

Ou então, em uma tentativa de combater a imagem sombria, ainda podem se mostrar completamente desapegados dos bens materiais, em uma atitude de total doação – afinal, a melhor maneira de evitar a possibilidade da falta é conviver sempre com pouco para si. Quando isso acontece, a imagem do Provedor é substituída interiormente pela do Mártir.

A imagem sombria também pode assumir a forma do terrível Minotauro, cujo corpo humano é dominado pelos instintos e paixões da cabeça de touro. Nesse caso, quem manda nos taurinos é a paixão, o desejo e todos os poderes animalescos e selvagens do seu interior, em lugar da racionalidade e da consciência humanas.

Para libertarem-se dessa imagem sombria, os taurinos precisam aprender a flexibilizar sua visão sobre a vida, entendendo que ela não é feita apenas de aspectos práticos e objetivos.

Raio X do taurino

TEMPERAMENTO	Dócil, agradável e harmônico, de humor constante. Preocupado com o bem-estar coletivo, mas às vezes teimoso e resistente.
PERSONALIDADE	Prática, objetiva e centrada no aqui e agora. Os taurinos costumam classificar suas experiências em apenas duas categorias: agradáveis e desagradáveis
VALOR FUNDAMENTAL	A estabilidade.
MOTIVAÇÃO INTERIOR	A conquista do conforto e da segurança.
QUALIDADES	Paciência, perseverança, produtividade, praticidade, trabalho em equipe, fidelidade, segurança, beleza.
DEFEITOS	Gula, preguiça, avareza, teimosia, ciúme, possessividade e inflexibilidade.
DESAFIO	Compreender que aquilo que pode ser observado é apenas a camada mais imediata da realidade.

Os taurinos no trabalho

Os taurinos se relacionam bem com trabalho e rotina, mas, para isso, é preciso que estejam engajados em atividades prazerosas, que respeitem seu próprio ritmo e por meio das quais possam expressar sua criatividade. Não gostam de sentir que estão desperdiçando tempo ou talentos, e preferem empregos nos quais possam construir uma carreira contínua e segura.

Também têm um apreço grande por produtividade, o que faz desse signo um dos mais ligados ao trabalho – mas, para isso, a experiência precisa ser agradável no aqui e agora, pois os taurinos não buscam apenas o prazer de alcançar resultados no longo prazo, apreciando tirar proveito de todo o trajeto até chegarem aonde desejam.

A saúde dos taurinos

Ponto forte: Touro é um signo vaidoso, que se preocupa com o corpo, a saúde e o bem-estar. Não desperdiça sua energia e preza pelo repouso para se restabelecer.
Ponto fraco: Precisa tomar cuidado com excessos na alimentação, pois há uma tendência a transtornos alimentares e distorções da imagem corporal. A região da garganta é especialmente sensível.

Touro no amor

Os taurinos costumam ser bastante românticos e buscam por relacionamentos estáveis e seguros. São muito fiéis e comprometidos, e exigirão o mesmo do parceiro. Têm um senso de devoção e cuidado na relação, que é sempre vivenciada de maneira bem intensa e com muita entrega. Preferem o conforto de um relacionamento sólido à adrenalina das novas conquistas, apesar de serem naturalmente charmosos e sedutores.

Buscam relações sempre sensuais e prazerosas. Precisam tomar cuidado com o ciúme e a possessividade.

♥ ***Como conquistar os taurinos:*** *Eles se preocupam com a beleza e dão muito valor à estética, ao charme e à elegância, sendo capturados pelos sentidos: o perfume, o toque e a imagem do parceiro. Gostam de pessoas seguras e decididas, que sabem o que querem, com senso de praticidade, assim como o deles.*

A família e os amigos

O cuidado com as pessoas importantes para si é muito evidente no caso dos taurinos, que adoram construir relações estáveis, seguras e afetuosas, considerando os amigos uma extensão da família. Gostam de levar a familiares e amigos o mesmo conforto que tanto buscam. Trata-se de um signo nutridor e provedor, que não mede esforços para se doar aos outros quando sente que realmente vale a pena. Preocupa-se bastante com os filhos, tanto com a educação deles quanto com sua segurança material.

A sorte para o signo de Touro

Cor: marrom

Palavra-chave: segurança

Dia da semana: sexta-feira

Ervas e/ou flores: tomilho, patchuli, sálvia

Arcanjo: Anael

Cristais: esmeralda, turmalina verde

Aromas: sândalo, patchuli

Metal: cobre

Números: 2, 7

Tarô: O Hierofante

GÊMEOS

REGENTE	QUALIDADE	ELEMENTO
Mercúrio	Mutável	Ar

Ar que se expande.

EU QUESTIONO. Conheça-me no pensamento instigado e na pergunta que nunca poderá ser respondida. A curiosidade do vento que sopra para percorrer todos os cantos do mundo me pertence; minha natureza é a eterna mudança, pois sei que a realidade se transforma a cada segundo, e o dia sucede a noite, o frio se torna quente, o escuro dá lugar ao claro, e é na dança da dualidade que eu repouso – sempre com um pé em cada direção, nunca em um único sentido. Nada pode me confinar ou limitar, afinal, quem ousaria impedir a brisa ou deter o vendaval? Tente, e você falhará, pois eu escaparei por entre seus dedos e soprarei para longe; eu defino para contrariar, respondo para perguntar novamente, digo para desdizer... Não sou eu a fala que conecta e o discurso que contraria? Não sou eu quem faz que cada ponto final dê lugar a uma nova interrogação e que cada certeza desperte uma nova dúvida? Eu sou Gêmeos, a Palavra que busca nomear todas as coisas. E onde, senão nas perguntas, estaria a semente do conhecimento?

Sob a regência do planeta Mercúrio, o Mensageiro dos Deuses, os geminianos são conhecidos por seu estímulo mental, que os faz se moverem constantemente em novas direções. A característica básica deste signo é a curiosidade, e um espírito sempre jovem parece ser sua marca registrada. Por isso, a personalidade dos geminianos é sempre dinâmica, e não há nada que seja mais cansativo e enfadonho para eles que a repetição, a rotina e a previsibilidade.

Os nativos deste signo relacionam-se com a realidade sempre de um ponto de vista mental e racional, buscando entender a lógica e o funcionamento implícitos em tudo o que há, para então testá-los e contrariá-los, pois seu raciocínio é sempre construído por meio da dualidade. Isso acontece porque faz parte da sua natureza a busca por conhecer, e, na tentativa de expandir o conhecimento e a compreensão sobre todas as coisas, suas definições parecem sempre ficar em aberto.

Tudo isso faz dos geminianos excelentes comunicadores e pessoas bastante sociáveis, afinal, eles sabem como usar a palavra para instigar e envolver. Adoram debates e discussões afiadas, procurando ambientes e pessoas que ofereçam constante estímulo e um ar de novidade. São inquietos e questionadores. Adoram falar, gesticular e se expressar, e, por sua natureza tão mutável, muitas vezes conseguem reunir pessoas muito diferentes entre si. Por estarem sempre divididos entre dois pontos de vista, os geminianos têm uma lógica própria e conseguem discordar e concordar ao mesmo tempo; como estão sempre em movimento, mudam de opinião muito rapidamente.

Por habitarem o plano das ideias e do pensamento abstrato, esses nativos podem ter dificuldade em se relacionar com o mundo concreto e, muitas vezes, acabam escapando para dentro da própria cabeça, onde não faltam imaginação e criatividade – e é exatamente isso o que acontece com os geminianos que têm uma personalidade mais introspectiva: vivem em um mundo particular dentro da própria mente. Enquanto o extrovertido estará sempre rodeado de pessoas com quem possa trocar ideias, o introvertido será visto rodeado de livros. Há também uma tendência geral para que as emoções sejam sempre racionalizadas e filtradas pela mente lógica.

Quando sentem que já exploraram todas as possibilidades de uma situação, se afastarão dela e buscarão novas alternativas. Geminianos não conseguem se demorar em nada que seja monótono e enfadonho. É por isso que são vistos muitas vezes fazendo várias coisas ao mesmo tempo e dividindo seu foco de atenção, o que ocasionalmente acaba levando-os à dispersão. Por isso, a profundidade não faz parte dos atributos deste signo, que busca a expansão e está sempre se movendo para outra direção, afinal, alcançar a profundidade de uma experiência exige foco e paciência – dois atributos que não encontramos aqui.

Há também uma imensa necessidade de liberdade na personalidade geminiana, que não suportará se sentir presa ou contida – isso é simplesmente sufocante para todo geminiano. Apesar de muito sociáveis, lembre-se de que sua natureza é como o vento que sopra: não permanecem por muito tempo no mesmo lugar e, ao se perceberem de alguma forma confinados, não hesitarão em se esquivar.

A busca pelo conhecimento e pela expressão é uma marca importante de tudo o que estiver sob influência deste signo no mapa astral. Os planetas e as casas influenciados por Gêmeos exigem de nós troca e movimento constantes, havendo grande necessidade de compartilhar. Gêmeos pede por expansão e expressão, e sua natureza, assim como o vento, é propagadora.

A imagem interior

Geminianos vivem sob a imagem interior do Pensador, aquele que busca entender e conhecer a variedade e diversidade do mundo por meio da lógica, da racionalidade e do confronto de ideias opostas.

Miticamente, a imagem geminiana é expressa pela temática dos Gêmeos Divinos, todos os irmãos que personificam a dualidade básica da condição humana: Caim e Abel, Seth e Osíris, Ártemis e Apolo, Castor e Pólux, Cosme e Damião, os Ibejis.

A sombra de Gêmeos

Se vivem sob a imagem interna do questionador curioso, a sombra que todo geminiano precisará confrontar é a do cético e descrente, que nunca conseguirá firmar raízes, criar definições ou mesmo um senso de identidade. A mente poderá se tornar inquieta e impossível de ser saciada, pois seu ímpeto sempre confrontará cada certeza com o reflexo do seu oposto. Os pensamentos ágeis não permitirão descanso, estando sempre em movimento, de uma direção a outra. A necessidade de encontrar as respostas certas na verdade não permitirá a definição de uma resposta – e é exatamente isso que poderá trazer uma superficialidade fria para a personalidade geminiana, capaz de começar muitas coisas, mas não de terminar nenhuma delas.

Seu raciocínio teórico e racional também levará a um confronto natural com o campo das emoções, que sempre parecerão sentidas pela cabeça, e não pelo coração. Nesse caso, os geminianos se tornarão frívolos e insensíveis, incapazes de compreender os próprios sentimentos ou os das pessoas que os cercam. O pensamento lógico também se tornará castrador para os próprios desejos e emoções.

Faz parte ainda da sombra do Comunicador sentir que nunca é ouvido nem compreendido plenamente ao se expressar, e, assim, os geminianos ocasionalmente poderão ser tomados pela sensação de que são incapazes de transmitir aos outros aquilo que se passa na própria cabeça.

A saída para o confronto com a imagem sombria será perceber o outro como independente de si e aprender a desenvolver empatia para enxergar a realidade também pelos olhos do outro.

Raio X do geminiano

TEMPERAMENTO	Muda rapidamente de um estado de ânimo para outro. Tem um ar sempre pueril, e uma leveza e alegria inabaláveis.
PERSONALIDADE	Comunicativa e expansiva. O geminiano gosta muito de se relacionar com outras pessoas e tem uma atração natural para debates e discussões.
VALOR FUNDAMENTAL	O conhecimento.
MOTIVAÇÃO INTERIOR	A expansão do pensamento por meio do questionamento.
QUALIDADES	Criatividade, inteligência, eloquência, persuasão, lógica, leveza, flexibilidade, otimismo, jovialidade.
DEFEITOS	Instabilidade, falta de foco, frieza emocional, superficialidade, ansiedade.
DESAFIO	Criar raízes.

Os geminianos no trabalho

Este é o signo mais propenso a trocar de carreira ao longo da vida, em busca de sua verdadeira vocação. Prefere um ambiente de trabalho dinâmico, onde possa expressar sua criatividade e se sentir desafiado. Tem dificuldade para lidar com tarefas monótonas e repetitivas. Por ser comunicativo, persuasivo e pensar com rapidez, pode assumir um papel de liderança ou de porta-voz. As profissões comumente ligadas ao signo de Gêmeos são aquelas que envolvem estudo, conhecimento e comunicação.

A saúde dos geminianos

Ponto forte: O corpo consegue se adaptar a novas condições do ambiente e os nativos deste signo possuem resiliência para lidar com o estresse e trabalhar sob pressão. Sua recuperação costuma ser rápida.

Ponto fraco: Problemas nervosos e respiratórios, como a asma. Há maior sensibilidade na região dos braços, das mãos e dos pulmões. Também pode haver tendência a transtornos psicológicos e dissociativos.

Gêmeos no amor

O espírito geminiano preza principalmente pela liberdade nas relações. Foge quando se sente contido, limitado e aprisionado, ou quando o relacionamento se torna tedioso e monótono. Prefere se relacionar com pessoas que o desafiem intelectualmente e precisa sentir reciprocidade, priorizando um clima bem-humorado, leve e positivo. Valoriza muito as trocas e o senso de parceria nos relacionamentos. Tem facilidade tanto para começar quanto para terminar relações quando percebe que são infrutíferas.

♥ **Como conquistar os geminianos:** *Eles precisam ser mentalmente instigados e desafiados. Como é um signo de Ar, é por meio de imagens mentais, jogos de palavras e curiosidade que os geminianos se sentirão atraídos. É preciso que haja afinidade no plano das ideias. Sente atração natural pela originalidade.*

A família e os amigos

Geminianos costumam ter uma vida social agitada, pois têm necessidade de estar sempre em troca com os outros. Podem ser generalistas ao lidar com multidões e grupos, mas com pessoas próximas prezam muito a sinceridade, a confiança e a honestidade. Este signo representa a fraternidade, o que revela a facilidade e importância que dá para as relações. Na família e nos círculos sociais, pode ser um ponto de harmonia entre os diferentes pensamentos e pontos de vista do grupo. Ao mesmo tempo, por ser um signo inconstante, Gêmeos poderá de tempos em tempos buscar um afastamento de todos esses grupos para buscar novos ares.

A sorte para o signo de Gêmeos

Cor: amarelo

Palavra-chave: movimento

Dia da semana: quarta-feira

Ervas e/ou flores: manjerona, lavanda, capim-limão

Arcanjo: Rafael

Cristais: ágata, sodalita

Aromas: eucalipto, alecrim

Metal: alumínio

Números: 3, 8

Tarô: Os Enamorados

CÂNCER

REGENTE	QUALIDADE	ELEMENTO
Lua	Cardinal	Água

Água que nutre.

EU SINTO. Contemple-me como as águas silenciosas que refletem a pálida luz do luar, tornando-se brancas como o leite materno. Eu sou a chuva suave que alimenta a terra e corre pelo mundo buscando seu lugar de repouso, em uma jornada de volta para casa. Eu fluo pelos caminhos da intuição e do sentimento. Minha natureza é misturar e unir, pois, quando as águas se encontram, elas jamais podem ser separadas, e, em meu desejo de fusão, também sou obstinação – não importa quais obstáculos encontre, eu sempre os contornarei e seguirei meu fluxo. Sou a fonte da vida que sacia a sede da alma e desço sob a superfície para alimentar sonhos secretos. Sou memória, sou lembrança, e carrego em mim um pedaço de todos os lugares por onde passei. Eu sou Câncer: as águas do parto que trazem um filho a este mundo, e também as lágrimas de dor e alegria que fluem dos olhos no transbordar de cada emoção.

Os sensíveis cancerianos são regidos pela Lua, o luminar que governa os sonhos, a intuição, os sentimentos e a memória – todos esses domínios naturais para os nativos deste signo.

Os cancerianos têm natureza introspectiva, contemplando o domínio das próprias emoções.

Bem representados pelo caranguejo, um animal que carrega sua casa nas costas, os nativos deste signo de Água têm uma conexão fundamental com o lar e a família, pois estes lhes dão uma sensação de pertencimento, sua necessidade básica. Faz parte da natureza canceriana criar raízes e construir intimidade, pois sua maneira de entender o mundo é por meio da afetividade. Há uma sede na alma canceriana por criar vínculos e conexões – que não serão muitos, mas sim bastante profundos. São naturalmente mais reservados, afinal, não é qualquer um que pode ter acesso ao seu universo particular. Cancerianos prezam muito seu espaço pessoal, e o respeito deve ser a base fundamental e inabalável de todas as suas relações.

Há também um ar nostálgico na personalidade dos cancerianos, que de algum modo parecem sempre orientados para o passado. Eles dão um imenso valor à memória, à história, aos ancestrais e às tradições, não como fuga do presente ou dificuldade de olhar para o futuro, mas como uma maneira de se assegurar de suas bases e honrar suas origens.

O momento presente dos cancerianos parece sempre preenchido por experiências, imagens, lembranças e emoções do passado, e os nativos deste signo muitas vezes gostam de manter objetos e recordações que são repletos de valor emocional.

Mas não deixe tudo isso lhe transmitir a impressão de que eles são fracos – na verdade, os cancerianos são extremamente determinados e ambiciosos; gostam de desafios e até de certa competitividade. Lidam muito bem com o trabalho, pois uma de suas principais metas é construir um local seguro para si. Por isso, muitas vezes expressam a necessidade de ter o próprio espaço, que pode tanto ser interior, no plano das emoções, quanto exterior, representado pela casa.

Os cancerianos percebem sua casa como uma extensão natural de si mesmos – ela representa sua segurança e seu porto seguro.

A rotina e as tarefas diárias também são muito agradáveis a eles, pois trazem a segurança que tanto buscam. Valorizam bastante suas relações mais íntimas e veem nelas sua família, independentemente de laços sanguíneos. Esse signo romântico e amoroso tem necessidade de estabelecer relações verdadeiras.

Possui também muita facilidade para reconhecer as emoções e cuidar das outras pessoas com sensibilidade. Mas, por valorizar tanto a segurança, muitas vezes pode se fechar em sua carapaça caso não se sinta completamente confortável. Câncer não é um signo de impulsos – ele é cuidadoso e sempre verifica o território antes de dar os primeiros passos.

Câncer também é o signo da maternidade, e a mãe que cuida e alimenta seus filhos é sua imagem típica.

No campo das relações, é um signo que estimula a preocupação e o cuidado com as pessoas ao redor, sendo um nutridor por excelência – sua água transborda e não pode ser contida. Como é um signo do plano emocional, os cancerianos são muito empáticos, entendendo as dores e os anseios das outras pessoas. Seu ar introspectivo cria uma personalidade bastante temperamental e às vezes pessimista.

Todos os processos regidos por Câncer costumam ter um tempo mais lento e ritmo próprio, já que neles as situações são vivenciadas com grande profundidade. No mapa astral, pode indicar temas ou áreas da vida em que somos mais reservados e não nos comunicamos tão bem com as outras pessoas, a menos que haja bastante intimidade.

A imagem interior

Câncer é o signo da maternidade por excelência, por isso, seus nativos vivem sob a regência da imagem interior da Grande Mãe, o ventre aquoso e fértil do qual todos nós nascemos, a doadora da vida e nutridora de todos os seres, que está pronta para satisfazer todas as necessidades de seus filhos.

Também pode assumir a imagem interior da Criança Divina, o filho da Grande Mãe, que é sempre amoroso e gentil, buscando nutrir-se e alimentar-se das bênçãos dela.

A sombra de Câncer

No aspecto sombrio, a figura interior da Grande Mãe transforma-se na Mãe Terrível, que pode provocar dois aspectos no canceriano.

O primeiro deles se dá quando o canceriano se identifica com a própria figura materna. Nesse caso, a Grande Mãe se tornará a Mãe Terrível, castradora, possessiva e destruidora, aquela que não concede a independência para seus filhos e nunca consegue cortar o cordão umbilical. Da mesma forma, os cancerianos podem se tornar possessivos, egoístas e controladores, manipulando as outras pessoas por meio de complexos jogos emocionais.

Mas também pode acontecer de o canceriano se identificar com a imagem da Criança Divina, o filho da Grande Mãe. Quando isso acontece, sua personalidade será marcada por uma imensa necessidade do outro, criando relações de dependência, inferioridade e vitimização, apresentando grande dificuldade para amadurecer. Nesse caso, instala-se na personalidade um sentimento profundo de insuficiência, fazendo com que sempre se busque no outro a validação e a nutrição emocional que deveria vir de si mesmo.

É importante perceber que ambas as situações têm a mesma raiz: a insegurança emocional, depositando no outro a responsabilidade e a única possibilidade de ter seu bem-estar assegurado. Em nível simbólico, é como se a única maneira de assegurar a própria sobrevivência viesse por meio do vínculo afetivo.

A saída para a imagem sombria do signo de Câncer está em criar uma noção profunda de independência e autorresponsabilização.

Raio X do canceriano

TEMPERAMENTO	Dócil, gentil e cuidadoso. Humores mutáveis, como as fases da Lua, mas os cancerianos respeitam seus ciclos internos de recolhimento e expansão.
PERSONALIDADE	Romântica e carinhosa, introspectiva e orientada para o mundo interior. Reservada, imaginativa, criativa, sonhadora e idealista.
VALOR FUNDAMENTAL	O relacionamento.
MOTIVAÇÃO INTERIOR	Criar vínculos sinceros de afetividade.
QUALIDADES	Sensibilidade, empatia, intuição, capacidade de cuidar e nutrir, ambição, prestatividade, senso de coletividade.
DEFEITOS	Insegurança, medo, isolamento, infantilidade, fuga da realidade, egoísmo, culpa, pessimismo.
DESAFIO	Sentir-se seguro.

Os cancerianos no trabalho

Cancerianos são bastante obstinados e ambiciosos – eles gostam de se dedicar a uma profissão.

No geral, são bastante emocionais no trabalho e buscam estabelecer seu espaço. Gostam de se sentir úteis e necessários para as outras pessoas. Podem ter duas posturas na vida profissional: ou vão encarar o trabalho como uma mera obrigação, capaz de prover seu sustento e garantir a satisfação das suas necessidades (afinal, este signo é bastante obstinado), ou então terá necessidade de manifestar seu senso de cuidado e preservação por meio do trabalho, seja em relação a pessoas, ambientes, história ou cultura.

Nessa área da vida, gostam de enfrentar novos desafios, que se tornam fonte de grande motivação, mas seu raciocínio emotivo terá dificuldades para lidar com ambientes tóxicos, negativos ou baseados em jogos de poder. O ambiente profissional deve ser um lugar onde o canceriano se sinta em casa.

A saúde dos cancerianos

Ponto forte: Dão grande importância à saúde, por isso não costumam adiar exames ou consultas médicas, o que também inspira neles um senso de cuidado pessoal e preservação.
Ponto fraco: Têm tendência a somatizar; assim, exige-se cuidado redobrado com as emoções. As regiões sensíveis do corpo são o aparelho digestivo e o peito. Transtornos psicológicos ligados às emoções, como depressão ou síndrome do pânico, também são relacionados a este signo.

Câncer no amor

Românticos e idealistas, a palavra-chave dos cancerianos nos relacionamentos é compromisso. Eles estão em busca de relações estáveis, sólidas e duradouras, nas quais haja segurança emocional, diálogo e parceria. Constituir família é uma das aspirações deste signo, que não medirá esforços para preservar e nutrir seu relacionamento.

O romance nunca é vivido de maneira superficial, mas sim de forma bastante genuína e plena. Cancerianos não toleram ser enganados, ludibriados ou traídos, pois esperam que o parceiro seja tão devotado à relação quanto eles mesmos o são.

💙 **Como conquistar os cancerianos:** Para ganhar o coração do nativo deste signo, você deverá oferecer a ele segurança e estar disposto a dividir não apenas uma vida prática, mas principalmente emocional e cheia de intimidade.

Cancerianos gostam de se sentir compreendidos pelo parceiro, e essa é a chave para conquistá-los.

A família e os amigos

A família é um tema central para este signo, que mantém sempre uma relação profunda com suas raízes, o que às vezes traz dificuldade para deixar a casa dos pais ou fazer qualquer tipo de renúncia aos laços familiares. Não há grandes distinções entre amigos e família – os cancerianos percebem todas as pessoas que escolhem para a sua vida como uma extensão familiar. Sua sensibilidade faz deles pessoas muito leais, além de ótimos ouvintes e conselheiros dentro do ambiente familiar, pois sua natureza é conciliadora.

Em relação aos filhos, os cancerianos são bastante apegados e nutridores, fazendo de tudo para garantir o bem-estar completo das crianças. Realizam-se no cuidado com o outro, por isso têm na família seu porto seguro.

A sorte para o signo de Câncer

Cor: azul-claro

Palavra-chave: pertencimento

Dia da semana: segunda-feira

Ervas e/ou flores: jasmim, artemísia e rosa branca

Arcanjo: Gabriel

Cristais: pedra da lua e selenita

Aromas: lírio e dama-da-noite

Metal: prata

Números: 3, 9

Tarô: O Carro

LEÃO

REGENTE	QUALIDADE	ELEMENTO
Sol	Fixo	Fogo

Fogo que brilha.

EU GOVERNO. Sou a força do Fogo que não tem medo de brilhar e mostrar ao mundo todo o seu esplendor. Meu poder pode ser intimidador, afinal, sei que em mim há uma fonte inesgotável de energia que explode, brilhante, com o clarão de mil sóis incandescentes! Mas não se engane: a bondade e a generosidade estão no centro de quem sou. Assim como as chamas ardentes, eu danço, movo-me e me expresso com beleza e intensidade – torno tudo vívido, alegre e resplandecente. Como alguém poderia tirar os olhos de mim? A lealdade é meu princípio fundamental, e a nobreza, meu compromisso; defenderei com garras e presas todos aqueles que se aconchegarem verdadeiramente ao redor da minha luz, pois, assim como o Sol, também sei atrair muitos à minha volta, tornando-me fonte de vida e calor para eles. Sou a coroa que enaltece a cabeça de cada criatura; sou o Senhor do meu próprio reinado – eu sou Leão, e diante de mim coloque apenas o que houver de mais elevado em você.

Para Leão, signo que está sob a poderosa regência de ninguém menos que o Sol, não há espaço para falsas modéstias: seu brilho pessoal é forte, assim como a busca por soberania e nobreza. Este signo está sob a poderosa influência do elemento Fogo; portanto, todo leonino vive com entusiasmo, energia e intensidade.

Dotados de um poderoso magnetismo pessoal que surge da sua autoconfiança, os leoninos são facilmente reconhecidos por suas ações calorosas e pela paixão que sentem pela vida – coisas que não fazem a menor questão de esconder.

Assumem naturalmente posições de liderança e destaque por conta de seu carisma, e sua personalidade é marcada por um otimismo inabalável. Gostam de enxergar o lado positivo de tudo, e, mesmo quando as coisas não estão tão boas assim, os leoninos conseguem manter os olhos aonde querem chegar e despertam de dentro de si a força necessária para superar os obstáculos.

Possuidores de um código de ética pessoal muito definido, viverão sempre de acordo com ele, jamais traindo sua dignidade pessoal ou seu sentimento de valor interior.

Os leoninos também são muito leais aos seus, e não esperam menos das pessoas que escolhem para ter a seu lado.

Sim, é verdade que o orgulho é uma das características deste signo, mas não deixe que isso o faça pensar que eles não são boas pessoas, muito pelo contrário; o coração gigante dos leoninos é bastante generoso, e eles defenderão com unhas e dentes as pessoas queridas, da mesma maneira que uma leoa feroz protege suas crias. De certa forma, os leoninos se sentem responsáveis pelas pessoas ao seu redor e gostam de fazê-las brilhar também – e, quando o conseguem, ficam genuinamente felizes pelo outro, embora acrescentem essa conquista à coleção dos méritos pessoais dos quais possam se orgulhar.

Têm uma natureza explosiva, expansiva e impulsiva, como o Fogo, mas não se trata de um signo rancoroso; sabe como perdoar quem falha com ele, desde que sinta que essa pessoa está verdadeiramente arrependida e que ainda lhe dedica sua lealdade. Essa personalidade forte também traz um ar acolhedor e protetor que faz as pessoas se sentirem confortáveis em sua presença.

Os leoninos carregam dentro de si um sentimento de nobreza pessoal que deve ser preservado a todo custo e do qual se orgulham muito.

Há também um aspecto artístico nos leoninos, que buscarão sempre alguma forma de se expressar – seja de um modo mais técnico, como por meio da liderança que inspira uma equipe no trabalho a bater suas metas, seja por alguma atividade verdadeiramente artística, como teatro, música ou dança. Leoninos sabem como prender a atenção das pessoas e despertar algo no interior delas, como se assim desse aos outros um vislumbre da chama que eles mesmos podem sentir dentro de si.

Esse sentimento interior de poder vem acompanhado de uma preocupação natural com a aparência, afinal, o mundo não pode vê-los de qualquer forma. Leoninos sabem afirmar sua identidade através da imagem que transmitem aos outros. Também têm uma atração natural por conforto, pelo esteticamente belo e pelo luxuoso, pois veem em todas essas coisas um reflexo da própria natureza. Podem parecer críticos e exigentes com tudo ao redor, mas saiba que isso vem de um lugar de exigência interior.

Se por fora os leoninos transmitem uma imagem imponente, independente e poderosa, por dentro são sensíveis e mansos. Por trás de toda a confiança leonina, há um sentimento de insegurança, e muitas vezes até a necessidade de conquistar a aprovação dos outros à sua volta. É o conjunto de todas essas coisas que os leva a viver sua existência como se estivessem no centro de um grande palco, sendo os protagonistas do próprio espetáculo, assistido por todos os que os rodeiam.

A imagem interior

Leoninos vivem sob a inspiração da potente imagem interior do Rei nobre e justo, que é soberano na própria terra e serve seu reino, detendo o poder de lhe trazer prosperidade, alegria, justiça e proteção.

Também podemos pensar na antiga imagem dos Cavaleiros Medievais vivendo sob seu código de dignidade e se esforçando ao máximo para provar seu valor interior ao mundo.

A sombra de Leão

Se a imagem interior que inspira os leoninos a viver tem a profundidade que a busca pela justiça e pela verdade exige, a imagem sombria que os persegue durante a vida é a do tirano egoísta que governa única e exclusivamente para si, e não para o outro.

As ações leoninas sempre nascem de um lugar de valor e poder pessoal, da mesma maneira que o brilho do Fogo surge a partir do combustível que o alimenta. Mas, quando o leonino está desconectado dessa fonte interior de poder, ou quando é privado dela de alguma maneira, essa chama interior precisará ser alimentada, e ele fará de tudo para conseguir dos outros o alimento necessário a fim de manter aceso esse fogo pessoal. É nesse ponto que os nativos deste signo podem se tornar manipuladores, egoístas, ciumentos e possessivos, pois tiram do outro a energia que na verdade deveria vir de dentro de si.

A superficialidade é outra característica da sombra leonina, pois, uma vez que estão desconectados do próprio centro, é na superfície de todas as coisas que o olhar dos leoninos vai se concentrar. Então serão excessivamente críticos, julgando tudo e todos pela primeira impressão. Ao fazer isso, na verdade, o leonino está tentando diminuir o brilho dos outros para que a própria luz possa parecer mais vivaz. Nesse caso, toda a criatividade leonina pode se transformar em igual destrutividade.

Sob essa necessidade de viver apenas pelas aparências, os leoninos dominados pela sombra interior também colecionarão troféus para exibir ao mundo como prova de seu prestígio e sucesso pessoal. Isso pode levá-los a ter relacionamentos supérfluos e sem muita profundidade.

A saída para a imagem sombria do signo de Leão está justamente na difícil tarefa de encontrar seu lugar no mundo e ter consciência das suas reais capacidades e limitações.

Raio X do leonino

TEMPERAMENTO	Bem-humorado e otimista, mas também intenso, explosivo e apaixonado.
PERSONALIDADE	Vivaz, confiante e de autoestima elevada. Espírito de liderança e independência. É vaidoso, generoso e leal.
VALOR FUNDAMENTAL	A honra.
MOTIVAÇÃO INTERIOR	Mostrar ao mundo todo o seu potencial.
QUALIDADES	Liderança, autenticidade, coragem, senso de justiça, lealdade, caridoso, nobreza, generosidade, criatividade.
DEFEITOS	Narcisismo, egoísmo, superficialidade, tirania, intolerância, megalomania.
DESAFIO	Provar seu valor pessoal.

Os leoninos no trabalho

Leoninos gostam de trabalhar com disciplina e muita persistência. Motivação é sua palavra-chave. Quando estabelecem uma relação positiva com a empresa, são aqueles que "vestem a camisa" e dão o melhor de si. Competitivos, líderes e otimistas, têm um poder muito forte para envolver as pessoas ao redor e tornar o ambiente de trabalho leve e agradável a todos (a menos que seja muito rígido, então fará exatamente o extremo oposto).

Os leoninos enxergam o trabalho como uma oportunidade de provar seu potencial e conquistar poder e território. Sempre buscam posições mais elevadas de destaque, prezando uma boa remuneração. As profissões que representam este signo são todas as que envolvem destaque e prestígio, e também as ligadas a arte, *performance* e beleza.

A saúde dos Leoninos

Ponto forte: A vitalidade é uma característica marcante do signo de Leão, garantindo uma recuperação rápida aos nativos deste signo; também faz com que demorem a se perceber doentes.

Ponto fraco: Assim como o Sol é o centro vital do sistema solar, no corpo, o signo de Leão está associado ao coração, por isso essa área pode ser vulnerável e precisa de mais atenção. Leão está relacionado ainda à espinha dorsal e ao metabolismo em geral. Problemas de fertilidade também podem acometer este signo.

Leão no amor

Leão é um signo conquistador por natureza. Adora flertar, e o jogo de sedução o atrai profundamente. Porém, ao se comprometer em um relacionamento, costuma ser bastante fiel quando aprende a não se deixar levar pelo eterno jogo da conquista. Prefere assumir papel dominante na relação, dando também grande importância ao seu sentimento de liberdade.

Leoninos costumam ter uma postura de cuidado com o parceiro e querem fazê-lo brilhar tanto quanto ele próprio. Preocupam-se com a imagem do relacionamento aos olhos das outras pessoas, mas isso não significa que não possam vivenciá-lo com profundidade.

♥ **Como conquistar os leoninos:** Preferem naturalmente pessoas que transmitam confiança e segurança. Detestam a monotonia e as repetições, e necessitam ser constantemente surpreendidos de forma positiva. Também é preciso deixá-los sempre com a sensação de liberdade – qualquer tipo de cobrança em excesso vai fazê-los fugir com bastante rapidez. Gostam do jogo da sedução e, da mesma forma que um leão, preferem se sentir como o caçador, e não a caça.

A família e os amigos

Lealdade é a palavra-chave das relações de Leão. Este signo sempre está presente para quem considera ser especial e não aceita menos que isso em retribuição. Sua vida social é agitada e o leonino está sempre rodeado de pessoas. Adora companhia, sendo avesso à solidão, apesar de eventualmente precisar de um tempo para si mesmo.

Na família, este signo busca uma posição de respeito e autoridade, o que pode acabar gerando alguns conflitos, pois a personalidade leonina não admite críticas excessivas.

A sorte para o signo de Leão

Cor: dourado

Palavra-chave: soberania

Dia da semana: domingo

Ervas e/ou flores: louro, açafrão, girassol

Arcanjo: Miguel

Cristais: olho de tigre e citrino

Aromas: olíbano e junípero

Metal: ouro

Números: 5, 6

Tarô: A Força

♍
VIRGEM

REGENTE	QUALIDADE	ELEMENTO
Mercúrio	Mutável	Terra
Terra estável.		

EU ORGANIZO. Sou o princípio ordenador que dá a tudo seu lugar de direito: sementes para germinar, flores para desabrochar, folhas secas para serem levadas pelo vento e adubarem o solo. Meu olhar atencioso analisa e classifica, pois sei que nada pode ser igual a outra coisa. A ordem e a estabilidade são mantidas por mim: sou o fluir do tempo, que é sempre constante, o ritmo inerente da vida que caminha ao som das batidas do coração da Terra, e reconheço que tudo tem a época propícia para ser e se tornar. Minha é a cornucópia da abundância, que se enche dos frutos do trabalho e da paciência, pois sou o cuidado atencioso que faz cada um deles amadurecer. Sou o manto verde de folhas que cobre o solo e se torna remédio, e a dádiva da cura para o corpo cansado e a mente abatida. Meu bálsamo tranquiliza, revigora, restabelece, restitui. Eu sou Virgem, o Preservador, e diante da minha presença todo o caos desaparecerá.

A personalidade dos virginianos é marcada pelo encontro entre o elemento prático e concreto da Terra e a energia dinâmica, curiosa e instigante do planeta Mercúrio, cujo domínio é o plano das ideias. É isso que dará a eles as duas características pelas quais são tão conhecidos: a atenção analítica aos detalhes e a busca incessante e metódica pela ordem.

Os virginianos gostam da segurança de uma rotina bem estabelecida e costumam sistematizar suas atividades em pequenos e repetitivos rituais diários. São naturalmente voltados para o lar e a família. Seu pensamento é bastante sistemático, e procuram entender não apenas o que são as coisas, mas principalmente como funcionam. Pragmáticos, aprendem melhor pela prática do que pela teoria, sendo ótimos para formular explicações com base na própria experiência. Têm um ar comunicativo que é leve e organizado. Sua habilidade observadora e detalhista faz com que muitas vezes perceba aquilo que passa em branco para os outros.

Esse desejo virginiano de entender o papel que cada parte desempenha no todo dá aos nativos deste signo uma visão idealista de perfeição, e é segundo ela que viverão, sempre buscando o aprimoramento e o refinamento das coisas, pois intuem interiormente como elas deveriam ser. Então, se parecer que os virginianos são extremamente perfeccionistas e exigentes com os outros, lembre-se: é só porque, antes de tudo, eles mesmos se submetem a esse duro olhar crítico do qual não passa ileso nenhum defeito.

O bom senso é outra característica marcante da personalidade dos virginianos, que têm grande discernimento para separar o certo do errado, o bom do mau, o adequado do inadequado. Sua busca por ordem interior costuma se refletir exteriormente, e é por isso que este signo também é conhecido por sua higiene e mania de limpeza, cuidado com a saúde e organização. Mas há também aqueles virginianos que parecem não se preocupar muito com a organização exterior das coisas; esses, de natureza mais introspectiva, estão muito mais preocupados com a organização interior do pensamento e da mente, e buscarão manter seus pensamentos em ordem da mesma maneira que outros o farão com as gavetas do guarda-roupa.

Virginianos também têm certo pendor para o cuidado, seja se dedicando ao bem-estar de outras pessoas, seja organizando e mantendo o bom funcionamento das coisas. São bastante solícitos e gostam de se sentir úteis para os outros. É um signo empático, que detesta conflitos e tem facilidade para entender o ponto de vista alheio – mesmo que nem sempre seja capaz de concordar com ele. Mas, quando sente que não está conseguindo se comunicar adequadamente e precisa se repetir, ou se as pessoas têm dificuldade para acompanhar sua linha de raciocínio, perde a paciência e não dedica muito mais tempo se explicando, caso perceba que não será compreendido.

Os nativos deste signo possuem uma natureza conservadora, e mudanças a todo o momento definitivamente não os agradarão. Uma vez que encontram uma maneira de fazer as coisas, permanecerão agindo dessa forma, e será muito difícil fazê-los mudar de opinião. Não são impulsivos; planejam cada passo com meticulosidade, buscando estar sempre um passo à frente. Também são bastante persistentes e trabalhadores, e a preguiça com certeza não faz parte de seu comportamento assertivo.

No universo virginiano, há uma grande tendência a lidar com as emoções de forma prática e mediada pela razão. Virginianos são bastante diretos – não insistirão em grandes dramas emocionais, pois sempre confrontarão a noção subjetiva dos sentimentos com sua percepção clara e objetiva da realidade. Não são conhecidos por terem emoções intensas, mas isso não significa que elas não possam ser vivenciadas pelos nativos deste signo de maneira bastante profunda e significativa; muito pelo contrário.

A imagem interior

A imagem psíquica que inspira a vida dos virginianos é a do Legislador, aquele que estabelece a ordem e defende os ideais. É segundo esse olhar técnico e crítico que os nativos deste signo vivem, sempre medindo, avaliando e garantindo que os padrões permaneçam elevados.

Mitologicamente, este signo está associado às histórias que explicam a passagem dos ciclos das estações do ano e também à história da deusa Astreia, que, com sua espada e balança em mãos, mantinha a ordem do mundo. Ao se exilar no céu, tornou-se a constelação de Virgem.

A sombra de Virgem

Se vivem sob a imagem interior do serviço e da doação à coletividade por meio do uso de seu discernimento, a sombra com a qual todo virginiano eventualmente precisará se confrontar é a da frieza racional extrema, que o tornará incrédulo e isolado do restante do mundo.

O olhar analítico e atento do virginiano poderá se transformar no de um juiz crítico e impiedoso, que julgará todas as coisas, sempre confrontando-as com seu ideal ou modelo de perfeição, provocando assim um profundo sentimento de insatisfação em relação a tudo e todos. Quando isso acontece, todo o potencial agregador deste signo dará lugar a um comportamento fragmentado, que se prenderá aos pequenos detalhes e será incapaz de observar as coisas em uma escala maior.

Quando estão dominados por essa imagem sombria, os virginianos não conseguem se perceber como parte da coletividade, enxergando-a como insuficiente e inferior em comparação às rígidas imagens ideais que buscarão incessantemente.

Caso essa força se volte para dentro, trará ao virginiano um sentimento intenso de inadequação que o fará se perceber como insuficiente, gerando ainda a tendência a um comportamento rigorosíssimo consigo mesmo. Os nativos deste signo serão incapazes de agir com naturalidade, como se estivessem sempre sob o olhar duro e impiedoso do próprio julgamento.

A sombra virginiana pode se manifestar ainda como uma necessidade incontrolável de se doar e se sacrificar em nome dos outros, tendo grande dificuldade para estabelecer limites e reconhecer as próprias necessidades. Nesse caso, o virginiano se tornará um mártir que não hesitará em satisfazer todas as necessidades das pessoas à sua volta.

A saída dessa imagem sombria está em perceber que nada existe isoladamente – nem o eu, nem o outro; que tudo é um produto de trocas e interações e, portanto, nada pode ser plenamente correto por si só.

Raio X do virginiano	
TEMPERAMENTO	Preocupado, às vezes pessimista. Tem um estado de espírito constante e estável.
PERSONALIDADE	Pragmática, prática, objetiva, crítica, analítica e atenciosa. Prestativa e orientada para a coletividade.
VALOR FUNDAMENTAL	A verdade.
MOTIVAÇÃO INTERIOR	Fazer a ordem emergir do caos.
QUALIDADES	Organização, objetividade, pensamento crítico, altruísmo, responsabilidade, compromisso, eficiência.
DEFEITOS	Obsessão, perfeccionismo, muito crítico, desconfiança, insegurança.
DESAFIO	Equilibrar a expectativa ideal com a realidade possível.

Os virginianos no trabalho

Virgem é um signo diretamente ligado ao trabalho, mas gosta de autonomia para realizar as tarefas à sua própria maneira, buscando sempre um modo de conseguir mais eficiência e resultados. Costuma lidar bem com hierarquias, mas seu senso de organização o faz preferir o trabalho sob os próprios termos. Terá dificuldade em lidar com superiores muito autoritários ou controladores.

Desempenha bem todas as atividades que demandam concentração e atenção, além de também terem talento no trato com outras pessoas, afinal, estão sob a regência do comunicativo Mercúrio. O ambiente de trabalho deve ser organizado, e os virginianos lidam muito bem com uma rotina estabelecida, preferindo até que seja assim. Podem optar tanto por profissões técnicas, que exijam sua capacidade analítica e avaliativa, quanto por trabalhos mais humanizados e orientados ao cuidado do outro.

A saúde dos virginianos

Ponto forte: Naturalmente preocupados com a saúde, valorizam muito a higiene e a limpeza; costumam se cuidar bem e manter hábitos saudáveis.
Ponto fraco: Sua região mais sensível são os intestinos e o abdômen. Problemas decorrentes do nível de ansiedade também podem acometer os virginianos, como gastrite, indigestão, insônia e crises de pânico.

Virgem no amor

Fidelidade e compromisso são características marcantes dos virginianos. Buscam relacionamentos estáveis e não se deixam levar facilmente por paixões ou impulsos. Desejam estabelecer parcerias sinceras, baseadas em respeito e harmonia. Porém, os virginianos nem sempre são grandes demonstradores de afeto – expressam seu amor pelo cuidado prático com a vida do parceiro, e não necessariamente com atitudes românticas. Extremamente exigentes e criteriosos, escolherão a dedo seu parceiro.

💚 ***Como conquistar os virginianos:*** *São atraídos naturalmente por pessoas inteligentes, confiantes e ambiciosas, que sejam sensíveis para perceber suas necessidades e vontades sem que eles precisem ficar se explicando o tempo todo. Preferem pessoas com quem percebem compartilhar uma mesma visão de mundo, tendo grande compatibilidade no campo das ideias.*

A família e os amigos

A família tem um papel especial para os virginianos, pois representa sua origem. É uma base sólida onde procuram se apoiar, buscando o conselho e a sabedoria dos mais velhos, por quem nutrem um profundo respeito. Gostam muito de fazer amigos e costumam ser bastante sociáveis, estabelecendo relações profundas e duradouras. O virginiano é o amigo com quem sempre podemos contar. Tem um instinto protetor e nutridor com as relações mais próximas, e gosta de garantir o bem-estar das pessoas queridas, com quem preocupa-se genuinamente.

A sorte para o signo de Virgem

Cor: marrom

Palavra-chave: análise

Dia da semana: quinta-feira

Ervas e/ou flores: funcho, alcaçuz, hortelã-pimenta

Arcanjo: Rafael

Cristais: quartzo verde, aventurina

Aromas: alfazema, anis-estrelado

Metal: alumínio

Números: 6, 8

Tarô: O Eremita

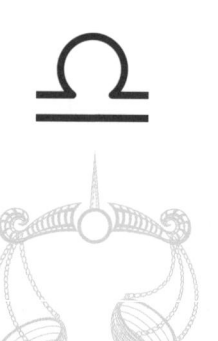

LIBRA

REGENTE	QUALIDADE	ELEMENTO
Vênus	Cardinal	Ar

Ar que conecta.

EU EQUILIBRO. Sou o vento de atração que concilia os opostos para criar harmonia. Quando me aproximo, a discórdia cessa, o desentendimento termina e as divergências se encerram. Sou a beleza unificadora que pode fazer com que todas as partes se tornem Unas, a beleza pacificadora que inspira os corações a abandonarem sua individualidade para buscar a união. Estou no encontro dos olhos apaixonados dos amantes e na dança entre a abelha e a flor, capaz de presentear o mundo com a doçura dourada dos deuses. Contemple-me na geometria sagrada dos templos e na harmonia melodiosa da música que ecoa pelo ar para elevar o espírito – minha matemática toca a alma humana e concilia mente e coração. Sou a rosa que desabrocha para a Lua e a palavra inspirada na boca dos poetas; eu sou Libra, e todos se curvarão em reverência perante meus encantos.

Regido pelo planeta Vênus, a Deusa do Amor, e relacionado ao elemento Ar, que governa a mente, podemos entender bem a energia deste signo: afinal, o que é o amor senão o impulso para transformar dois em um só? Isso dá aos librianos sua natural atração pelo belo, estético e artístico – todos aqueles sentimentos que parecem despertar a sensação de unidade na alma. Pense em uma orquestra, com seus múltiplos instrumentos, cada um tocado à sua maneira, mas fazendo emergir uma única música, capaz de despertar beleza dentro de nós – essa é a habilidade nata dos librianos; eles são grandes conciliadores.

Para eles, beleza, justiça e ordem são exatamente a mesma coisa, e algo só pode ser verdadeiro se também for belo.

Outra característica marcante dos librianos é sua habilidade social e a facilidade em formar laços e relações. Sua natureza busca sempre a conciliação, o que faz deles ótimos mediadores, capazes de celebrar acordos e promover a concórdia. Este é o signo da diplomacia por excelência, que inspira a ética, a justiça e a retidão. Apesar de os librianos serem práticos e tenderem para ideias concretas, o pensamento abstrato estará sempre presente em sua maneira de entender o mundo.

Este signo de Ar também dá muita importância ao movimento, sentindo grande atração por viagens, principalmente as de longa distância.

Não deixe que a beleza libriana dê a você nenhuma ideia de fragilidade – na verdade, todo libriano é também um excelente estrategista, e buscará vencer as batalhas e os desafios da vida não pelo uso da força bruta, mas sim, indireta e discretamente, pelo poder da mente, seu domínio natural. Os nativos deste signo valorizam a ordem e a justiça, e, apesar de detestarem conflitos e desentendimentos, usarão toda a sua destreza para vencerem, e o farão sem perder o charme, afinal, este signo que tanto valoriza a estética preza a preservação da própria imagem perante os outros.

Percebemos, assim, que a moderação também é um valor importante para os librianos, pois algo só pode ser verdadeiramente equilibrado se não houver excessos nem exageros para nenhum dos lados da balança. Mesmo sendo um signo expansivo e projetado para o exterior, Libra inspira um comportamento e uma postura sóbrios e práticos diante da vida, concedendo classe, elegância e bom gosto a todos os seus nativos.

Mas há muitos librianos que nos dirão prontamente que não são nada equilibrados. Isso acontece porque Libra não nos concede o equilíbrio, mas sim inspira sua busca – por isso, pessoas com fortes influências librianas valorizam o equilíbrio, sem necessariamente conseguir expressá-lo. Se pensarmos na balança de dois pratos, símbolo deste signo, notaremos que na realidade ela é um elemento bastante instável: a menor alteração em um dos lados da balança faz com que o outro se movimente. É daí que vem a fama de indecisão dos nativos deste signo, pois em Libra se pondera sempre entre os dois lados de uma situação. Na verdade, isso expressa a maneira como os librianos percebem a realidade: completamente interconectada e interdependente. Eles sabem que nada é isolado ou puramente objetivo – tudo o que fazemos ou escolhemos gera impacto no médio e no longo prazos.

Librianos também são famosos por serem românticos e sedutores. Sob a regência do planeta do amor, não poderia ser diferente – eles sabem como usar as palavras da maneira perfeita para envolver e encantar, o que também faz deles excelentes oradores e comunicadores, sempre transmitindo segurança e harmonia.

No mapa astral, as áreas da vida influenciadas por este signo estarão sempre em busca de valores como ética e justiça, encontrando expressão também por meio das relações sociais – Libra não é um signo de solidão, mas representa o espírito harmônico da comunidade regida e guiada por valores elevados.

A imagem interior

Todo libriano vive sob a influência da imagem psíquica do Diplomata – aquele que tem o poder de transitar entre diferentes grupos para promover a harmonia e estabelecer a paz por meio de suas palavras inspiradas. Ele é o mantenedor da ordem e das leis que garantem o equilíbrio entre todas as coisas. É seu dever agir sempre com astúcia, elegância e estratégia para conciliar diferentes interesses e ideias.

A sombra de Libra

"Espelho, espelho meu, existe alguém mais belo do que eu?"

A madrasta da Branca de Neve encarna bem a imagem sombria com a qual todo libriano precisará se confrontar dentro de si. Em vez de usar as habilidades do signo para promover crescimento e harmonia, todas elas passarão a ser utilizadas para servir apenas a interesses pessoais e egoístas. Nesse caso, Vênus mostrará sua face obscura, obcecada apenas pelo estético, superficial e aparente, sem valorizar as coisas como verdadeiramente são em essência.

Ao invés de usar suas palavras para trazer harmonia, o libriano, quando dominado por sua sombra, agirá exatamente da maneira contrária: estimulará desavenças, desentendimentos e conflitos, sempre utilizando-se da dissimulação, plantando assim as sementes da discórdia e criando sutilmente inimizade entre as pessoas ao seu redor, para que possa garantir sua soberania. Tudo isso vem de um lugar de profunda insegurança – o libriano, que preza tanto o equilíbrio, sabe que na verdade tudo na vida é bastante instável, por isso jogará com os pratos da balança sempre a seu favor.

Quando sob a sombra, toda a harmonia libriana que serve a propósitos elevados torna-se apenas uma matemática fria, calculista e desumana, sendo os nativos deste signo então dominados pela imagem que os outros têm deles. Por isso, usarão toda a estratégia e charme para preservarem esse jogo de aparências e ilusões. O pensamento estrategista e manipulador sempre tenderá a analisar como as pessoas ao redor podem lhe ser úteis, e ele as movimentará com cuidado, como peças de xadrez sobre um tabuleiro, sem que ninguém se dê conta de seus movimentos.

A saída para a sombra libriana é, antes de tudo, entender que, ao agir dessa forma, o nativo deste signo pode criar uma ilusão de controle e superioridade, mas é ele quem na verdade está sendo controlado pelos olhares externos. Para escapar das garras frias desse potencial obscuro, o libriano deve procurar em si mesmo a profundidade das experiências, aprendendo a olhar além da superfície para contemplar cada coisa em sua verdadeira essência.

Raio X do libriano

TEMPERAMENTO	Gentil, gracioso e envolvente. Estável e harmônico, bem-humorado, otimista, alegre e positivo.
PERSONALIDADE	Sociável, comunicativa e sedutora, com uma aura de refinamento e bom gosto que se sente naturalmente atraída pelo belo.
VALOR FUNDAMENTAL	A harmonia.
MOTIVAÇÃO INTERIOR	Celebrar acordos em meio às diferenças.
QUALIDADES	Equilíbrio, senso de justiça, beleza, harmonia, diplomacia, bom em trabalhos em equipe.
DEFEITOS	Superficialidade, indecisão, conflito interior, paranoia, rigidez e inflexibilidade.
DESAFIO	Encontrar o equilíbrio sob a superfície.

Os librianos no trabalho

Apesar de ser um signo ambicioso, o trabalho vem com um sentimento de missão pessoal para Libra, que sente ter algo a realizar e manifestar no mundo. Lida muito bem com o trabalho em equipe e prefere as ocupações que estejam em contato direto com pessoas, seja em negociações e discussões, seja no convívio e cuidado do outro.

É um excelente comunicador e pensador, e usará essas habilidades para crescer profissionalmente. Seu senso estratégico também o ajudará a mirar posições mais elevadas para buscar sua ascensão. Sua natureza conciliadora trará facilmente leveza e alegria ao ambiente de trabalho.

A saúde dos librianos

Ponto forte: Têm uma preocupação natural com a saúde, o corpo e a aparência, o que os estimula a manter hábitos saudáveis de autocuidado.
Ponto fraco: O signo de Libra está intimamente ligado ao funcionamento dos rins no corpo humano, por isso, pode indicar certa tendência a problemas nessa região, bem como no aparelho urinário: cólicas, pedras nos rins e infecções.

Libra no amor

Libra é o signo do amor e do romance por excelência, e os librianos são todos conquistadores por natureza. Adoram estar em relacionamentos sólidos e construir parcerias verdadeiras. Entretanto, este signo também é conhecido por ser o menos ciumento do zodíaco, precisando sempre manter um sentimento pessoal de autonomia para funcionar bem nos relacionamentos.

A natureza conciliadora dos librianos permite-lhes encontrar caminhos para preservar seus relacionamentos, sempre desejando também que o parceiro busque o mesmo, prezando assim o respeito e o companheirismo. Para este signo, a imagem pública do relacionamento também é importante, e ele não suportará discussões nem desentendimentos em público.

💛 ***Como conquistar os librianos:*** *A beleza estética é a primeira coisa a chamar a atenção deste signo. Sendo assim, os pretendentes precisam despertar o interesse pelo olhar. Mas, para além da superfície, os librianos também se sentirão atraídos por pessoas com quem possam partilhar compatibilidades intelectuais, de ar leve e decidido, que despertem sua admiração.*

A família e os amigos

Integrar grupos sociais faz parte da natureza mais básica deste signo; por isso, para o libriano, essa integração representa uma ligação forte tanto com a família quanto com o círculo de amizades. Os nativos deste signo costumam desempenhar o papel de harmonizadores e conciliadores, funcionando muitas vezes como o ponto de equilíbrio das relações.

Além disso, possuem um sentimento de responsabilidade muito forte em relação à educação dos filhos. Costumam ser vistos sempre acompanhados de amigos, mas às vezes podem se tornar extremamente exigentes e seletivos em suas relações, o que pode levar ao isolamento.

A sorte para o signo de Libra

Cor: rosa
Palavra-chave: diplomacia
Dia da semana: sexta-feira
Ervas e/ou flores: rosas, verbena, valeriana
Arcanjo: Anael

Cristais: quartzo rosa, turmalina rosa
Aromas: rosas, mel
Metal: cobre
Números: 7
Tarô: A Justiça

ESCORPIÃO

REGENTE	QUALIDADE	ELEMENTO
Plutão	Fixo	Água
Água das profundezas.		

EU DESEJO. E, pelo desejo, minhas águas se aquecem e se movimentam, fervilhantes e borbulhantes, em busca de tudo aquilo que é oculto e secreto. Todos os obstáculos em meu caminho serão arrastados e derrubados, pois não há nada que possa conter ou impedir as minhas águas de fluírem. E assim, em minha procura, descerei às profundezas escuras do solo para tocar o centro incandescente do mundo, onde estão todas as coisas invisíveis e proibidas, e lá conhecerei aquilo que permanece distante dos olhos. Pelos reinos inferiores, passarei sorrateiramente sob seus pés e você não me verá, então não se engane: se na superfície sou silêncio e calmaria, lá embaixo eu sou calor e intensidade – o êxtase da alegria e as agonias da dor. Todos eu conhecerei plenamente, pois minha natureza é testar os limites e fazê-los se expandirem. Eu seduzo, eu desvelo, eu instigo, eu intuo: eu sou Escorpião, e convido o mundo a contemplar os mistérios que se ocultam no seu mundo interior.

Reservados e profundos, escorpianos têm a intensidade como sua característica marcante. Para eles, nada é equilibrado, moderado ou comedido: é tudo ou nada, e eles não admitirão vivenciar menos do que isso.

Na simbologia astrológica, este signo, que leva a fama indevida de vingativo e cruel, talvez seja o mais incompreendido do zodíaco justamente porque sua natureza é estar sempre sob a pele, embaixo da superfície, em um lugar que a maioria dos outros signos tem dificuldade para acessar; será por isso que achamos os escorpianos tão misteriosos e instigantes? Saiba que eles gostam desse ar obscuro que paira ao redor deles e não estão muito preocupados em desfazer a imagem sombria que os outros lhes criaram – na verdade, gostam dela.

Sendo um signo de Água, a natureza dos escorpianos é puramente emocional, mas isso não significa que eles sejam amáveis com todo mundo o tempo todo – muito pelo contrário. Escorpianos têm a personalidade reservada e vivem no mundo interior das próprias emoções, que vivenciam com o máximo de intensidade, e escolherão a dedo aqueles com quem dividirão esse espaço interior, pois, para eles, poucos são verdadeiramente dignos de conhecerem sua essência.

Há uma aura sombria ao redor dos escorpianos, embora isso não signifique que eles sejam maus; apenas que são difíceis de captar em sua totalidade.

Existe sempre algo em seu olhar que parece escapar de nosso entendimento, e, como temos certa tendência para temer o desconhecido, é natural que este tenha se tornado o signo mais temido do zodíaco. Mas é também por causa desse ar misterioso que Escorpião é um dos signos mais sedutores e envolventes na Astrologia: ele sabe exatamente como instigar os outros a seguirem em sua direção para tentar desvendar seus mistérios; e, para isso, precisa de poucas palavras, pois seu magnetismo é simplesmente irresistível.

Com uma personalidade forte e marcada por uma aura de poder, os escorpianos são obstinados e determinados, sempre mirando longe e concentrando toda a sua energia para conseguir o que desejam. Não espere que um escorpiano respeite uma figura de autoridade apenas porque alguém lhe disse para fazer isso. O poder é uma qualidade inata deste signo, e seus nativos sabem reconhecer quem realmente o tem. Eles desafiam a ordem estabelecida e não aceitam regras tão somente porque "alguém mandou".

Regidos pelo sombrio Plutão, o governante do submundo, os escorpianos nos convidam a descer às profundezas para encarar todos os temas difíceis, dolorosos ou proibidos – para nós, pelo menos, pois eles se sentem atraídos por tudo aquilo que é oculto.

Sua personalidade é completamente destemida, e a intensidade e a paixão de Escorpião podem se expressar tanto como uma força destrutiva quanto como um impulso criativo. Lembre-se: a energia escorpiana nos fará experimentar o máximo de todas as possibilidades. Esse território intenso, profundo e apaixonado é o lugar dos escorpianos, e é dele que os nativos deste signo ganham outra característica importante: são muito observadores, tendo grande facilidade para perceber tudo aquilo que não é dito pelos outros; isso faz deles excelentes investigadores. Este também é o signo das verdades difíceis e dolorosas, pois, como sua natureza é estar nas profundezas, ele descobre o que ninguém mais é capaz de notar. Assim, você sempre poderá contar com um amigo escorpiano para dizer uma verdade difícil que nenhum nativo de outro signo conseguiria expressar.

No mapa astral, isso poderá se manifestar como uma busca por poder e a necessidade de provocar transformações profundas. Pode indicar ainda vícios e compulsões.

Escorpião é também o signo da autenticidade e da transformação mais profunda do ser, aquele que traz a renovação que só pode ser vivenciada após os períodos obscuros da vida: é o amargor que cura, prometendo vários tesouros ocultos a todos os que descerem com ele para as profundezas escuras.

A imagem interior

O arquétipo segundo o qual vivem os escorpianos é o do Xamã, o mago primitivo capaz de viajar entre os mundos, acessando planos que a maioria das pessoas não alcança, para então extrair conhecimento dos outros níveis de realidade e provocar mudanças na realidade concreta.

Além de místico, o Xamã é uma figura profundamente curadora, tendo servido como médico nas sociedades antigas. Ele sabia que a fonte dos males que acometem o ser humano está dentro de nós, e que os sintomas observáveis são apenas o reflexo de uma desordem interior. É nesse nível íntimo que ele atua para provocar a mudança.

A sombra de Escorpião

Muitos diriam que Escorpião já é um signo denso e obscuro demais para ter um aspecto sombrio, mas isso não é verdade. Assim como a imagem psíquica positiva deste signo é imbuída de um poder regenerador e curador, sua sombra é vista como o vampiro sedento que seduzirá todas as vítimas para extrair delas sua energia vital.

Quando dominados pela sombra, o poder regenerador dos escorpianos torna-se pura destrutividade; a sensualidade vira promiscuidade; o ar reservado transforma-se em prisão isoladora.

É necessário lembrar que este é um signo de Água que busca sempre as profundezas do ser, mas, caso o escorpiano não consiga acessar essas poderosas águas interiores, precisará fazer isso vir de fora – criará relações de dependência, controle e dominação, e seu senso de ousadia e liberdade vai se tornar autoritário sobre as pessoas ao redor.

A sombra de Escorpião também carrega uma relação negativa com as próprias paixões e desejos, então é preciso tomar cuidado com comportamentos viciosos que possam ser gerados pela força escorpiana mal direcionada. E, da mesma maneira que um escorpião acuado pica a si mesmo, os nativos deste signo dominados por essa imagem interior sombria demonstrarão uma série de atitudes autodestrutivas.

A saída para a sombra escorpiana está em voltar toda a energia para ideais e objetivos elevados, de crescimento e expansão da identidade, combatendo assim o isolamento e a angústia, e dando um sentido de expressão para toda essa energia interior.

Raio X do escorpiano

TEMPERAMENTO	Muda constantemente de humor; é genioso, imprevisível e reservado.
PERSONALIDADE	Intensa, intuitiva, densa, profunda, autêntica, sincera, apaixonada e independente.
VALOR FUNDAMENTAL	O poder.
MOTIVAÇÃO INTERIOR	Provocar transformações profundas.
QUALIDADES	Poder, autonomia, liderança, liberdade, intensidade, paixão, sensualidade, obstinação, coragem.
DEFEITOS	Vícios, destrutividade, teimosia, dogmatismo, ciúme, fanatismo, isolamento.
DESAFIO	Não se perder no próprio labirinto interior.

Os escorpianos no trabalho

Há uma tendência obsessiva no comportamento escorpiano, por isso, quando ele está verdadeiramente envolvido no trabalho, dará seu máximo e não medirá esforços para realizar o que precisa. Ambicioso, está sempre procurando conquistar uma posição melhor, seja ela de liderança ou simplesmente de mais autonomia.

Mas isso não significa que os escorpianos sejam ruins para trabalhar em equipe – gostam bastante de contribuir e se esforçam pela coletividade com seu olhar crítico e analítico. São observadores e detalhistas, o que ajuda muito a executar bem tarefas minuciosas, além de conseguirem com facilidade perceber o universo interior de outras pessoas. Sua habilidade nata de cura e o interesse por temas considerados tabus também podem influenciar na escolha da profissão.

A saúde dos escorpianos

Ponto forte: Seu potencial regenerador é grande, por isso trazem consigo bastante disposição, energia e vitalidade.
Ponto fraco: Escorpião rege os sistemas reprodutor e excretor no corpo humano, sendo essas as áreas que precisam de mais cuidado. Problemas emocionais também podem acabar se somatizando e deixando marcas em sua psique.

Escorpião no amor

Os escorpianos têm tendência a se sentirem atraídos por pessoas difíceis ou paixões impossíveis. Este signo caloroso gosta muito de se apaixonar e se envolver com outras pessoas, e vivencia tudo isso com o máximo de si. Mas também tem certa dificuldade em confiar nas pessoas e deixá-las entrar em sua vida. Só que, uma vez que essa barreira inicial é atravessada, espere do escorpiano o máximo de entrega e paixão – e esteja preparado para devolver na mesma moeda, pois ele não aceitará menos de você.

Escorpianos procuram parceiros com quem possam dividir tudo, que sejam leais e com quem saibam que poderão contar. Procuram verdadeiros "parceiros no crime" – pessoas com quem possam dividir as alegrias, mas também os dissabores da vida. É verdade que podem ser bastante ciumentos, mas isso é proveniente da total entrega ao outro, o que muitas vezes os faz experimentar uma rara sensação de vulnerabilidade.

♥ **Como conquistar os escorpianos:** *Naturalmente atraídos pelo poder e pelo mistério, os escorpianos gostam do jogo de sedução. Superficialidade, previsibilidade e obviedades os afugentarão muito rapidamente, então o melhor caminho é ser autêntico. Como são bastante intensos, também gostam de sentir essa mesma intensidade do parceiro; sendo assim, mais do que tudo, escorpianos pedem uma profunda reciprocidade emocional no contato com o outro.*

A família e os amigos

Não espere tornar-se o melhor amigo de um escorpiano da noite para o dia. Ele é muito criterioso para selecionar aqueles que terão direito a ingressar verdadeiramente em sua vida. Seu olhar analítico estará observando os possíveis candidatos para essa posição o tempo todo (sim, às vezes parece uma entrevista de emprego mesmo).

Acontece que os nativos deste signo prezam muito mais a qualidade das relações do que a quantidade. Preferem os amigos sinceros, que falam a verdade e fazem críticas, aos que são sempre gentis. E saiba que eles farão o mesmo com você: escorpianos são aqueles que falam o que os outros signos não conseguem dizer. Por apreciarem a independência, não demonstram grande apego à família, e desde cedo poderão sentir necessidade de autonomia. Problemas com autoridade podem surgir, afinal, para eles, o respeito é algo a ser conquistado, e não imposto.

A sorte para o signo de Escorpião

Cor: preto
Palavra-chave: ousadia
Dia da semana: terça-feira
Ervas e/ou flores: arruda, carqueja, absinto
Arcanjo: Anael

Cristais: obsidiana, jaspe
Aromas: arruda, sangue de dragão
Metal: ferro
Números: 8, 5
Tarô: A Morte

SAGITÁRIO

REGENTE	QUALIDADE	ELEMENTO
Júpiter	Mutável	Fogo

Fogo que eleva.

EU ELEVO. Meus pés estão firmes no solo, mas meus olhos apontam sempre para as estrelas, e eu combino a força e a impetuosidade de um animal selvagem e livre com o que há de grandioso na genialidade humana. Minha flecha disparada alcança aquilo que antes era inatingível, conectando a Terra e o Céu. Assim eu sou – o entusiasmo do Fogo que arde sempre verticalmente, buscando elevar-se às alturas. Perto de mim, não há desânimo ou fraqueza, pois minha presença renova os espíritos cansados e revigora os corpos exauridos; minha essência é sempre jovem. Sou a expansão da consciência que sonha em desvendar os mistérios do mundo – ah, o mundo! Essa é minha verdadeira casa, e não há limites que possam me aprisionar, pois eu galoparei com a alegria de um sátiro. Sou o lampejo na cabeça dos filósofos, a força dos ritos mantidos nos santuários e o êxtase da dança alegre e desinibida das bacantes – eu brinco entre o sagrado e o profano, e transformo cada vírgula da vida em um ponto de exclamação. Eu sou Sagitário, e levarei você a alturas nunca antes imaginadas.

Governado por Júpiter, o Rei dos Deuses, o signo de Sagitário é representado por um centauro – uma criatura cuja metade superior é um homem e a inferior, um cavalo. Em suas mãos, ele traz uma flecha que aponta para cima e para longe. Essa é a natureza básica dos sagitarianos: eles têm em si tanto os instintos primitivos e ágeis de nossa parcela animal quanto a consciência humana que se eleva às alturas.

A personalidade dos sagitarianos tem sempre um ar pueril e jovem, pois esse signo de Fogo não se deixa abater e consegue encontrar forças para se renovar a todo momento. As quatro patas do centauro enfatizam a necessidade de liberdade e sua personalidade expansiva, que deseja percorrer os quatro cantos do mundos e explorar todos os seus mistérios.

Sagitarianos adoram uma viagem!

Há uma curiosidade natural em todos os nativos deste signo, que estão sempre buscando expandir seus horizontes e têm verdadeiro pavor de se sentirem limitados ou contidos. Sagitarianos se alegram com uma boa aventura, e nós bem sabemos: uma festa só começa de verdade depois que eles chegam! Divertidos e espontâneos, sabem muito bem como se divertir.

Muito sociáveis, raramente veremos os sagitarianos sozinhos. Eles adoram estar cercados de amigos e, como todos os nativos de signos de Fogo, não têm a menor dificuldade para isso: as pessoas chegam até eles atraídas pelo bom humor interminável e pela personalidade acolhedora e envolvente. Estão sempre entusiasmados. Sagitarianos não fazem grandes distinções entre amigos e família, e enxergam todas as relações mais próximas como essenciais para si. Sua natureza é gregária, comunitária e coletiva, e a simples ideia de decepcionar alguém especial é aterrorizante para eles.

Voltando à imagem do centauro: sua parte de cima é humana, o que representa a consciência e o intelecto. Os sagitarianos são dotados de valores humanitários que representam a mente esclarecida, capaz de domar os impulsos e usá-los a seu favor ao invés de se deixar dominar por eles – o que não significa que sempre consigam fazer isso.

Nesse sentido, a metade humana do centauro simboliza ainda a busca pelo conhecimento, os interesses culturais e a necessidade de expandir horizontes para planos mais elevados. Sendo assim, este signo também está conectado à religiosidade e à filosofia, duas maneiras de alcançarmos níveis mais sutis da realidade.

O pensamento do sagitariano é rápido, ágil e intuitivo. Muitas vezes, eles são tomados de repente por uma ideia ou solução, sem saber exatamente de onde ela veio. Sua natureza impulsiva os faz tomar decisões importantes e grandiosas com muita rapidez, e, uma vez que colocam algo na cabeça, será muito difícil conseguir fazê-los desistir. A motivação de um sagitariano é interminável, e ele não tem medo de correr riscos.

Valores e ideais também são fundamentais para os nativos deste signo, que trazem como traço marcante o fato de serem muito fiéis a si mesmos, suas crenças e objetivos, e de buscarem naturalmente a justiça.

Como o arqueiro que mira ao longe, eles estabelecem metas e fazem o que for preciso para chegar lá – não de maneira séria e árdua, mas alegre e divertida. Há um imenso espírito de leveza e jovialidade em todos os sagitarianos.

Há outra característica importante de Sagitário, enfatizada por seu grande planeta regente, Júpiter: tudo é vivenciado de maneira exagerada, e assim também são seus planos e ideais, sempre grandiosos e brilhantes. Essa tendência ao deslumbramento pede cuidado, e uma lição de que todo sagitariano deveria se lembrar é que nem tudo o que reluz é ouro.

Todas as áreas e aspectos do ser que estiverem sob a influência de Sagitário no mapa astral expressarão a necessidade de desbravar novos territórios, expandir, fazer novas descobertas, mas também de refinar, evoluir e, de certa maneira, servir ao outro.

A imagem interior

O arquétipo sob o qual vivem os sagitarianos é o do Sacerdote, uma figura que tem o dom de reunir as pessoas ao seu redor, conectar-se com ideais mais elevados e viver em busca de aprendizado e conhecimento.

Ele é o orientador para quem as pessoas se voltam quando precisam de ânimo ou direcionamento. Trata-se de uma figura capaz de elevar os humores e inspirar a sabedoria.

A sombra de Sagitário

A imagem arquetípica deste signo inspira o crescimento e a elevação da consciência, mas a imagem sombria que persegue os sagitarianos é enxergar a grandeza não nas possibilidades da vida, e sim em si mesmos. Sagitarianos que são dominados pela sombra terão enorme tendência ao ego inflado, se sentirão superiores aos demais, se expressarão de maneira arrogante e sofrerão de uma profunda falta de limites, agindo como se tudo pudessem fazer.

Se isso acontecer, a autopercepção dos sagitarianos se tornará muito limitada, e eles não conseguirão exercer nenhum tipo de autocrítica, vendo a si mesmos como detentores da sabedoria e de verdades absolutas. Se a imagem luminosa deste signo é o Sacerdote, sua sombra é bem representada pela figura do fanático de mente fechada, que não consegue lidar de maneira nenhuma com as diferenças. Ele se percebe como o detentor do caminho correto e dos valores ideais.

Enquanto Sagitário é o signo explorador do zodíaco, que representa a busca, sua sombra acredita que já encontrou em si mesma tudo de que precisa.

Quando dominados pela sombra, os nativos deste signo agirão como se fossem autossuficientes e rejeitarão qualquer opinião que venha de fora.

A sombra de Sagitário também se recusará a crescer a qualquer custo, transformando-se em um verdadeiro Peter Pan. Terá dificuldade em assumir responsabilidades com a própria vida e, principalmente, em relação ao impacto de suas atitudes sobre os demais, tornando-se um verdadeiro rebelde sem causa.

A saída para a sombra sagitariana será firmar os pés no chão para perceber a realidade de maneira mais objetiva e concreta, embora sem deixar de lado os ideais elevados. Assim será possível manter um contato profundo com a realidade ao redor.

Raio X do sagitariano	
TEMPERAMENTO	Otimista e entusiasmado, agradável e muito generoso, sempre positivo.
PERSONALIDADE	Jovial, alegre, despreocupada e muito divertida, marcada pela fraternidade e pela facilidade em formar vínculos.
VALOR FUNDAMENTAL	A expansão.
MOTIVAÇÃO INTERIOR	Encontrar um sentido elevado para todas as coisas.
QUALIDADES	Alegria, jovialidade, expansão, altruísmo, liberdade, espontaneidade, otimismo, sorte, ambição.
DEFEITOS	Impaciência, impulsividade, rebeldia, instabilidade, irresponsabilidade, megalomania, visão tendenciosa da realidade.
DESAFIO	Canalizar toda a sua intensa energia para potenciais mais refinados.

Os sagitarianos no trabalho

Sagitarianos são ótimos companheiros de trabalho porque, além de serem determinados e focados, ainda trazem para o ambiente um clima de alegria e descontração – tudo é vivenciado pelo sagitariano como uma grande festa. Entretanto, por ser um signo de mente muito rápida, há sempre o risco de se sentir entediado, precisando assim ser estimulado constantemente. Este é um signo que se motiva por si só, ou seja, quando vê propósito naquilo que faz, ele o fará de maneira apaixonada, colocando o máximo de suas habilidades nas atividades que desempenha.

Os sagitarianos conseguem se adaptar bem às mudanças do ambiente profissional e gostam de se atualizar e renovar.

São perfeccionistas e não aceitarão menos que o melhor que sabem ser capazes de fazer. Mas, para tudo isso, é preciso que o trabalho lhes traga satisfação pessoal, pois os sagitarianos não são do tipo que só trabalha pelo dinheiro. É preciso que encontrem na profissão um sentido de satisfação interior.

A saúde dos sagitarianos

Ponto forte: Têm saúde resistente; não ficam doentes com facilidade.
Ponto fraco: As regiões do corpo associadas com Sagitário são o fígado (o maior órgão do corpo humano, assim como Júpiter é o maior dos planetas) e também as coxas, que pedem mais atenção.

Sagitário no amor

Este é um signo bastante galanteador, que vê na conquista do outro um desafio que desperta seu interesse. Os relacionamentos dos sagitarianos costumam ser leves, divertidos e sem muitas cobranças ou exigências – caso sintam que perderam sua autonomia ou autenticidade, certamente fugirão. Agora, quando seu espírito livre consegue equilíbrio com uma relação inteligente e intensa, com verdadeiros laços de companheirismo, o sagitariano se sente bem.

Os nativos deste signo enxergam o companheiro como seu melhor amigo, e é esse tipo de relação que buscará estabelecer afetivamente para que firme um compromisso.

Naturalmente aventureiros, os sagitarianos adoram flertar e experimentar suas habilidades de sedução. Por isso, podem demorar para firmar um compromisso, e só o farão quando se sentirem completamente confortáveis. O relacionamento deve ser, para o nativo deste signo, um espaço onde divide com o parceiro sua autenticidade, e nunca um ambiente de limitação ou castração.

♥ **Como conquistar os sagitarianos:** *Eles se sentem atraídos por pessoas inteligentes, que tragam constante estímulo e fujam de uma rotina monótona e repetitiva. Lembre-se de que este signo adora se aventurar, por isso seu parceiro ideal deve ser um companheiro de espírito igualmente livre.*

Como também é um signo idealista, Sagitário costuma se sentir atraído por pessoas que compartilhem os mesmos valores fundamentais e vislumbrem a grandiosidade da vida; adoram conversar sobre assuntos filosóficos e esperam que o companheiro acompanhe esse fluxo de ideias.

A família e os amigos

Sagitarianos são extremamente sociáveis, o que os mantém sempre cercados de pessoas. Isso faz parte da natureza deles, pois têm muita facilidade para criar laços: são autênticos, sinceros e genuínos com as pessoas ao seu redor. Também são ótimos ouvintes e conselheiros, e, sempre que podem, ajudam os amigos com muito esforço e carinho.

Este também é um signo que valoriza muito a família, mas, pelo caráter aventureiro que a energia do signo traz, não há grande necessidade de proximidade física intensa com ela, desde que mantenham boas relações. Mas os sagitarianos gostam de saber que têm um lugar ao qual voltar após explorar o mundo, por isso prezam o lar e o bom relacionamento familiar.

A sorte para o signo de Sagitário

Cor: púrpura

Palavra-chave: expansão

Dia da semana: quinta-feira

Ervas e/ou flores: noz-moscada, açafrão e sálvia

Arcanjo: Uriel

Cristais: ametista, lápis-lazúli

Aromas: olíbano, cedro

Metal: estanho

Números: 4, 9

Tarô: A Temperança

CAPRICÓRNIO

REGENTE	QUALIDADE	ELEMENTO
Saturno	Cardinal	Terra
Terra sólida.		

EU CONQUISTO. Antes que a Terra verdejante se cobrisse de flores ou fizesse amadurecer seus primeiros frutos, eu já estava lá. Meu corpo é formado de rochas acinzentadas, que trazem sustentação e firmeza para o chão sobre o qual todos caminham. Sou a solidez da montanha e a segurança das raízes das árvores que buscam as profundezas do solo, onde se escondem os tesouros mais preciosos, guardados por mim com muito cuidado, assim como a terra guarda para si todo o seu poder durante os meses de inverno. Meu espírito é antigo como as pedras, os ossos da Terra, que silenciosamente assistiram e testemunharam cada nascimento e morte provocados pelo Tempo, meu Pai. E, como um nascido do Tempo, eu trago a sagacidade que só ele pode ensinar: sou persistente, precavido e paciente, pois sei que apenas o Tempo traz o melhor da vida até nós. Os mais jovens olham para mim e me dizem pessimista, mas saiba, criança, que eu conheço a impermanência do mundo e, por olhar mais ao longe, entendo que, por mais que seja longa a distância, sempre é possível chegar.

Meu nome é Capricórnio, e só eu posso trazer estabilidade e segurança em meio ao caos do mundo.

Os capricornianos são regidos por Saturno, o Deus do Tempo, e talvez seja por isso que todos eles levam a fama de terem nascido com uma "alma velha" – seu olhar é profundo e silencioso; sua personalidade é responsável, comedida e se sente muito confortável com métodos, regras e leis. Parece que todos eles amadurecem com bastante rapidez.

Com um ar de seriedade, os capricornianos são muito responsáveis desde os primeiros anos de vida, e, quando se comprometem a realizar algo, colocarão toda a sua energia para concretizar seus objetivos. Não costumam ser impulsivos, muito pelo contrário! Gostam de avaliar todas as opções antes de tomar decisões importantes, e têm a atitude prudente de sempre considerar o longo prazo para tentar enxergar as consequências de suas ações diárias. É isso que faz dos capricornianos pessoas tão determinadas e obstinadas – eles entendem que são os pequenos esforços, e principalmente a persistência, os responsáveis por nos levarem longe.

E é sempre para o topo que seus olhos estão voltados, afinal, este signo de Terra tem uma atração natural pelo poder e pelo prestígio, e não se sentirá satisfeito até conseguir dominar o mundo (pelo menos seu pequeno mundo, muitas vezes simbolizado pelas próprias aspirações). Capricornianos gostam de ser admirados pelas suas conquistas e vitórias, nem sempre porque estão preocupados com a opinião das outras pessoas sobre si próprios, mas porque enxergam as realizações sociais como provas concretas de sua supremacia. Trabalhadores e esforçados, veem na sua profissão um grande veículo para conseguirem o que desejam na vida, e é nela que renovam suas forças e recebem vitalidade. Gostam de se sentir produtivos e úteis, e a segurança material é uma necessidade fundamental dos nativos deste signo ambicioso.

Também são famosos pelo grande valor que dão à qualidade em detrimento da quantidade; sendo assim, os capricornianos escolherão a dedo seus amigos, preferindo estar cercados das mesmas poucas pessoas em quem sabem que podem confiar a estar sempre rodeados de muita gente, vivendo relações mais superficiais. Reservados, pode ser difícil se aproximar deles em um primeiro momento, mas são amigos muito leais quando formam um relacionamento, que é fortemente pautado na honestidade.

Outra característica típica deste signo é que ele é bastante sistemático. Os capricornianos criam maneiras estruturadas para organizar seu dia e cumprir com suas obrigações, que realizam com um senso profundo de dever. Lembre-se de que a estabilidade é um valor muito importante para este signo, e isso também significa uma maneira repetitiva e organizada de lidar com a realidade.

Sua percepção da passagem do tempo, da transitoriedade da vida e principalmente dos limites faz com que sejam pessoas capazes de gerir bem seus recursos e bens. Gostam de uma vida financeira organizada, planejada e regrada, e são ainda bastante pontuais, pois reconhecem que o próprio tempo é um recurso finito e deve ser bem utilizado. Objetivos, também são pessoas de poucas palavras, e não as desperdiçarão a menos que considerem que valha realmente a pena.

Perfeccionistas, sempre buscarão dar seu melhor e estão bastante conscientes das próprias falhas, tendo a necessidade constante de se aprimorarem. Seu pensamento é prático e concreto, mas visionário. São bastante sociáveis, diplomáticos e estratégicos. Suas emoções sempre passam pelo filtro racional da mente prática e concreta, e, apesar de não serem conhecidos por grandes demonstrações de afeto e românticas, os capricornianos sabem criar vínculos estáveis, sinceros e profundos com as outras pessoas, pois essa é sua natureza mais básica.

A imagem interior

A imagem psíquica que inspira a vida dos capricornianos é a do Sábio Ancião, aquele que coletou as experiências de vida ao longo do tempo para poder planejar e estruturar melhor o futuro. Ele sabe como realizar sua vontade e usar os recursos à disposição de maneira inteligente e prática. Paciente e persistente, dá um passo de cada vez rumo a seu destino e, sendo bastante observador, sabe colher as lições da vida conforme os acontecimentos ao seu redor.

A sombra de Capricórnio

Quando os capricornianos estão dominados pela imagem sombria em seu mundo psicológico, eles se tornarão o ganancioso rei Midas, que desejou que todas as coisas se transformassem em ouro a seu toque e, mesmo com tanta riqueza, morreu sozinho, com fome e sede.

A ambição capricorniana deve ser direcionada a razões interiores elevadas, e nunca simplesmente ao acúmulo de bens e posses, pois isso tornará sua vida vazia e fará dela uma busca insaciável, desprovida de propósitos reais e, principalmente, sem nenhum significado. Assim como Midas, que, ao abraçar a filha, fez dela uma estátua de ouro, os capricornianos dominados pela sombra enxergarão as pessoas não como seres humanos dotados de sentimentos, desejos e liberdade, mas como algo utilitário, que só tem valor pelo uso que se pode fazer dele. Avarentos, egoístas e gananciosos, vão se transformar em acumuladores frios e sem coração.

Para aqueles que são menos materialistas, há uma segunda opção para a forma como a imagem sombria atuará: sua visão muito concreta da realidade fará deles pessimistas inveterados. Enxergarão apenas o lado desastroso e catastrófico de todas as situações, e, ao invés de usarem o pensamento visionário para crescer e subir a montanha, permanecerão lá embaixo, com medo dos obstáculos e das possibilidades de queda. Isso também criará uma personalidade ranzinza, teimosa, impaciente e inflexível, que terá bastante dificuldade em lidar com ideias e estratégias diferentes.

Em ambos os casos, a saída para se libertar das garras gélidas da imagem sombria é buscar ideais sempre elevados, colocando todos os recursos, sejam eles internos ou externos, a serviço desses propósitos, que podem realmente dar sentido para sua vida.

Raio X do capricorniano	
TEMPERAMENTO	Sério, prático, que transita entre o extremo otimismo e o extremo pessimismo.
PERSONALIDADE	Reservada, perseverante, sóbria, lógica, pragmática e objetiva, agindo sempre com prudência e moderação.
VALOR FUNDAMENTAL	A produtividade.
MOTIVAÇÃO INTERIOR	Encarnar os princípios de ordem, estabilidade e sucesso.
QUALIDADES	Responsabilidade, organização, praticidade, realismo, determinação, visão de longo prazo, autocrítica, alto nível de exigência pessoal, independência.
DEFEITOS	Fundamentalismo, rigidez, intolerância, vaidade, ganância, teimosia, autoritarismo.
DESAFIO	Encontrar propósitos interiores elevados para orientar seu comportamento obstinado.

Os capricornianos no trabalho

O trabalho, para o capricorniano, é seu território natural, no qual buscará desenvolver todo o seu potencial e onde muitas vezes verá a possibilidade de realização pessoal; por isso, colocará todos os seus talentos à disposição das funções que desempenhar. Os nativos deste signo lidam muito bem com as regras do ambiente de trabalho e suas hierarquias, mas são ambiciosos e pleitearão cargos de destaque nos quais possam obter uma boa remuneração e alcançar o topo. Devem tomar cuidado para não deixar de lado outros aspectos da vida por conta dos esforços profissionais.

A saúde dos capricornianos

Ponto forte: Possuem uma estrutura física resistente e costumam envelhecer com saúde – os capricornianos parecem se tornar cada vez melhores com a passagem do tempo.

Ponto fraco: Têm uma tendência maior a enfrentar problemas como artrite e reumatismo, pedras nos rins, resfriados e problemas de pele. Precisam tomar cuidado para não se forçarem além dos limites do corpo.

Capricórnio no amor

Com seu ar tradicional, capricornianos entram em relacionamentos sempre pensando no longo prazo. Isso quer dizer que não perderão seu tempo com pessoas ao lado de quem não vejam futuro, muito menos com alguém com quem não se sintam completamente à vontade. Sua busca interminável por estabilidade os faz preferir relacionamentos seguros e parceiros de personalidade e emoções estáveis. Discretos, muitas vezes demoram para demonstrar seu interesse e não são famosos por vivenciarem paixões arrebatadoras. O amor capricorniano pode ser bastante intenso e profundo, mas isso se expressará no seu cuidado cotidiano com o parceiro, e não em grandes gestos melosos de carinho, apesar de às vezes poderem ter reações de ciúme e possessividade.

♥ **Como conquistar os capricornianos:** *Este signo exigente sente-se atraído por tudo o que é refinado, tendo um padrão elevado na busca pelo parceiro. Prefere pessoas com personalidade prática e objetiva, mas ambiciosa e orientada para o futuro. A gentileza e a sofisticação são duas chaves que assegurarão sua conquista.*

A família e os amigos

Capricornianos formam grupos de afinidade e buscarão se relacionar com outras pessoas que compartilhem dos mesmos interesses práticos, muitas vezes ligados ao seu campo de trabalho ou estudo. Apesar de terem um ar sociável, a intimidade é para poucos, que são cuidadosamente escolhidos. Valorizam muito a confiança e a lealdade, são bastante transparentes e buscam construir vínculos sólidos com as pessoas. As tradições familiares são muito importantes e, desde cedo, os nativos deste signo absorvem os valores e as expectativas da família, cuja aprovação é fundamental, principalmente no início da vida.

A sorte para o signo de Capricórnio

Cor: cinza
Palavra-chave: disciplina
Dia da semana: : sábado
Ervas e/ou flores: folha de fumo, aroeira, café
Arcanjo: Cassiel

Cristais: magnetita, ônix, obsidiana floco de neve
Aromas: benjoim, cravo-da-índia
Metal: chumbo
Números: 10, 3
Tarô: O Eremita

AQUÁRIO

REGENTE	QUALIDADE	ELEMENTO
Urano	Fixo	Ar
Ar que preenche.		

EU CONHEÇO. Sopro através dos ventos rebeldes da mudança, que arrancam as folhas secas das árvores e as arrastam para longe. A grama e o junco se dobram suavemente quando eu passo, mas as árvores rígidas e resistentes são arrastadas pelo meu vendaval, pois diante de mim nada pode permanecer imóvel. Escute-me no grito uníssono de libertação dos oprimidos, observe enquanto eu me elevo pela fumaça escura das amarras que são queimadas, subindo em direção ao céu e me espalhando por todo o mundo – nada pode me deter. Respire fundo e perceba como o sopro da vida entra e sai dos seus pulmões: todos respiramos o mesmo Ar, e esse Ar sou eu, unindo todos pelo compasso fraterno de uma única respiração. Sou rapidez, agilidade, desobediência e libertação. Separo para reunir, derrubo para construir e desafio para fazer crescer; eu sou Aquário e, por onde eu soprar, nada permanecerá o mesmo.

Filhos do planeta Urano, o rebelde planeta das revoluções, os aquarianos possuem um espírito bastante questionador, ousado e voltado muitas vezes para temas sociais e coletivos. É importante lembrarmos que, na mitologia, Urano representava o próprio céu, e é assim que são os aquarianos: sempre com a cabeça nas nuvens, não porque são distraídos, mas por se sentirem mais confortáveis nos domínios da mente. Idealistas por natureza, é no plano teórico das ideias que passam a maior parte do tempo, sendo por isso que, não raro, os aquarianos têm dificuldade para lidar com o cotidiano ou os assuntos mais práticos ou pragmáticos do dia a dia.

Qualquer noção de retrocesso é completamente assustadora para este signo, que tem no progresso e no avanço sua busca fundamental. Por isso, busca sempre novas maneiras de expressar seu potencial e detesta qualquer coisa que seja monótona, que não ofereça desafios ou não lhe traga novos ares. Aquarianos são inovadores e futuristas, muito mais interessados naquilo que pode ser do que no que já foi.

Esse refúgio na própria mente faz de alguns dos nativos deste signo excelentes estudiosos e teóricos, que buscarão, por meio do conhecimento, refinar seu contato com o mundo. Aqueles que são menos introvertidos olharão para a sociedade e se preocuparão com questões coletivas e sociais.

Aliás, esse é um valor fundamental para todos os aquarianos: sua liberdade. Eles não tolerarão que nada nem ninguém diga a eles como devem ser ou o que devem fazer, e valorizam muito sua originalidade e independência. Por isso, todo aquariano tem uma personalidade muito fiel a si mesmo, sendo às vezes até um pouco excêntrico. Ele também preza muito sua privacidade e, acredite, você não vai querer cruzar o limite dos territórios particulares deste signo.

Nessa busca por liberdade, podem se tornar verdadeiros revolucionários. Aquarianos não aceitam as coisas como são e não respeitam autoridades apenas porque devem. Para eles, o respeito surge da admiração e, quando ela não existe, serão desobedientes e transgressores para defender aquilo que pensam e em que acreditam.

Nas relações humanas, os aquarianos são bastante solidários; costumam ser tidos como excelentes amigos e adoram estar com várias pessoas – de preferência, com aquelas que compartilham os mesmos ideais e valores que eles. Sua comunidade deve ser considerada uma extensão de si mesmos. Entretanto, este signo de Ar também é famoso por viver todas as emoções de maneira leve, flutuante e rápida, ou seja, não espere grandes demonstrações de afeto o tempo todo de um aquariano. Isso acontece porque a natureza mental deste signo o faz estabelecer relações tendo como base primária não emoções, e sim ideias. Mas isso não significa que não possam ser afetuosos – é apenas a forma de expressar esse afeto que é bem particular. A intensidade dos aquarianos está no campo dos seus ideais, valores e crenças, e não no das emoções.

Aquário também é conhecido como um signo bastante humanitário, e isso pode se expressar de muitas maneiras na personalidade aquariana. Para alguns, significará um envolvimento direto com causas sociais, ambientais e assuntos políticos, mas, para outros, essa característica se manifestará como uma tendência a sempre colocar as necessidades do coletivo acima das necessidades individuais – sejam as dele mesmo ou as de outra pessoa. Sua mente abstrata tem facilidade para ver o cenário mais amplo, fato que às vezes acarreta aos aquarianos a dificuldade de enxergar as particularidades de uma situação. Isso também faz com que sejam bastante sociáveis e tenham muita facilidade para lidar com outras pessoas, embora gostem de desfrutar de momentos privados, em que possam ficar sozinhos e se entregar às próprias ideias.

A imagem interior

A imagem psicológica que orienta a vida dos aquarianos é a do Cientista Inventor, o visionário que está sempre em busca de novos conhecimentos capazes de transformar a realidade social ao redor. Todos os avanços tecnológicos são associados a Aquário, assim como o conhecimento da própria Astrologia. O Cientista Inventor é aquele que usa de seus recursos pessoais para dar grandes contribuições à coletividade.

A sombra de Aquário

Se a imagem luminosa que rege os aquarianos é a do Cientista Inventor, a imagem sombria com a qual precisarão se confrontar em algum momento da vida é a do Cientista Louco – afinal, a mesma pessoa capaz de construir máquinas que podem salvar vidas também sabe como criar armas de destruição.

A sombra aquariana é aquela que perdeu por completo o contato com a realidade concreta ao redor e vive em um mundo ideal que é imaginado e racionalizado dentro de sua cabeça. Frios e calculistas, esses aquarianos serão eternos contestadores e desafiadores, mas, diferentemente de seu aspecto luminoso, que busca contrariar para promover crescimento, a sombra aquariana buscará a desconstrução por si só, sem nenhuma empatia ou ideais elevados.

Este nativo se tornará um rebelde contra toda forma de ordem estabelecida. Isso se expressará de muitas maneiras, seja através da insubordinação completa a qualquer figura de autoridade, seja por meio do envolvimento com causas sociais e políticas apenas para chocar ou contrariar.

Um complexo de superioridade inabalável também poderá se instalar em sua personalidade, e ele se achará em um patamar superior ao de todos os seus pobres companheiros. Uma completa falta de empatia, compaixão e emotividade também pode dominá-lo, tornando-o insensível e frio.

A identidade de alguém tomado pela sombra aquariana pode se tornar, ainda, inteiramente orientada pelo coletivo, ou seja, em sua busca pela liberdade e por contrariar a ordem estabelecida, ele se transformará na antítese exata de tudo aquilo que combate, permanecendo preso da mesma maneira às expectativas e aos valores coletivos.

A saída para a sombra aquariana está em aprender a desenvolver uma percepção integrada entre o eu e o mundo de maneira permeada pela afetividade, e não apenas nos domínios da mente.

	Raio X do aquariano
TEMPERAMENTO	Intenso e expansivo. Bem-humorado, positivo e otimista. Imprevisível e variável, às vezes volta-se para fora, às vezes para dentro.
PERSONALIDADE	Sociável e amigável, criativa e com bastante iniciativa. Motivada e idealista, comunicativa, rebelde e questionadora.
VALOR FUNDAMENTAL	A liberdade.
MOTIVAÇÃO INTERIOR	Expandir os limites.
QUALIDADES	Altruísmo, solidariedade, criatividade, independência, inteligência, originalidade, espírito de comunidade.
DEFEITOS	Egoísmo, rebeldia sem causa, individualismo, necessidade de controle, teimosia, falta de emotividade.
DESAFIO	Encontrar uma aplicação prática e concreta para seus ideais.

Os aquarianos no trabalho

Preferem ambientes de trabalho livres, sem muitas regras ou pressão. Gostam de autonomia para executar as tarefas à própria maneira, optando muitas vezes por horários flexíveis e alternativos. Trabalha muito bem sozinho, mas também tem talento para estar em grupos e compor equipes. São excelentes profissionais autônomos. Sua natureza tende para posições de destaque e liderança; comunica-se com clareza e consegue promover o entendimento entre todas as pessoas. Os aquarianos se dão muito bem em áreas ligadas ao conhecimento de forma geral, ao cuidado com o futuro, em tarefas inventivas e criativas, além de bastante dinâmicas.

A saúde dos aquarianos

Ponto forte: A área mais resistente do corpo costuma ser seu trato digestivo.
Ponto fraco: Devem tomar cuidado com o sistema ósseo, que é frágil, e também com doenças nervosas, somatizações e insônia.

Aquário no amor

O amor aquariano é livre. Antes de tudo, seu parceiro deve ser seu melhor amigo e não se preocupar tanto com as excentricidades aquarianas. O espaço pessoal dos aquarianos tem de ser preservado, então, mesmo quando desenvolvem intimidade com o parceiro, precisam sentir que ainda possuem sua própria autonomia e independência. A relação deve ter um ar leve, descontraído e agradável, sem grandes pontos de tensão ou conflitos exagerados – ou o ímpeto de liberdade do aquariano o levará para longe.

♥ **Como conquistar os aquarianos:** *Pessoas divertidas, engraçadas, com uma conversa envolvente e uma personalidade forte e brilhante despertam a atenção dos aquarianos. A compatibilidade deve ser mental, portanto é importante compartilhar dos mesmos valores, crenças e ideais.*

A família e os amigos

Aquarianos são bastante sociáveis e expansivos, e gostam de estar envolvidos em ambientes com muitas pessoas. Suas relações mais verdadeiras se formam ao compartilhar ideais de mundo. Entretanto, esse flutuante signo de Ar não tem grande necessidade de estar em contato com seus amigos o tempo todo, e muitas vezes prefere transitar entre diferentes grupos sociais a estar sempre com as mesmas pessoas. Isso também é verdadeiro no que se refere a sua família – eles criarão raízes quando se sentirem acolhidos e aceitos da maneira que são. Ambientes familiares muito repressivos vão afastá-los naturalmente.

A sorte para o signo de Aquário

Cor: azul-claro

Palavra-chave: ousadia

Dia da semana: quinta-feira

Ervas e/ou flores: eucalipto, verbasco e melissa

Arcanjo: Uriel

Cristais: lápis-lazúli, fluorita, sodalita

Aromas: citronela, flores do campo

Metal: urânio

Números: 11, 17

Tarô: A Estrela

♓ PEIXES

REGENTE	QUALIDADE	ELEMENTO
Netuno	Mutável	Água

Água que dissolve.

EU CREIO. Sou uma gota de água que contém todo o oceano. Sou as marés que se movimentam para dentro e para fora, o poder da renovação e do renascimento. Nas minhas águas, a multiplicidade se dissolve para se tornar apenas uma – a Totalidade. Diante de mim, todas as barreiras se dissolvem, pois eu sei que os limites que nos separam são apenas um sonho, e que a forma é apenas uma ilusão; eu sou o jogo de ilusões que diverte seus olhos. Sou eu quem faço o espírito se elevar para mundos desconhecidos enquanto o corpo repousa adormecido, e minha é a voz que sussurra segredos nos ouvidos daqueles poucos que podem me ouvir. Sou as Águas da purificação que lavam o mundo de toda a dor e sofrimento. Sou o véu do mistério, o grande Desconhecido, o canto sedutor das sereias que faz você se lançar nas profundezas do mar para se misturar a mim. Feche os olhos para me ver, tape os ouvidos para me escutar: eu sou Peixes, e absorverei suas impurezas, lágrimas e dores para que você seja puro mais uma vez.

Piscianos são regidos por Netuno, o Deus dos Mares, e é por isso que têm um coração imenso como o próprio oceano. Os nativos deste signo vivem principalmente nos domínios da Água: a emoção, a intuição e, mais especificamente para Peixes, a busca pela transcendência.

Mitologicamente, o oceano é o símbolo do ventre do mundo, aquele lugar misterioso onde a morte se transforma em vida. É essa a experiência fundamental que todo pisciano busca: a transcendência de sua individualidade para que possa se sentir parte de algo maior. Isso pode se expressar pela fé e pela espiritualidade, características marcantes para este signo, mas também por meio de relacionamentos amorosos, da família e do contato íntimo com a humanidade que há dentro das pessoas – experiências, todas essas, de fazer parte de algo maior que nós mesmos.

Piscianos são naturalmente empáticos e conseguem perceber muito bem as emoções alheias, sendo que os mais sensíveis chegam a ter bastante dificuldade em diferenciar os sentimentos que são genuinamente seus ou o que estão absorvendo das pessoas ao redor. Este signo intuitivo enxerga sob a superfície sólida da realidade, onde cada coisa parece individual e separada, para contemplar um nível de existência em que tudo está intimamente conectado, sem separações verdadeiras entre nenhum de nós. Altruístas, os piscianos precisam tomar cuidado com sua tendência à autoanulação e ao sacrifício pessoal em nome de outras pessoas e das causas nas quais acredita.

Por sua natureza emotiva, os nativos deste signo costumam ter uma personalidade mais reservada, e mesmo o mais extrovertido deles ainda assim precisará do seu espaço pessoal, pois uma parte importante de sua vida é vivenciada no próprio íntimo. Mas isso não significa que eles se isolem do mundo nem que tenham dificuldades para construir relacionamentos; muito pelo contrário. Charmosos e com um ar sedutor, conseguem com naturalidade atrair as pessoas para perto de si, seja por estarem envolvidos em uma aura mística e instigante de mistério, seja por despertarem em nós um sentimento de simplicidade e bondade – apenas nos sentimos conectados a eles com rapidez.

Os piscianos preferem evitar conflitos a todo custo. São indiretos, sugestivos, discretos, lançando mão de uma linguagem subjetiva, e por isso lidarão com competições ou desentendimentos de maneira sutil, evitando confrontos diretos sempre que possível. A única exceção para essa regra está naqueles momentos em que são completamente tomados pelas emoções – quando isso acontece, podem se tornar tão furiosos quanto o mar em tempestade, fazendo todos os barcos naufragarem em suas águas; mas é raro isso ocorrer, uma vez que vai contra seu ideal básico de paz.

Eles também têm fama de serem bastante sonhadores. Mas, diferentemente de outros signos, que às vezes se perdem em seu universo mental, os piscianos estão sempre no mundo simbólico e enigmático dos desejos e sonhos, no reino interior da fantasia. Este signo representa o contato com o inconsciente, e os piscianos estão sempre com pelo menos um dos pés nesse outro nível da existência.

Às vezes isso os faz ter dificuldade em lidar com a realidade concreta, deixando-os distraídos, esquecidos ou então mantendo-os inocentes em demasia. Sonham acordados, mas é isso que faz deles muito criativos e sensíveis, além de lhes conferir outra habilidade importante deste signo: o poder de cura emocional. Piscianos apegam-se às experiências afetivas, e não aos bens materiais, e na maioria das vezes se contentam com uma vida simples, porém repleta de significado. Isso às vezes cria problemas de ordem prática em sua vida, por exemplo, desorganização financeira pela falta de planejamento.

Algo pouco comentado sobre os piscianos é que eles também podem ser bastante teimosos – se por um lado estão sempre em contato com o mundo abstrato, por outro vão se apegar fortemente a algumas de suas certezas e convicções como uma tentativa de permanecer em contato com a realidade.

A imagem interior

Os piscianos vivem sob a figura mística do Profeta, aquele que é capaz de acessar outros níveis de realidade para conectar os mundos por meio de sua intuição. Como um pontífice, o pisciano é capaz de conectar a terra e o céu, trazendo a cura e a beleza do plano espiritual para este mundo.

A sombra de Peixes

Se os piscianos são, positivamente, aqueles capazes de trazer as mensagens de outros mundos para esta realidade, sua sombra é aquela que rejeita por completo o mundo objetivo, buscando refugiar-se nos mundos internos.

Isso pode se expressar de muitas maneiras, mas sempre como uma grande dificuldade de permanecer em contato com o mundo concreto. O pisciano dominado pela sombra buscará de todas as formas se afastar desse nível da realidade, seja se refugiando em uma vida espiritual intensa, em que buscará constantes estados alterados de consciência para passar cada vez menos tempo por aqui, seja por meio do uso de substâncias psicoativas, que provocarão experiências dissociativas – esses são os dois extremos, mas em ambos a busca pela fuga da realidade é um traço marcante, o que em muitos casos pode se tornar um vício perigoso.

Essa necessidade de fuga da realidade surge de um sentimento de inadequação, da falta de autoconfiança, do senso de não pertencimento, ou de uma imensa dificuldade em se sentir compreendido e conectado às outras pessoas. Isso levará o pisciano dominado pela sombra a intermináveis tentativas de anulação do eu, podendo também se expressar em um comportamento que descarta por completo as próprias necessidades e limites pessoais para se doar aos outros.

Nesse sentido, eles se tornarão verdadeiros mártires, não por razões elevadas, mas sim em nome de sua sombra, respondendo a uma necessidade interior de redenção. De forma mais branda, esse comportamento também pode se expressar por meio de sua grande tendência a ser influenciável, fazendo o pisciano anular sua opinião ou pensamento próprio em nome de outra pessoa, a quem ele delega a função de dirigente de sua própria vida.

A saída para a imagem sombria de Peixes está em reconhecer a si mesmo, suas necessidades imediatas e limitações – é preciso encontrar contorno para si mesmo. Só assim os nativos deste signo não serão dissolvidos nas águas do oceano primordial.

Raio X do pisciano

TEMPERAMENTO	Sereno, mas sensível, com humor instável e em constante mudança.
PERSONALIDADE	Simpática e amorosa; comporta-se de maneira generosa, sentimental e compreensiva. Imaginativa, voltada ao mundo interior. Reservada.
VALOR FUNDAMENTAL	A fé.
MOTIVAÇÃO INTERIOR	A busca por experiências de transcendência e união com algo maior.
QUALIDADES	Empatia, sensibilidade, criatividade, intuição, altruísmo, devoção, compaixão, pacifismo, profundidade, charme.
DEFEITOS	Teimosia, fuga da realidade, sacrifício pessoal em excesso, vitimização, vícios, pessimismo, facilmente influenciável.
DESAFIO	Manter o contato com a realidade concreta e ancorar nela suas experiências interiores.

Os piscianos no trabalho

Com seu pensamento "fora da caixinha", os piscianos preferem exercer funções que deem vazão à sua criatividade, intuição e impulsos artísticos. Muitas vezes, enxergam o trabalho como uma atividade idealista com a qual podem contribuir para criar o mundo dos seus sonhos. Muito além de apenas trabalho, para os piscianos há um senso especial de *serviço* na vida profissional. Os cargos que exigem constante estudo e aperfeiçoamento também agradam os nativos deste signo, que são naturalmente curiosos e desejam sempre conhecer mais. Também adoram se sentir úteis e necessários.

Entretanto, os nativos deste signo costumam estabelecer limites claros entre sua vida particular e profissional, principalmente quando ocupam posições de liderança e destaque. É nesse contexto que seu ar reservado entrará em cena e eles buscarão se preservar. São os melhores ouvintes do zodíaco e, por isso, têm um talento natural para lidar com outras pessoas. Às vezes podem ter dificuldade em estabelecer um senso de propósito no trabalho, o que fará com que pulem de cargo em cargo sem nunca criar raízes.

A saúde dos piscianos

Ponto forte: Sua natureza empática e sensível faz dos piscianos excelentes curadores de outras pessoas, mas nem sempre conseguem fazer isso por si mesmos. Devem aprender a usar essa habilidade para o autocuidado.
Ponto fraco: No corpo, o signo de Peixes está relacionado aos pés, e por isso essa é a parte mais sensível do seu corpo. Também devem tomar cuidado com somatizações e os sistemas respiratório e circular. Sua saúde sofre bastante influência das mudanças climáticas e de ambiente, o que faz os piscianos serem muito afetados pela ansiedade e por outros problemas similares.

Peixes no amor

Extremamente afetuosos, os piscianos têm o instinto de nutrir e cuidar do parceiro de uma maneira quase maternal. Doa-se completa e irrestritamente ao outro, justamente porque tem no relacionamento a possibilidade afetiva de experimentar aquele tão buscado sentimento de transcendência. Seu amor costuma ser altruísta, e os piscianos não querem apenas ter alguém a seu lado – buscam *misturar-se* de verdade ao parceiro. Mesmo para aqueles que têm uma natureza mais reservada e introspectiva, ainda assim o relacionamento será vivenciado como uma experiência intensa de conexão, entrega e união mística com o parceiro.

💙 ***Como conquistar os piscianos:*** *Com um ar naturalmente sedutor, os piscianos costumam perceber muito bem quando alguém se interessa por eles, o que não significa que o jogo de sedução deva ficar de lado – muito pelo contrário! Este signo é enigmático, misterioso, e é dessa maneira que se pode ganhar seu coração. Adoram elogios sinceros e costumam ser atraídos pela mistura de força e sensibilidade; também valorizam muito o carinho, o afeto e a autenticidade.*

A família e os amigos

Apesar de reservados e de preferirem poucos amigos, piscianos constroem relações profundas e são conhecidos por serem excelentes ouvintes e conselheiros – é sempre um pisciano que procuramos quando precisamos falar dos aspectos mais profundos e reservados do nosso ser. Eles têm uma natureza leal, gentil e intuitiva, que sabe perceber quando os outros precisam de ajuda. Preocupam-se de forma genuína com o bem-estar dos outros e fazem tudo o que estiver a seu alcance para garanti-lo. Têm grande necessidade de comunicação e trocas em suas relações, e os vínculos serão mais intensos com aqueles que os fizerem se sentir acolhidos – assim também deve ser seu ambiente familiar. A natureza pisciana aprecia o trânsito por diferentes ambientes, e seu apego está mais nos vínculos afetivos que forma do que na presença física de familiares.

A sorte para o signo de Peixes

Cor: roxo

Palavra-chave: intuição

Dia da semana: quinta-feira

Ervas e/ou flores: violeta, lírio, anêmona

Arcanjo: Uriel

Cristais: água-marinha

Aromas: violeta, alfazema

Metal: bronze

Números: 12

Tarô: A Estrela

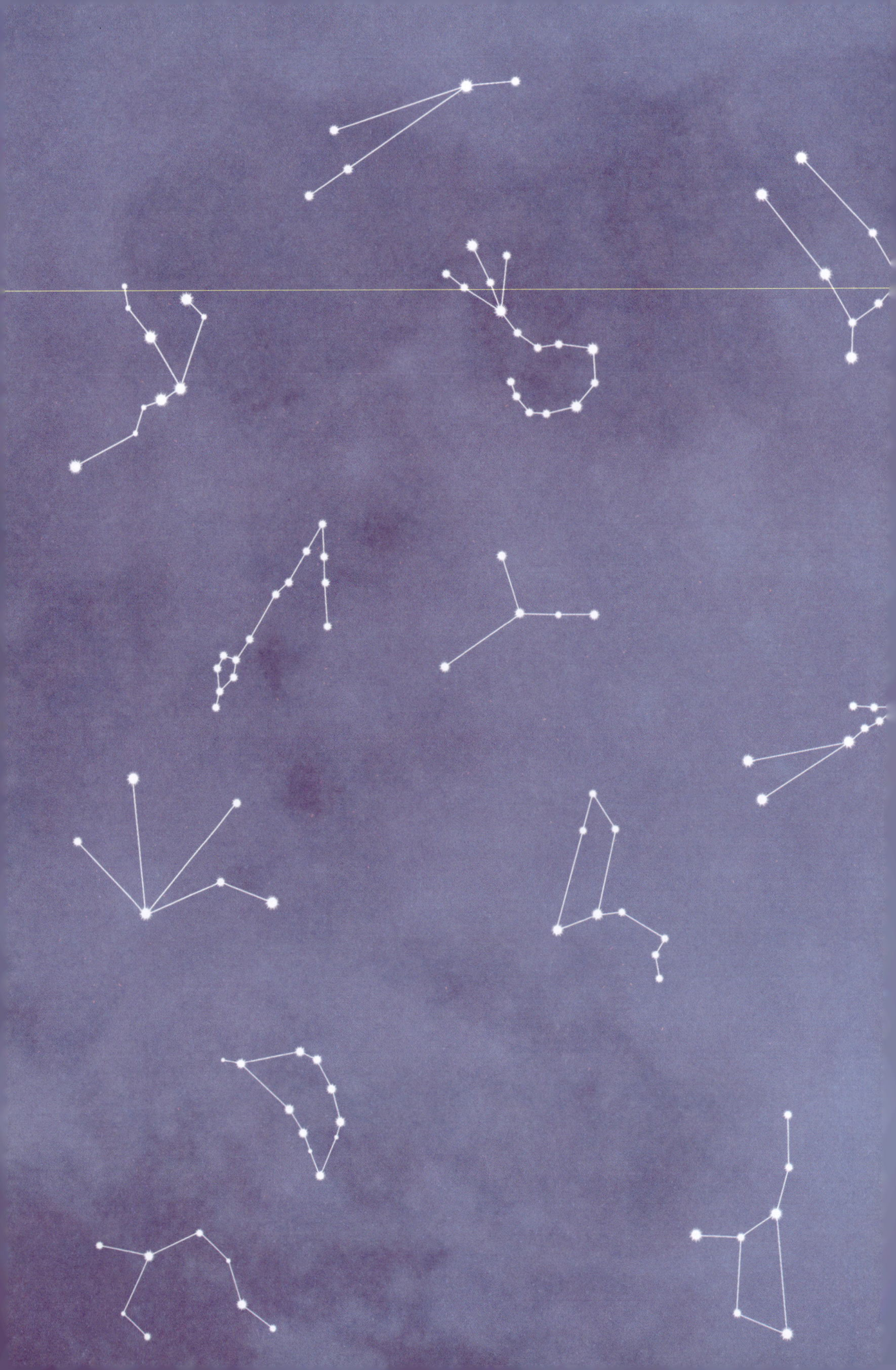

CAPÍTULO 4

LUMINARES E PLANETAS

Luminares e planetas pessoais

Sol ~ Lua ~ Mercúrio ~ Vênus ~ Marte

Os luminares e os planetas pessoais são aqueles que se movimentam com mais rapidez pelo céu, exercendo assim influência direta sobre nossa personalidade mais básica.

São eles que explicam nossa identidade e como funcionam nossos humores, emoções, relacionamentos, afetos, pensamentos, raciocínio, além da relação com o dinheiro e o corpo, os prazeres da vida, os temas que nos atraem, nossa força de vontade e iniciativa.

Os nomes deles se devem aos antigos deuses romanos que regem esses domínios: Sol – o deus solar que nasce nos tempos de inverno; Luna – a deusa lunar dos sonhos, da inspiração e dos sentimentos profundos; Mercúrio – o veloz mensageiro dos deuses que estabelece a comunicação entre os mundos; Vênus – a bela Deusa do Amor e da sensualidade que governa os assuntos materiais; e Marte – o bélico Senhor da Guerra e da Batalha. Todos esses deuses fazem parte do céu de nosso mapa astral e são potencialidades interiores que, quando combinadas, explicam a dinâmica de nossa personalidade.

No mapa astrológico natal, o signo em que cada um desses astros se encontra explica como essas forças funcionam dentro de nós; a casa onde se posicionam explica a área da vida em que predominantemente atuam; e a relação entre cada uma dessas posições nos revela como eles interagem, colaborando ou dificultando a atuação de cada um.

Neste capítulo, vamos conferir individualmente o que cada um desses astros representa dentro de nós; como o elemento do signo em que se posicionam no mapa exerce influência sobre nós; e por fim veremos as influências diretas da interação entre o planeta e o signo. Também disponibilizo a interpretação, no mapa astral, para planetas retrógrados– quando parecem estar se movendo para trás no céu no momento do nosso nascimento, e não para a frente. Lembre-se de que o Sol e a Lua nunca ficam retrógrados.

É importante levar em conta que nossa personalidade é dinâmica e, portanto, todos esses deuses celestes atuam em conjunto sobre nós. Por isso, é preciso que essa interpretação seja feita sempre dentro de um contexto maior, considerando o mapa astral como um todo.

O Sol – o herói dentro de nós

Quem sou eu? ~ Quais são meus defeitos e minhas qualidades? ~ Quem desejo me tornar?

A vida de cada um de nós é uma grande jornada. Em todos os povos antigos, encontramos mitos, lendas e histórias que narram os feitos heroicos e transformadores de personagens cujas histórias, repletas de nobreza, superação e vitória, deixam valiosos ensinamentos, servindo-nos como fonte de inspiração.

Ainda hoje, por meio de livros e filmes, heróis modernos continuam a surgir e nutrir as novas gerações. Todos nós temos heróis pessoais nos quais nos espelhamos, mesmo que de forma não muito consciente; são aqueles que nos despertam o desejo de ir além, de nos tornarmos mais do que somos. Eles podem ser fictícios, mitológicos, personagens históricos ou ainda pessoas que passaram por nossa vida e deixaram uma marca importante.

O Sol na Astrologia vem revelar que todos temos potencial para feitos heroicos; todos somos o personagem central de nossa própria história. Você carrega dentro de si uma mensagem única para ser transmitida ao mundo, algo que cabe exclusivamente a você e a mais ninguém. Quando falhamos nessa missão, o mundo perde um herói.

Estudar o mapa astral nos ajuda a entender melhor qual é o mito pessoal que vivemos no mundo, auxiliando-nos, assim, a sermos vitoriosos ao escrevermos nossa história.

Cada astro traz e manifesta uma força interior que temos à disposição, mas o Sol é o personagem central dessa narrativa e o núcleo de nossa identidade.

Para entendermos melhor que papel o Sol desempenha no mapa astral, podemos observar o sistema solar. Nele, o Sol ocupa o lugar central, sendo fonte de calor, luz e energia para todos os outros astros, dando-lhes ordem e fazendo-os girar em equilíbrio ao seu redor. É o Sol que dá vida ao mundo e ilumina todas as coisas, ou seja, ele é a fonte de nossa consciência. E é justamente isso que o Sol revela no mapa astral: o centro de nosso ser; não apenas quem somos, mas também quem devemos nos tornar e as lições que estamos destinados a aprender nesta vida.

O signo em que o Sol se encontra no mapa astral é chamado **signo solar**, aquele que é determinado pela data de nascimento e que descreve as características gerais de nossa personalidade. Poucas pessoas se dão conta, no entanto, de que o Sol não expressa apenas quem somos, mas principalmente quem desejamos ser, aquilo que estamos sempre em busca de nos tornar. Tal como o herói, que no início de sua história não passa de um personagem comum e alcança essa posição de nobreza apenas quando vence todas as provas e desafios que lhe são impostos, nós também só podemos alcançar todo o potencial do signo solar quando enfrentamos as dificuldades da vida.

É por isso que, mesmo Áries sendo o signo do guerreiro, ou seja, aquele que domina sua força interior, é conhecido justamente pelo contrário: ser demasiadamente impulsivo; mesmo Libra sendo o signo do equilíbrio, muitos librianos dirão que, no fundo, são desequilibrados; e os virginianos, cujo signo é conhecido por sua ordem e organização, muitas vezes se perceberão como desorganizados.

Isso acontece porque o signo solar, como foi dito, não expressa apenas quem somos, mas aquilo que desejamos aperfeiçoar dentro de nós; aquilo que desejamos conquistar e no que necessitamos encontrar maestria. Sendo assim, a tarefa do ariano é aprender a domar seus instintos e se tornar o melhor guerreiro possível, controlando sua força interior ao invés de ser controlado por ela; a meta dos librianos é conseguir encontrar o equilíbrio na vida, em todas as áreas; e os virginianos estão sempre em uma jornada para entender qual é o seu lugar no mundo e organizá-lo.

O signo solar é nosso referencial; ele mostra o potencial que existe em nós e ilumina aquilo que podemos ser quando chegarmos ao fim da jornada.

Pense assim: da mesma forma que o Sol é a fonte de luz que nos permite enxergar o mundo ao redor, o signo solar funciona para nós como óculos de lentes coloridas, dando o tom para a maneira como percebemos a realidade – por isso ele é o centro da personalidade. Cada signo então seria como óculos cujas lentes têm uma cor específica, tingindo o mundo de um modo específico. Ele representa a forma como lemos os fatos da vida e como nos relacionamos com tudo à nossa volta.

Sendo o Sol a principal fonte de energia para todo o sistema solar, no mapa astral, sua posição também revela os nossos dons, talentos e habilidades natas, ou seja, as principais ferramentas que temos à disposição na jornada heroica de nossa vida. Desse modo, ao compreendermos o signo solar, entendemos melhor nossas motivações, escolhas e a forma como usamos a energia vital. É também o Sol que fala sobre nosso senso de realização, o que precisamos fazer para conquistar aquela sensação de dever cumprido. O Sol revela nossa natureza interior, mostrando assim quais são as capacidades inatas que trazemos conosco e as tendências de comportamento. É por isso que os aquarianos são tidos como bons inventores; os geminianos, como bons comunicadores; e os capricornianos, como bons trabalhadores.

Isso nos leva a outro engano muito comum que costuma ser cometido a respeito do signo solar: de que existem signos bons e ruins. Todos temos a tendência de generalizar o que os signos são e como as pessoas nativas de cada signo se comportam: os escorpianos ganham a fama de vingativos, enquanto os taurinos são conhecidos por serem preguiçosos, por exemplo. Cada signo solar revela certas tendências de comportamento, mas todos possuem formas positivas e negativas de se expressar. A tarefa de cada um é encontrar a maneira de expressão mais elevada de seu Sol, descobrindo a nobreza interior e vencendo os níveis de vibração mais baixos do signo solar.

Em outras palavras: o signo solar não define se temos um caráter bom ou mau, pois o modo como escolhemos nos comportar faz parte de nosso livre-arbítrio; o que o signo solar revela são os desafios que precisam ser aperfeiçoados em nós, e não apenas os pontos positivos. Ou seja: todos os signos possuem defeitos e qualidades em igual medida. Por isso, deixe de lado agora mesmo o mau hábito de culpar a Astrologia quando cometer algum erro: lembre-se de que o mapa astral é apenas o alarme de incêndio, e não o fogo! É você quem está no controle.

O Sol e a personalidade

ELEMENTO	NATUREZA	MEDO FUNDAMENTAL	COMO SE RELACIONA
Fogo (Áries, Leão, Sagitário)	Expansiva, dinâmica e criativa	Dependência	Rapidamente, sempre cercado de muitas pessoas
Terra (Touro, Virgem, Capricórnio)	Prática, objetiva e analítica	Falta de estabilidade	Tem um círculo de convívio restrito e estável
Ar (Gêmeos, Libra, Aquário)	Comunicativa, inventiva e sociável	Limitação	Transita por diferentes ambientes
Água (Câncer, Escorpião, Peixes)	Introspectiva, reservada e misteriosa	Falta de conexão	Prefere relações íntimas

Cada elemento dará ao Sol uma tônica diferente.

Em signos de Fogo, a personalidade será extrovertida, criativa e expansiva, com um grande desejo de se expressar e vivenciar as experiências de maneira intensa. Existe, por parte das pessoas nativas de signos de Fogo, uma grande busca por independência, porque um de seus grandes medos é perder o senso de individualidade e autonomia. Costumam ser bem sociáveis, positivas e atraem a atenção de muita gente.

Já nos signos de Terra, a palavra-chave é estabilidade. Esses são nativos de personalidade mais prática, orientados para o trabalho, os deveres e a organização da vida. Preocupam-se com a segurança e os recursos necessários para sua sobrevivência, por isso, pensar em falta de estabilidade de fato os apavora. Essa mesma estabilidade é buscada nos relacionamentos; costumam ser amigos fiéis, mas levam algum tempo para aceitar novas pessoas em seu círculo social.

Nos signos de Ar, o Sol ingressa nos domínios da mente, e a personalidade tende a ser mais comunicativa e sociável. Esses são signos orientados para a lógica e o raciocínio, que vivem sempre com um pé no mundo das ideias. Por sua natureza curiosa e criativa, sentem pavor de se enxergarem limitados, contidos ou presos, pois buscam sempre o movimento. Têm facilidade para fazer amigos e são bastante agradáveis, mas nem sempre conseguem criar relações profundas e acabam transitando entre diferentes grupos, sempre de maneira superficial.

Posicionamentos do Sol

DOMICÍLIO	EXÍLIO	EXALTAÇÃO	QUEDA
LEÃO ♌	AQUÁRIO ♒	ÁRIES ♈	LIBRA ♎

O Sol nos signos

O Sol leva 365 dias e seis horas para percorrer todos os signos do zodíaco. Seu tempo de permanência em cada um dos signos é de aproximadamente trinta dias.

No capítulo anterior, os signos já foram descritos com mais profundidade. Consulte a seção referente a cada signo solar para aprofundar seu conhecimento acerca da natureza de cada um dos 12 signos descritos.

A seguir, consulte o signo no qual está o seu Sol.

Consulte também, nos capítulos seguintes, informações sobre a casa onde o Sol se posiciona e estude os aspectos formados por ele para uma interpretação mais específica.

SIGNOS	PRINCÍPIO FUNDAMENTAL	DESEJO	HABILIDADES BÁSICAS	DESAFIO PESSOAL
Áries	Iniciativa	Afirmar o ser e descobrir todo o seu potencial interior.	Obstinação e pioneirismo.	Manter o foco.
Touro	Estabilidade	Desfrutar da segurança e da forma estável do mundo.	Determinação e persistência.	Ser flexível.
Gêmeos	Curiosidade	Conhecer os diferentes aspectos da vida.	Criatividade e comunicação.	Expressar as emoções.
Câncer	Conexão	Relacionar-se de maneira profunda e verdadeira.	Nutrição e cuidado com o outro.	Conquistar a independência.
Leão	Expressão	Expressar a natureza interior como referência para o mundo ao seu redor.	Coragem e dignidade.	Integrar a comunidade.
Virgem	Organização	Analisar as partes para encontrar o lugar correto de todas as coisas.	Analisar e classificar.	Encontrar satisfação.
Libra	Equilíbrio	Trazer beleza e harmonia ao mundo.	Mediação e diplomacia.	Dar vazão aos desejos íntimos.
Escorpião	Intensidade	Conhecer as profundezas do ser.	Observação e persuasão.	Desapegar-se.
Sagitário	Descoberta	Buscar ideais e convicções mais elevados.	Motivação e expansão.	Aceitar o que não depende de si.
Capricórnio	Conquista	Estruturar e definir limites e formas claras para as experiências.	Responsabilidade e estabilidade.	Encontrar leveza e espontaneidade.
Aquário	Originalidade	Superar e transformar a ordem estabelecida.	Cooperação e altruísmo.	Priorizar as próprias necessidades.
Peixes	Contemplação	A união com a totalidade e a dissolução do eu no mundo.	Intuição e empatia.	Lidar com a realidade concreta.

Correspondências do Sol

CORES: laranja, dourado

NÚMERO: 6

DIA DA SEMANA: domingo

ELEMENTO: Fogo

ARCANJO: Miguel

METAL: ouro

PEDRAS: topázio, âmbar, olho de tigre

ERVAS E/OU FLORES: girassol, calêndula, louro, alecrim

TARÔ: O Sol

MITOLOGIA: Apolo, Hélio, Sol Invictus, Brigit, Sunna, Rá, Hórus

A Lua – o Eu Emocional

Como são minhas emoções? ~ O que me dá segurança? ~ Quais são as minhas necessidades mais básicas?

Todos temos uma criança interior.
É isso que a Lua nos revela no mapa astral: o mundo interno dos sentimentos, medos, sonhos e desejos.

Durante o dia, sob a luz do Sol, olhamos para o mundo, conhecemos todas as coisas, trabalhamos e agimos. Já durante a noite, sob os encantos do luar, dormimos e viajamos para os reinos interiores de nosso ser.

Da mesma forma, enquanto o Sol no mapa astral revela os aspectos da personalidade projetados ao mundo e exteriorizados, a Lua nos ensina sobre os aspectos íntimos, tudo aquilo que é mais reservado e que nem sempre compartilhamos com as outras pessoas.

A Lua é o domínio do inconsciente, dos instintos e das reações automáticas. Por revelar a forma como funcionam nossas emoções, ela também nos mostra aquilo que nos faz sentir seguros, amados, nutridos e cuidados.

Como representa tudo aquilo que nos traz segurança, a posição da Lua no mapa astral revela ainda nossos hábitos e todas as atividades que nos são repetitivas – isso significa que nossos vícios e padrões limitantes também estão sob seu domínio.

Assim como a Lua muda de fases no céu, crescendo e minguando, nossos humores e estados de ânimo também se comportam dessa maneira.

A casa astrológica do mapa astral onde nossa Lua se encontra revela os temas da vida nos quais vivenciaremos altos e baixos emocionais e instabilidade, e ainda as áreas para onde voltaremos boa parte de nossa energia e atenção. A inteligência emocional está profundamente associada a esse astro, pois, assim como o Sol nos mostra o modo de lidarmos com o mundo em nossa mente, a Lua no mapa natal explica a visão de mundo de nosso coração.

É dela ainda o domínio sobre a forma de nos relacionarmos, principalmente no que diz respeito às relações mais íntimas que criamos, e é também por isso que a Lua fala sobre o lar, a memória e nossa relação com a figura materna, mostrando como somos afetados pela família e o papel que desempenhamos nela.

Enquanto o Sol fala sobre a nossa identidade pessoal, a Lua revela como nós nos percebemos em relação ao mundo e às outras pessoas. Aqui, nada pode ser sozinho – o signo no qual a Lua se encontra no mapa vai mostrar a maneira de nos conectarmos e nos misturarmos aos outros.

Por isso, com o signo Ascendente, o Sol e a Lua compõem a tríade básica para a compreensão de nossa personalidade no mapa astral.

A Lua e os humores

ELEMENTO	COMPORTAMENTO	NECESSIDADES	EMOÇÕES
Fogo (Áries, Leão, Sagitário)	Impulsivo e autocentrado	Movimento e intensidade	Intensas e passageiras
Terra (Touro, Virgem, Capricórnio)	Metódico e organizado	Estabilidade e segurança	Estáveis e resistentes
Ar (Gêmeos, Libra, Aquário)	Prático e racional	Comunicação e leveza	Filtradas pelo intelecto
Água (Câncer, Escorpião, Peixes)	Empático e introspectivo	Intimidade e conexão	Intensas e profundas

Como regente dos ritmos internos do ser humano, compreender o elemento do signo em que a Lua se encontra nos ajuda a entender melhor nossas oscilações e variações de humor.

Em um signo de Fogo, a Lua torna-se bastante dinâmica e impulsiva, com mudanças rápidas e drásticas de humor, gerando impaciência e sempre buscando ter seus desejos atendidos de maneira imediata. Sente-se tudo de maneira bastante intensa, mas não se permanece por muito tempo nesse estado interior. Assim como o Fogo, as emoções são rápidas e poderosas. Existe a possibilidade de gerar uma personalidade explosiva.

Quando em um signo de Terra, os humores da Lua são mais estáveis, criando uma personalidade mais metódica e prática. Essas pessoas geralmente são autossuficientes, não costumam ser dominadas por grandes emoções e parecem permanecer sempre em um estado de espírito constante. Gostam dessa tranquilidade interior e fazem de tudo para preservá-la, muitas vezes evitando conflitos e lidando de maneira direta com as situações.

Nos signos de Ar, a Lua sente uma necessidade grande de se expressar e se comunicar, e os sentimentos são processados por meio de palavras. Nada é sentido sem antes passar pelo filtro do intelecto. São pessoas mais racionais, orientadas para a lógica da vida, e muitas vezes têm dificuldade em perceber e lidar com os sentimentos das outras pessoas. Prezam a liberdade.

Já nos signos de Água, a morada mais natural para esse luminar, a Lua cria uma personalidade voltada para dentro, dessa forma, as emoções são experimentadas de maneira profunda. Essas pessoas preferem estabelecer relações mais íntimas e têm facilidade para entender os sentimentos dos outros; embora sejam empáticas, precisam tomar cuidado para não se perder no mundo interior dos sentimentos e se deixar levar pelas águas do coração.

Pessoas com a Lua em signos deste elemento podem ter um ar melancólico e demonstrar uma personalidade mais imaginativa, com tendência a se refugiar da realidade em seu mundo interior.

Posicionamentos da Lua

☾			
DOMICÍLIO	EXÍLIO	EXALTAÇÃO	QUEDA
CÂNCER ♋	CAPRICÓRNIO ♑	TOURO ♉	ESCORPIÃO ♏

A Lua nos signos

A Lua leva cerca de 27 dias para percorrer todos os signos do zodíaco. Seu tempo de permanência em cada um dos signos é de aproximadamente dois dias e meio.

Na página seguinte, consulte o signo no qual está sua Lua.

Consulte também, nos capítulos seguintes, informações sobre a casa onde a Lua se posiciona e estude os aspectos formados por ela para uma interpretação mais específica.

LUA EM	MEUS SENTIMENTOS	COMO EXPRESSO AFETO[1]
Áries	Intensos e abruptos. É dominado pelos impulsos, com uma sensação de perda de controle.	De maneira direta e pontual, demonstrando interesse genuíno às pessoas ao redor.
Touro	Constantes e equilibrados. Tem um humor estável e adora compromissos em relacionamentos.	Sobretudo fisicamente. É caloroso, sensual e envolvente.
Gêmeos	Dominados pelo intelecto e racionalizados. Muda bastante de humor e tem um interesse flutuante.	Pela fala e pela razão. Tem dificuldade em nomear os sentimentos.
Câncer	Profundos. É romântico e empático. Vivencia muitas mudanças emocionais.	De modo indireto e sutil. É orientado para a família, carinhoso, e gosta de nutrir e cuidar das pessoas à sua volta.
Leão	Tem um grande coração e sente tudo com muita intensidade.	De forma muito expressiva e às vezes exagerada. Esta Lua é muito leal e dedica-se ao cuidado com o outro.
Virgem	Estáveis, controlados e requintados, vividos no âmbito interior.	Sempre de forma muito verdadeira, clara e objetiva. Demonstra carinho com preocupação e cuidado.
Libra	Oscilantes, porém sempre harmoniosos e filtrados pela mente racional.	Demonstrando que conhece e se preocupa com as pessoas amadas. Dificuldade para expressar ciúme.
Escorpião	Altos e baixos constantes, sempre profundos e intensos. Estados emocionais se prolongam por bastante tempo.	Nem sempre demonstra as emoções, por insegurança; vivencia-as então internamente.
Sagitário	Entusiasmados, pulsantes e bem-humorados. Gosta de contemplar os próprios sentimentos.	Vividamente, de maneira aberta, tanto afeto quanto algum tipo de desconforto. Preza a sinceridade.
Capricórnio	Sempre contidos e racionalizados, mentalmente confrontados pela percepção da realidade objetiva.	Por meio de ações concretas, sem grande afetividade nem muitas palavras.
Aquário	Transitórios e superficiais. Nada é vivenciado muito intensamente. A experiência das emoções é mental.	De maneira objetiva, prática e direta, por meio de palavras e da razão.
Peixes	Densos e prolongados. Facilidade para perceber os sentimentos das outras pessoas.	De modo romântico, empático e cuidadoso. Coloca-se no lugar das outras pessoas.

1 Esse item também depende das posições de Vênus no mapa astral.

SIGNOS	TRAÇO MARCANTE	GOSTO DE ME SENTIR	DEVO APRENDER A
Áries	Impaciência. Prefere tudo o que é objetivo e sem rodeios.	Desafiado. Independente, com autocontrole.	Ser menos reativo e prestar atenção aos sentimentos das outras pessoas.
Touro	Fidelidade. Prefere o conforto de uma relação segura.	Profundamente conectado e seguro em minhas relações.	Evitar a teimosia e tomar cuidado com o apego e o ciúme.
Gêmeos	Movimento. Não gosta de nada tedioso. É um bom conciliador.	Estimulado constantemente. As relações devem proporcionar trocas.	Ser menos desconfiado e estabelecer relações de confiança.
Câncer	Sensibilidade. Tem uma forte necessidade de estabelecer relações profundas.	Seguro. As necessidades emocionais devem ser prontamente atendidas.	Entender melhor os limites entre o eu e o outro; também devo evitar a dependência emocional.
Leão	Alegre. Gosta de estar no centro das atenções.	Reconhecido. Preciso sentir reciprocidade nas relações.	Aceitar críticas e abrir mão do controle.
Virgem	Prestatividade. Preocupa-se em cuidar da casa e das pessoas amadas.	Acolhido e útil para as pessoas que amo.	Buscar menos a perfeição.
Libra	Equilíbrio. Há uma imensa busca por relações amistosas.	Respeitado. Não tolero grosserias nem ofensas de nenhum tipo.	Não colocar os outros nem suas necessidades à frente de mim mesmo.
Escorpião	Intensidade. Nada é vivenciado pela metade.	Seduzido. Tenho atração natural pelo misterioso, pelo proibido e pelo que é tabu. Temo a traição.	Reagir de maneira menos reacionária e destrutiva.
Sagitário	Otimismo. Há uma positividade natural e a ideia de que, no fim, tudo dará certo.	Dinâmico. É preciso estar em constante movimento e descoberta. Detesto rotina.	Equilibrar minha autoimagem para fugir da arrogância.
Capricórnio	Reservado. Não expõe muito sua vida pessoal e demora para criar laços.	No controle. Sinto-me autossuficiente e assim sou feliz.	Ser menos rigoroso com minha vida e com aquilo que exijo dos outros.
Aquário	Desapego. Pode se retirar facilmente das relações.	Independente. Expresso uma necessidade de autossuficiência e liberdade.	Diferenciar as ideias dos sentimentos.
Peixes	Imaginação. É sonhador e intuitivo; pode perder contato com o que é concreto.	Compreendido, e sempre em relação ao outro devo tomar cuidado com a dependência emocional.	Lidar com a realidade e não escapar para o mundo interior.

Correspondências da Lua

CORES: branco, prata

NÚMERO: 9

DIA DA SEMANA: segunda-feira

ELEMENTO: Água

ARCANJO: Gabriel

METAL: prata

PEDRAS: selenita, água-marinha, pedra da lua

ERVAS E/OU FLORES: jasmim, lírio, salgueiro

TARÔ: A Papisa, A Lua

MITOLOGIA: Luna, Selene, Ártemis, Diana, Ísis, Levanah, Iemanjá

Mercúrio – o comunicador

Qual é a minha maneira de ler o mundo ao redor? ~ Sou uma pessoa adaptável e flexível? ~ Como me expresso e me comunico?

O ser humano necessita expressar-se.
Na mitologia, Mercúrio é o mensageiro dos deuses, ou seja, o comunicador por excelência – portanto, no mapa astral, ele explica a maneira como nosso mundo interior se comunica com o exterior, e por isso rege não apenas nossa leitura da realidade e a forma como entendemos a vida, mas também nossa capacidade de raciocínio, entendimento e comunicação.

Enquanto a tríade Sol-Lua-Ascendente determina nossa personalidade mais básica, Mercúrio vai nos mostrar como essa personalidade compreende a realidade e se movimenta nela.

Mercúrio é um planeta que cruza estrelas muito próximas do Sol, isso significa que só há três possibilidades para sua posição no mapa astral: estar também no signo solar, ou então em um signo antes ou depois dele.

Esse planeta representa nossa mente e a primeira lente que temos da realidade.

Ao analisarmos a posição de Mercúrio no mapa, podemos entender como construímos nosso raciocínio, como nossos pensamentos se organizam e o que estimula nossas ideias. O signo em que ele se encontra explicará nossa maneira de pensar, enquanto a casa revelará as áreas da vida onde a mente se concentra.

Ele é, por excelência, o planeta da dualidade, e, por ser o intermediário, aquele que estabelece as relações, analisar Mercúrio no mapa astral também revelará como nossos relacionamentos começam e ainda as habilidades sociais e capacidades de socialização que possuímos. Ele é nosso "cartão de visitas" pessoal, determinando o modo como começamos a nos conectar com as outras pessoas.

Entretanto, lembre-se de que, para entender melhor como nos relacionamos, é preciso avaliar outros elementos do mapa, como a Lua, Vênus e a casa 7. Mercúrio representa apenas o primeiro estágio das relações, mas nossa capacidade de criar laços profundos e duradouros não depende dele.

Mercúrio pode se expressar de maneira direta, pela fala e escrita, ou mesmo de formas indiretas, como pela linguagem corporal, gestual, ou ainda pelo modo como nos vestimos, pois esses são exemplos que também representam como comunicamos quem somos ao mundo exterior.

Há um aspecto sombrio nesse planeta que nem sempre é discutido: por representar o pensamento e a comunicação, ele também revela a capacidade de ludibriar, enganar, manipular e convencer as outras pessoas. Um Mercúrio bem posicionado pode se expressar positivamente por meio da capacidade de ensinar, inspirar pela fala e negociar bem, mas também pode trazer o poder de distorcer, iludir, chantagear e manipular o pensamento das pessoas ao redor. Essas expressões positivas ou negativas não dependem apenas do signo em que o planeta se encontra, mas principalmente de como ele se relaciona com o restante do mapa e o grau de amadurecimento de cada pessoa. Lembre-se: a Astrologia revela potencialidades positivas e negativas dentro de nós, mas a escolha de como usá-las é nossa.

O posicionamento de Mercúrio trará, ainda, mais rigidez ou flexibilidade para a personalidade como um todo, demonstrando se temos facilidade ou dificuldade para nos adaptarmos às mudanças da vida, lidarmos com improvisos e sermos espontâneos.

Mercúrio e o raciocínio

ELEMENTO	VISÃO DE MUNDO	IDEIAS	FALA
Fogo (Áries, Leão, Sagitário)	Instintiva e inspirada	Rápidas e exageradas	Sem filtros e carismática
Terra (Touro, Virgem, Capricórnio)	Pragmática e concreta	Analíticas e rígidas	Sistemática e estruturada
Ar (Gêmeos, Libra, Aquário)	Lógica e racional	Fluidas e criativas	Intensa e espontânea
Água (Câncer, Escorpião, Peixes)	Intuitiva e emocional	Imaginativas e profundas	Reservada e discreta

Quando está em um signo de Fogo, Mercúrio é rápido e intenso. É o caso das pessoas de fala carismática e cativante, que buscam sempre maneiras de se expressar. Não possuem muitos filtros e falam exatamente aquilo que passa por sua cabeça. Gostam de ser ouvidas por outras pessoas e são excelentes narradores e contadores de histórias, pois sabem fazer isso de maneira empolgante e envolvente.

Em um dos signos de Terra, Mercúrio terá pensamento concreto, baseado em fatos e nos aspectos práticos da vida. Esse posicionamento faz ótimos pesquisadores, pois constroem o raciocínio de maneira estruturada e bastante sistemática, conseguindo ainda relacionar bem teoria e prática. Gostam de entender como as coisas funcionam, e leis e princípios por trás da realidade.

Os signos de Ar são uma morada bastante natural para esse planeta, já que representam o plano da mente. Aqui, o pensamento é lógico e abstrato, teórico e racional. São bons comunicadores, cativantes e ágeis. Conseguem estabelecer relações com facilidade e sabem como transmitir suas mensagens e ideias.

Já nos signos de Água, o plano das emoções, a linguagem de Mercúrio torna-se simbólica e intuitiva, artística e cheia de imaginação.

Pessoas com esse posicionamento têm facilidade em perceber as emoções alheias e se comunicam de maneira a tocar o coração. São observadoras e conseguem perceber tudo o que não é muito óbvio nem aparente, pois enxergam além da superfície. Por isso, nem sempre se expressam completamente e têm um ar misterioso.

Posicionamentos de Mercúrio

DOMICÍLIO	EXÍLIO	EXALTAÇÃO	QUEDA
GÊMEOS E VIRGEM ♊ e ♍	SAGITÁRIO E PEIXES ♐ e ♓	VIRGEM ♍	PEIXES ♓

Mercúrio nos signos

Mercúrio leva em torno de 88 dias para dar uma volta completa ao redor do Sol e percorrer todos os signos do zodíaco. Seu tempo de permanência em cada um dos signos é de aproximadamente catorze dias, variando de acordo com os períodos de movimento retrógrado.

> **MERCÚRIO RETRÓGRADO:** Um "**R**" ao lado do símbolo de Mercúrio no mapa astral indica que ele estava retrógrado no momento do seu nascimento. Quando o comunicador interior está retrógrado, isso indica desconexão entre o que você pensa e a maneira como se comunica, e que há dificuldade em se fazer entender ou transmitir suas ideias às outras pessoas. Também pode indicar fuga para o mundo interior das ideias e dificuldade em se socializar; timidez. Exige que pensemos e organizemos as ideias antes de comunicá-las.
>
> No geral, há dificuldade para a expressão das qualidades do signo em que se posiciona.

A seguir, consulte o signo no qual está o planeta Mercúrio do seu mapa astral. Consulte também, nos capítulos seguintes, informações sobre a casa onde Mercúrio se posiciona e estude os aspectos formados por ele para uma interpretação mais específica.

SIGNO	MEU PENSAMENTO É	EU ME COMUNICO DE MANEIRA
Áries	Rápido e ágil; defendo minhas opiniões calorosamente.	Direta e assertiva; falo antes de pensar.
Touro	Sistemático e realista, voltado para os aspectos práticos e concretos do mundo.	Segura, determinada e afetuosa. Sou um bom ouvinte.
Gêmeos	Curioso e intelectual; tenho o pensamento rápido, flexível e abstrato. Sou um bom mediador.	Articulada, criativa, bem-humorada e convincente.
Câncer	Criativo e emocional, com boa memória e ótimo para entender diferentes pontos de vista.	Simbólica, imaginativa e indireta. Falo abertamente quando há intimidade.
Leão	Artístico, caloroso e expressivo, centrado em mim mesmo.	Persuasiva e eloquente, expressiva e apaixonada.
Virgem	Categórico, concreto e analítico; preciso ver para crer.	Sistemática e organizada, detalhista, excelente para provar seu ponto de vista.
Libra	Estético, lógico e equilibrado. Busco harmonizar diferentes pontos de vista.	Retórica, refinada e diplomática. Instigo as pessoas e desperto o interesse delas.
Escorpião	Denso, buscando sempre a profundidade das experiências.	Questionadora, direta e às vezes agressiva. Também posso ter dificuldade para me comunicar.
Sagitário	Inspirado, curioso e filosófico. Busco sempre uma visão global de tudo.	Clara e direta, com capacidade de convencer. Fala motivacional.
Capricórnio	Pragmático, realista, cauteloso e técnico, orientado para as regras.	Objetiva, direta ao ponto e com autoridade.
Aquário	Ousado, visionário e inventivo. Criativo e humanitário.	Rápida e desafiadora. Confronto ideias preestabelecidas.
Peixes	Criativo e fantasioso, sensível e intuitivo, sempre subjetivo.	Simbólica, por meio de imagens. Sensível. Às vezes tenho dificuldade de me expressar.

SIGNO	NOS ESTUDOS	MINHAS ESCOLHAS SÃO	PRECISO APRENDER A
Áries	Autodidata, mas impaciente com as dificuldades.	Rápidas, considerando o resultado mais prazeroso.	Pensar antes de falar ou agir.
Touro	Aprende fazendo. Prefere a prática à teoria.	Determinadas e rígidas. Posso ser teimoso.	Pensar de maneira mais flexível.
Gêmeos	Necessidade de aprender coisas novas.	Práticas e diretas.	Evitar a superficialidade.
Câncer	Dedicado, porém precisa se envolver emocionalmente.	Cuidadosas e intuitivas.	Pensar de maneira mais concreta.
Leão	Prefere as áreas em que possa expressar as próprias ideias.	Confiantes, otimistas e sempre de maneira grandiosa.	Aceitar que nem sempre estou certo.
Virgem	Excelente pesquisador. Aprende de maneira estruturada e prática.	Concretas e objetivas.	Evitar pensamentos rígidos e às vezes preconceituosos.
Libra	Atração pelo belo e harmonioso. Aprende melhor em grupo.	Ponderadas, avaliando todos os lados antes de decidir.	Enfrentar situações de conflito.
Escorpião	Investigativo, intuitivo e emocional. Interessado por tabus e pela alma humana.	Diretas e assertivas.	Comunicar-me com mais delicadeza.
Sagitário	Precisa se sentir envolvido e desafiado. Multifocado.	Ousadas e visionárias.	Evitar o dogmatismo e as verdades únicas.
Capricórnio	Precisa ter um uso prático para o que estuda, ou orienta-se para história e cultura.	Sóbrias e secas.	Ser mais imaginativo e menos pessimista.
Aquário	Aprende rápido; é atraído por tecnologia e futurismo.	Baseadas em teorias e ideais pessoais.	Sair da teoria e operar no mundo concreto.
Peixes	Áreas abstratas, nas quais pode usar a criatividade e a intuição.	Baseadas na intuição.	Distinguir a fantasia da realidade.

Correspondências de Mercúrio

COR: amarelo

NÚMERO: 8

DIA DA SEMANA: quarta-feira

ELEMENTOS: Ar e Terra

ARCANJO: Gabriel

METAL: alumínio

PEDRAS: ágata, cornalina, quartzo

ERVAS E/OU FLORES: lavanda, eucalipto, menta

TARÔ: O Mago

MITOLOGIA: Hermes, Mercúrio, Íris, Toth, Sofia, Exu, Odin

♀

Vênus – a amante

O que desperta minha atração e meu prazer? ~ O que tem real valor em minha vida? ~ O que me faz feliz no amor?

A vida é um presente para ser desfrutado, e as alegrias e o prazer são dádivas de Vênus. Este planeta feminino rege os signos de Touro e de Libra, e normalmente pensamos em dois temas básicos que estão sob seu domínio: o dinheiro e o amor.

A posição de Vênus no mapa astral vai nos mostrar tudo aquilo que desperta nosso interesse, faz-nos felizes e atrai nossa atenção. É o planeta da beleza, da arte e da estética, regendo também o bom gosto e o bem-estar. Sendo assim, é Vênus quem nos traz o magnetismo – além de revelar tudo o que nos atrai, também nos ajuda a encontrar nosso próprio poder de atração.

Este é o planeta que fala da vontade de nos misturarmos a outras coisas e pessoas; não trata apenas do amor romântico, mas também evidencia nossa maneira pessoal de formar parcerias e estabelecer vínculos.

Em uma posição de destaque no mapa astral, presenteia-nos com beleza e sensualidade. Acredita-se ainda que Vênus bem posicionado indique muitas bênçãos, e aqueles que o possuem nessa configuração têm forte tendência a receber ajuda e admiração de outras pessoas. Vênus é um planeta benéfico, que traz equilíbrio e sorte por onde passa.

Está fortemente ligado ao nosso corpo e aos prazeres dos sentidos, e por esse motivo a posição de Vênus também indica como nos relacionamos com nossa imagem corporal e autoestima. Em um nível mais elevado, demonstra ainda nosso potencial artístico e a capacidade de apreciar a beleza e a harmonia, seduzindo-nos para percorrermos o caminho em busca de ideais mais altos.

Com a Lua, revela os aspectos femininos da personalidade, enquanto o Sol e Marte explicam os aspectos masculinos. Por isso, Vênus também pode ser vista como a imagem interior da mulher – para as próprias mulheres, é um referencial a ser alcançado, e, para os homens, revela a imagem psíquica que muitos buscam encontrar nas mulheres com quem se relacionam ou até mesmo dar forma à energia feminina dentro de si.

Outro aspecto importante desse planeta: Vênus fala dos nossos ideais, da perfeição que buscamos em todas as coisas, do senso interior de requinte. Ele não aceitará nada menos que isso, e está no mapa para nos lembrar de que todos merecemos ser amados.

É para Vênus que temos de olhar quando procuramos entender a maneira de nos relacionarmos afetivamente, aquilo que nos atrai visualmente e como nos sentimos seduzidos. Essa é a morada de nosso erotismo e da capacidade de nos dedicarmos às outras pessoas, nossa maneira de dar e receber amor.

Analisar o signo em que Vênus se posiciona no mapa astral vai ajudar a entender como essa força atua sobre nós, e a casa que for ocupada por esse belo planeta revelará os temas da vida que despertam nosso interesse e paixão, bem como as situações em que o poder de Vênus estará mais disponível.

A Vênus de nosso mapa pode se expressar de modo positivo, trazendo satisfação, realização e harmonia, ou então de forma negativa, colaborando para uma personalidade muito apegada aos bens materiais, superficial, consumista e possessiva.

Esse é o planeta que nos faz perceber que por trás da beleza física há a Beleza, com B maiúsculo – aquela sensação de arrebatamento, quando algo toca profundamente nossa alma, despertando em nós um sentimento inexplicável. É o que sentimos quando nos emocionamos com uma música, uma obra de arte ou um belo pôr do sol – um sentimento de harmonia e unidade, como se fizéssemos parte de algo bem maior.

Enquanto alguns nunca atravessarão os véus venusianos e permanecerão limitados apenas à beleza da superfície, outros poderão penetrar seus mistérios para buscar a experiência mística que este planeta nos oferece.

A Estrela da Manhã e a Estrela do Entardecer

Um ponto interessante para observarmos ao interpretar Vênus no mapa astral é sua posição em relação ao Sol. Ambos os planetas estão sempre bem próximos, então identifique-os e veja qual deles está à frente, tendo em vista que os planetas se movem pelo mapa em sentido anti-horário, respeitando a ordem numérica das casas e a sequência dos signos.

Na mitologia antiga, Vênus era chamada de Estrela da Manhã ou Estrela do Entardecer, de acordo com o horário em que se tornava visível no céu – pela manhã, no leste, ou no entardecer, a oeste. Quando Vênus é encontrada no mapa astral antes do Sol, corresponde à Estrela da Manhã; se aparecer depois dele, corresponde à Estrela do Entardecer.

MOMENTO VISÍVEL	POSIÇÃO	COMO EXPERIMENTA O AMOR	VALORIZA A BELEZA...
Amanhecer	Antes do Sol	Emotiva, impulsiva, extrovertida e apaixonada.	... física e estética. Orientada para o exterior.
Entardecer	Depois do Sol	Contida, introvertida, contemplativa e silenciosa.	... moral e espiritual. Orientada para o interior.

Vênus e o romance

ELEMENTO	RELACIONAMENTO	O QUE MANTÉM MEU INTERESSE	DEMONSTRAÇÃO DE AMOR
Fogo (Áries, Leão, Sagitário)	Intenso e idealista	Espontaneidade e paixão	Gestos concretos e atividades compartilhadas
Terra (Touro, Virgem, Capricórnio)	Estável e longo	Segurança e praticidade	Compromisso e fidelidade
Ar (Gêmeos, Libra, Aquário)	Equilibrado e independente	Comunicação e afinidades mentais	Fala e gestos simbólicos
Água (Câncer, Escorpião, Peixes)	Profundo e íntimo	Demonstrações concretas de afeto	Nutrição e cuidado emocional

Em signos de Fogo, Vênus é intensa e apaixonada, mas pode ter dificuldades em manter relacionamentos de longo prazo, porque é aventureira e precisa sempre ser estimulada. Pessoas que trazem esse posicionamento no mapa astral preferem chamar o parceiro para viajar ou fazer algo divertido a ficar de mãos dadas e dizer quanto o amam. Vênus nesse posicionamento está centrada em experiências e tem uma enorme necessidade de se sentir viva. Nada pode ser morno, repetitivo ou monótono, ou ela se cansará com facilidade. Há certa tendência em assumir uma postura dominante nas relações.

Já em signos de Terra, Vênus gosta de estabilidade. As relações têm forte tendência a serem longas e duradouras, apesar de as pessoas com esse posicionamento demorarem um pouco para confiar nos outros e se abrirem para a possibilidade de um relacionamento. Essa Vênus tem forte necessidade de se sentir segura e, uma vez escolhido o parceiro, vivenciará a relação dando tudo de si. Costuma demonstrar afeto por meio de gestos práticos e concretos, que mostram sua fidelidade e compromisso com o outro.

Aqueles cuja Vênus está posicionada em um signo de Ar prezam sobretudo a própria liberdade e o espaço pessoal nos relacionamentos. São atraídos por afinidades mentais e ideias compartilhadas, e não conseguem se relacionar por muito tempo com alguém cuja visão de mundo seja muito diferente da sua. A comunicação é o ingrediente de sucesso para essas pessoas, e costumam demonstrar seu afeto por meio de gestos simbólicos, que provam quanto prestam atenção e se preocupam com o parceiro.

Finalmente, quando está em um signo de Água, Vênus é profunda e deseja estabelecer relações sinceras de intimidade. Gosta de receber demonstrações reais de afeto e carinho, tendo a necessidade de se sentir misturada ao parceiro. Expressa seu amor pelo cuidado emocional e busca satisfazer as necessidades da pessoa amada. Vênus com esse posicionamento espera que o parceiro a perceba, por isso, quando está incomodada, nem sempre consegue se comunicar abertamente e se recolhe no próprio mundo interior.

Posicionamentos de Vênus

DOMICÍLIO	EXÍLIO	EXALTAÇÃO	QUEDA
TOURO E LIBRA ♉ e ♎	ÁRIES E ESCORPIÃO ♈ e ♏	PEIXES ♓	VIRGEM ♍

Vênus nos signos

Vênus leva em torno de 225 dias para dar uma volta completa ao redor do Sol e percorrer todos os signos do zodíaco. Seu tempo de permanência em cada um dos signos é de aproximadamente dezenove dias, variando de acordo com os períodos de movimento retrógrado.

> **VÊNUS RETRÓGRADA:** Um "**R**" ao lado do símbolo de Vênus no mapa astral indica que ela estava retrógrada no momento do seu nascimento, revelando que há dificuldade para troca de afeto, receber amor e também que há problemas de autoestima, ou ainda uma autoimagem distorcida. Você deve aprender a nutrir o amor-próprio. Também é preciso tomar cuidado com a autossabotagem nos relacionamentos. Em geral, há dificuldade para expressar as qualidades do signo em que se posiciona.

Na página seguinte, consulte o signo no qual está o planeta Vênus do seu mapa astral.

Consulte também, nos capítulos seguintes, informações sobre a casa onde Vênus se posiciona e estude os aspectos formados por esse planeta para uma interpretação mais específica.

SIGNO	O QUE ME ATRAI[2]	COMO EXPRESSO AFETIVIDADE[3]
Áries	Aventuras, riscos, o desafio da conquista. Relacionamentos sempre vigorosos e apaixonados.	Com espontaneidade, impulsividade e intensidade. Conquistador.
Touro	Beleza e erotismo, mas também segurança e estabilidade. Equilibra desejo com afetividade.	Naturalmente devotado ao parceiro. Fiel.
Gêmeos	Liberdade e jogos de sedução. A leveza e a curiosidade dos inícios. Gosto de ser instigado.	Prezo trocas e diálogos nas relações. Posso ser bastante frio. Desapego-me rapidamente.
Câncer	Romance, trocas emocionais profundas e intimidade. Segurança e sensibilidade.	De forma carinhosa. Natureza protetora com o parceiro.
Leão	A devoção e a admiração do parceiro.	Apaixono-me intensamente, busco elevar o parceiro e cuido dele como um troféu.
Virgem	Escolha criteriosa do parceiro. Idealista, busco por um tipo de perfeição.	Prática e concretamente. Contato físico e ações simples de cuidado com o outro. Atenção aos detalhes. Sincero e comunicativo.
Libra	O refinamento, a estética, o encanto, a beleza e a gentileza.	Gosto me envolver e de criar parcerias nas relações. Atencioso, sei ceder quando necessário.
Escorpião	Ousadia e o mistério da sedução. O proibido e o não convencional.	Cegamente apaixonado e entregue ao parceiro.
Sagitário	Intensidade e liberdade. Pessoas animadas e apaixonadas pela vida, cheias de energia e vigor.	Sincero e entregue aos sentimentos. A relação deve ser uma oportunidade de crescimento pessoal.
Capricórnio	Objetividade. Não gosto de rodeios nem de jogos. Sou direto e prático.	Proporciono segurança e estabilidade à relação.
Aquário	Pessoas livres e ousadas, o diferente, surpresas e a imprevisibilidade.	Sou o bom amigo. Troco ideias e compartilho ideais. A relação é bastante mental.
Peixes	Gosto de ser cortejado e seduzido. Também preciso me sentir útil ao parceiro.	Sensível e devotado, sacrifico-me em nome do parceiro.

---

2 Confira também a posição da Lua para entender melhor a expressão dos afetos e sentimentos.
3 Tem também ligação íntima com a tríade Sol-Lua-Ascendente.

SIGNO	SEDUÇÃO E EROTISMO[4]	VIDA FINANCEIRA[5]	PRECISO TOMAR CUIDADO COM
Áries	Quente e enérgico. Tem charme e toma a iniciativa. Posição dominante nos relacionamentos.	Concentra-se na própria independência financeira.	O egoísmo.
Touro	Sensual e atraente. Busca a intimidade.	Estável e comedida.	O ciúme.
Gêmeos	Flertes e surpresas; foge da rotina. Seduz pelas palavras. Carismático.	Dificuldade para acumular dinheiro; ele deve circular.	A perda rápida de interesse.
Câncer	Depende de vínculos emocionais.	Estável, busca bens duradouros.	A carência.
Leão	Charmoso e sedutor. É caloroso e apaixonado. Gosta de estar no controle.	Busca status e poder.	A artificialidade.
Virgem	A intimidade se constrói com o tempo. Às vezes, é tímido.	Organizada e com reserva para imprevisto.	O excesso de críticas.
Libra	Naturalmente sedutor, gosta de encantar e ser admirado.	Bem equilibrada entre poupar e gastar.	Amores platônicos e idealizados.
Escorpião	Misterioso e intenso. Não convencional, sensual, ousado e libertário.	Arrisca-se e aventura-se sem medo.	O controle sobre o outro.
Sagitário	Tem uma aura de alegria e positividade. Quente e intenso, gosta do exótico.	Não poupa para investir em si mesmo.	A dificuldade em me comprometer.
Capricórnio	A intensidade vem com o tempo e a intimidade. Seduz pela imagem forte que passa ao parceiro.	Prudente e comedida. Orientada para o trabalho e as conquistas materiais.	A frieza.
Aquário	Criativo e não convencional. Gosta de experimentar e ousar.	Indisciplinada e instável.	A superficialidade.
Peixes	Busca a intimidade. Escapa para as fantasias.	Pouco prática e nada regrada. Dificuldade em administrar o dinheiro.	A tendência a me anular nas relações.

4 Vale observar também a posição de Marte e do Ascendente.
5 Recebe influência também da casa 2.

Correspondências de Vênus

CORES: verde, rosa

NÚMERO: 7

DIA DA SEMANA: sexta-feira

ELEMENTOS: Terra e Ar

ARCANJO: Haniel

METAL: cobre

PEDRAS: quartzo rosa, turmalina melancia, rodocrosita

ERVAS E/OU FLORES: rosa, valeriana, verbena

TARÔ: A Imperatriz, Os Enamorados

MITOLOGIA: Afrodite, Vênus, Oxum, Freya, Hathor, Lakhsimi

Marte – o guerreiro vitorioso

Como lido com conflitos? ~ O que me motiva e desperta minha força de vontade para agir? ~ Como me protejo e me defendo?

A vida é uma grande batalha,
e nosso guerreiro interior não aceita perder.

Se o Sol representa o herói interior, Marte seria seus braços, carregando as armas que podem transformar o mundo ao redor, proteger o território e vencer as batalhas da vida.

Esse planeta feroz representa o guerreiro interior que vive em cada um, revelando a maneira como direcionamos nosso vigor e a energia pessoal. Enquanto o Sol fala de nossas aspirações, nossa natureza interior e daquilo que desejamos alcançar, Marte nos traz as ferramentas necessárias para tanto – ele é o poder realizador que vive em nós para alcançarmos o potencial solar.

Embora nossa personalidade básica seja formada pela tríade Sol, Lua e Ascendente, Marte é o planeta que nos mostra como lutamos para defender nossa própria identidade e individualidade; o modo pelo qual nos diferenciamos das pessoas e nos sentimos únicos. Por isso está associado aos instintos mais básicos do ser humano, como sobrevivência, agressividade e sexualidade.

Marte é a sede interior por nos sentirmos vivos. Ele exige de nós movimento, sendo a força que nos impulsiona a ir sempre além, em busca da exploração de novos territórios e novas conquistas.

Positivamente, este planeta se manifestará trazendo determinação, coragem, bravura e senso de honra. Marte não encerra apenas o poder para começarmos algo, mas também de sermos persistentes e chegarmos ao final de nossos projetos e planos. Representa ainda a capacidade de usarmos a força interior a serviço dos ideais pessoais e coletivos, em harmonia com as outras pessoas, como o guerreiro estrategista que protege seu povo.

Em sentido negativo, ele se expressará como falta de controle, impaciência, raiva e dificuldade em lidar com os impulsos. Nesse caso, Marte se torna o guerreiro injusto, descontrolado, egoísta e impulsivo, incapaz de pensar nos outros e agindo sempre de maneira agressiva e violenta.

A competitividade, a adrenalina e o desejo de viver aventuras também estão associados ao planeta vermelho. Quando está em posição de destaque no mapa astral, pode gerar um desejo muito forte por sempre se desafiar e expandir os próprios limites, ou então se concentrar na prática intensa de esportes, principalmente os mais competitivos.

Toda essa energia marciana pode ainda se expressar na vida profissional, em áreas que envolvam metas e disputas, ou até mesmo naquelas mais perigosas, que exijam bastante disposição física.

Um Marte forte e bem posicionado no mapa astral vai nos fazer desejar posições de liderança e autoridade.

Por outro lado, quando Marte no mapa astral não está bem posicionado ou forma aspectos negativos/tensos com outros planetas, isso se expressará como dificuldade para entrarmos em contato com o guerreiro interior, levando-nos ao vitimismo, ao sentimento de derrota, à insegurança, à falta de energia e pouca disposição, força de vontade insuficiente, falta de vigor e dificuldade em expressar agressividade.

O signo de Marte no mapa astral nos revela a energia básica que esse guerreiro interior torna disponível nos momentos em que nos sentimos ameaçados, em crise ou quando precisamos agir com rapidez. São as situações de risco e competição que trarão essa força à tona.

Já a casa em que ele se posiciona nos mostra a área da vida onde acontecem nossas batalhas e enfrentamos desafios.

Marte e a força interior

ELEMENTO	DETERMINAÇÃO	COMO A RAIVA SE EXPRESSA	QUALIDADE
Fogo (Áries, Leão, Sagitário)	Imediata e impulsiva	Intensa e passageira	Iniciativa
Terra (Touro, Virgem, Capricórnio)	Focada e duradoura	Teimosia e inflexibilidade	Determinação
Ar (Gêmeos, Libra, Aquário)	Dispersa entre muitos interesses	Indireta e racional	Persuasão
Água (Câncer, Escorpião, Peixes)	Lenta e de longo prazo	Manipuladora e emocional	Observação

Nos signos de Fogo, Marte traz muita energia e principalmente o poder da iniciativa para nossa personalidade. Trata-se daquelas pessoas que têm espírito pioneiro e de liderança. Há muita energia e vitalidade nelas, e podem ser explosivas demais ou reativas. Esse é o Marte que primeiro age e depois pensa. Como tem bastante disposição, seu desafio é manter o foco.

Já nos signos de Terra, Marte se mostra como um guerreiro mais focado e determinado – ele é o conquistador e o explorador. Traça seus objetivos de maneira bem definida e costuma manter o ritmo e o foco. Tem uma energia mais constante, o que é excelente, mas precisa tomar cuidado com a inflexibilidade e a teimosia, a dificuldade em perceber caminhos alternativos ou mudar de opinião.

Quando está nos signos de Ar, o planeta vermelho relaciona-se ao mundo das ideias e ao plano da mente; este Marte é um estrategista e pensa antes de agir. Não costuma ter explosões de raiva, porque primeiro processa as experiências racionalmente e tenta entender a lógica por trás das situações. Procura vencer por meio das palavras e é um ótimo líder. Debates e discussões podem se tornar bem calorosos, porque ele não admitirá perder.

Se estiver nos signos de Água, o plano das emoções, Marte será mais introspectivo e observador, e agirá de maneira indireta, muitas vezes usando as emoções das pessoas para conseguir o que deseja. Consegue olhar ao longe e compreender as regras do jogo – este Marte prefere as batalhas indiretas ao confronto direto. Precisa tomar cuidado para não agir de maneira passivo-agressiva.

Posicionamentos de Marte

♂			
DOMICÍLIO	**EXÍLIO**	**EXALTAÇÃO**	**QUEDA**
ÁRIES ♈	**LIBRA** ♎	**CAPRICÓRNIO** ♑	**CÂNCER** ♋

Marte nos signos

Marte leva em torno de 687 dias para dar uma volta completa ao redor do Sol e percorrer todos os signos do zodíaco. Seu tempo de permanência em cada um dos signos é de aproximadamente 43 dias, variando de acordo com os períodos de movimento retrógrado.

> **MARTE RETRÓGRADO:** Um "R" ao lado do símbolo de Marte no mapa astral indica que ele estava retrógrado no momento de seu nascimento. Nesse caso, o guerreiro interior fica com seu poder de ação enfraquecido. Essa configuração pode gerar dificuldade em usar a energia pessoal, falta de força de vontade e pouca determinação, bem como dificuldade em se proteger. Pode ainda representar o acúmulo de raiva, sendo que a pessoa a expressará apenas quando chegar ao limite, ao invés de permitir que ela flua com naturalidade. Também pode indicar energia vital e força física reduzidas. No geral, há dificuldade para expressar as qualidades do signo em que se posiciona.

Na página seguinte, consulte o signo no qual está o planeta Marte do seu mapa astral.

Consulte também, nos capítulos seguintes, informações sobre a casa onde Marte se posiciona e estude os aspectos formados por ele para uma interpretação mais específica.

SIGNO	MEU GUERREIRO INTERIOR É	MINHA DINÂMICA PESSOAL[6]
Áries	Apaixonado. Age de maneira impulsiva.	Tenho iniciativa e coragem; espírito competitivo com sede de vitória. Espírito empreendedor.
Touro	Determinado. Tem necessidade de cumprir as obrigações e os deveres.	Funciono pela inércia: ou fico parado, ou avanço em ritmo constante. Tenho um espírito protetor.
Gêmeos	Explorador. Busca novos desafios, gosta de debates e discussões.	Sempre rápido e volátil, com a atenção em muitas coisas diferentes ao mesmo tempo.
Câncer	Indireto. Evita conflitos e embates diretos. É fantasioso e inseguro.	Os impulsos são intermediados por emoções. Sou sonhador; quando me sinto aborrecido, me isolo.
Leão	Heroico. Busca a sensação de vitória.	Sempre corajoso, confiante, direto, vaidoso e entusiasmado. Cheio de energia.
Virgem	Estratégico. Pensa antes de agir e planeja cada passo dado.	Sou calculista e focado; busco alcançar os resultados da maneira mais fácil e menos desgastante possível.
Libra	Diplomático. Pensa bem antes de agir e está sempre um passo à frente.	Compreendo os pontos de vista de ambos os lados em um conflito. Detesto e combato injustiças.
Escorpião	Dominador. Consegue o que quer, mesmo que precise manipular pessoas ou situações.	Independente, sedutor e influente, sei como colocar as pessoas a meu favor. Sou muito ambicioso e determinado.
Sagitário	Aventureiro. Enxerga ao longe e ama desafios. Movido por sonhos e ideais.	Determinado e visionário, amo a justiça; sou sempre otimista e busco ir cada vez mais longe.
Capricórnio	Disciplinado. Frio e calculista para alcançar o que deseja.	Constante e paciente, quero chegar o mais longe possível, por isso ajo com prudência e determinação, sem medir esforços.
Aquário	Revolucionário. Envolve-se em batalhas sociais e pensa sempre coletivamente.	Impaciente e desafiador, rebelo-me contra as proibições e limitações impostas. Busco a liberdade.
Peixes	Intuitivo. Deixa-se conduzir por impressões pessoais e interiores.	Sonhador e sensível, tomo decisões com base no que sinto e em meus instintos pessoais.

[6] Deve ser vista em relação com a tríade Sol-Lua-Ascendente.

SIGNO	COMO VIVENCIO AS PAIXÕES E O DESEJO[7]	COMO LIDO COM OS CONFLITOS	DEVO APRENDER A
Áries	A sedução é um campo de batalha. Sou intenso e competitivo.	Impaciente, explosivo e agressivo. Falo e ajo antes de pensar.	Pensar antes de agir.
Touro	Ciumento e possessivo. Aprecio a sexualidade e a sensualidade.	Forte, resistente e inabalável. Explosivo se sofrer pressão por muito tempo.	Encontrar válvulas de escape para a raiva.
Gêmeos	Detesto rotina; sinto-me atraído pela inteligência.	Busco soluções rápidas. Persuasivo e eloquente, venço pela fala.	Manter o foco.
Câncer	Tímido e contido, porém me entrego quando a intimidade se estabelece.	Raramente expresso agressividade. Uso estratégias emocionais para vencer.	Não descontar as frustrações nas pessoas próximas.
Leão	Caloroso e sedutor. Busco a satisfação dos meus próprios desejos.	Busco sempre a superioridade. Sou direto, agressivo e teatral.	Ouvir críticas.
Virgem	Reprimido, ou ao menos discreto e contido. Não gosto de exageros.	Mais metódico que agressivo, uso os detalhes para vencer.	Ser menos crítico.
Libra	Refinado, sedutor e cheio de charme, gosto de estabelecer parcerias duradouras.	Estratégico, busco uma solução harmônica e rápida; evito confrontos impulsivos e agressivos.	Agir mais prontamente.
Escorpião	Erótico e intenso, sinto-me atraído pelo não convencional.	Dou apenas um único golpe certeiro. Minha defesa é o ataque.	Tomar consciência do sofrimento que inflijo.
Sagitário	Espontâneo e impulsivo, envolvo-me rápida e intensamente.	Sou nobre e busco vencer desmoralizando o adversário.	Voltar atrás em minhas decisões.
Capricórnio	Intenso no âmbito privado, mas sei me preservar.	Assertivo, inflexível e impiedoso.	Trabalhar em equipe.
Aquário	Despojado e livre, não gosto de me sentir restrito.	Rígido e questionador, envolvo-me em conflitos diretos.	Considerar minhas próprias necessidades.
Peixes	Gosto de ser seduzido e de ter a imaginação estimulada.	De maneira indireta, na própria cabeça.	Evitar conflitos ilusórios.

---

7 Depende também das posições de Vênus e Lilith.

Correspondências de Marte

COR: vermelho

NÚMERO: 5

DIA DA SEMANA: terça-feira

ELEMENTO: Fogo

ARCANJO: Samuel

METAL: ferro

PEDRAS: rubi, granada, ágata de fogo

ERVAS E/OU FLORES: pimenta, cacto, gengibre

TARÔ: A Torre

MITOLOGIA: Ares, Marte, Ogum, Sekhmet, Durga, Kali, Morrigan

Os planetas sociais

Júpiter ~ Saturno

Os próximos dois planetas que analisaremos no mapa astral são chamados de planetas sociais, pois levam mais tempo para se moverem pelo zodíaco; assim, sua influência também é coletiva. Eles são Júpiter e Saturno, cujos nomes provêm da mitologia romana.

Saturno é o Senhor do Tempo que carrega uma foice, o Deus da Colheita, da Ceifa e da Morte, enquanto seu filho, Júpiter, é o Rei dos Deuses, Senhor dos Raios e dos Domínios Superiores. Na Astrologia, eles representam forças opostas, porque Júpiter é o planeta da expansão, do crescimento e dos exageros, mostrando nossos ideais de vida, a ética segundo a qual vivemos e as áreas da vida em que buscamos aprofundamento e que consideramos sagradas. Saturno é o desafiador, aquele que desenha limites e traz restrições – seu poder é o da contração.

Esses dois planetas revelam quais aspirações e obstáculos nossa personalidade básica, definida pelos planetas anteriores, vai enfrentar ao longo da vida. Quando formam aspectos com outros planetas, podem atuar como potencializadores ou limitadores.

♃
Júpiter – o grande rei

Quais são minhas aspirações mais elevadas? ~ Qual é a direção do meu crescimento pessoal? ~ O que há de exagero em mim?

Nenhum rei pode se contentar com pouco. Carinhosamente chamado de "O Grande Benéfico", Júpiter, o maior dos planetas do sistema solar, representa nosso Rei Interior, sendo o planeta da expansão.

A imagem mitológica do rei sempre esteve associada àquele que é capaz de governar, estabelecer leis, trazer ordem e justiça, mas principalmente àquele que tem o poder de trazer abundância, sucesso e realização para seu povo. São exatamente esses os processos provocados por esse planeta tão querido – ele aumenta, traz sorte, nos desafia a alcançarmos o potencial mais elevado de todas as coisas.

Como grande governante dos céus, Júpiter é aquele que revela os valores, princípios e crenças segundo os quais guiamos nossa vida, mostrando como nos relacionamos com a ética e a moral, bem como com os códigos de conduta da sociedade e dos grupos aos quais pertencemos. Associado muito mais às leis divinas do que às humanas, analisar a posição de Júpiter no mapa astral também nos ensina como vivenciamos a fé e a ligação com o sagrado.

Sendo um planeta benfeitor, ele favorece os temas da casa onde se posiciona e os outros planetas com os quais faz aspectos positivos, ampliando ao máximo suas possibilidades e operando verdadeiros milagres.

Analisar a casa de Júpiter no mapa astral revela ainda os temas da vida em que temos mais vontade de crescer, em que nos sentimos seguros para ousar e expandir, aquilo que desejamos aperfeiçoar em nosso ser. Como o Senhor da Autoridade e do Conhecimento, Júpiter nos apresenta os temas em que buscaremos nos aperfeiçoar.

Por onde ele passa, abrirá os caminhos e trará novas possibilidades. Cabe a nós estarmos de olhos abertos para aproveitar tudo aquilo que ele tem a nos oferecer. Por ser um planeta expansivo, dependendo do seu posicionamento, ele também pode provocar alguns exageros de nossa parte – como o desejo de Júpiter é sempre fazer crescer, podemos sentir certa insatisfação nas áreas da vida que estiverem sob sua influência, afinal, é a elas que devotamos nossa energia pessoal. Júpiter é bem conhecido por ser o planeta das riquezas, mas não confunda isso apenas com riqueza material – nossas colheitas serão prósperas nas áreas que esse planeta influenciar, sejam elas físicas, mentais, espirituais ou emocionais.

Até Marte, temos os planetas pessoais, com influência direta em nossa personalidade; mas, quando chegamos a Júpiter, o primeiro dos planetas sociais, damos um salto e começamos a nos perceber como seres integrados e codependentes. Por isso, ele é visto como o benevolente professor que nos convida a dar um passo além e expandir a consciência, sendo um de seus principais atributos a generosidade.

Além de vê-lo como Rei, também podemos pensar em Júpiter como o Viajante Interior, o explorador que nos levará rumo às grandes jornadas da vida para que possamos conhecer novos terrenos e ampliar ao máximo o conhecimento. Quando esse Viajante cruza os portais para enxergar uma realidade mais elevada, ele também pode ser visto como o Sacerdote ou o Xamã, aquele que inspira ideias mais refinadas e perfeitas, fazendo-nos pensar grande e nos conectando aos poderes dos céus.

Júpiter representa nosso Eu Superior e as aspirações mais profundas da alma.

Expressões negativas do Júpiter interior podem envolver o ego inflado – pessoas que se consideram superiores aos demais e vivem de aparências, valorizando mais o que os outros pensam sobre elas do que aquilo que verdadeiramente são. Quando forma aspectos negativos no mapa astral, Júpiter pode provocar em nós a falsa ideia de que somos invencíveis ou inatingíveis. Também pode trazer a megalomania ou a sede por ocupar posições de destaque e liderança, sem que tenhamos o verdadeiro preparo para isso. Nesse caso, é o falso moralista, o professor que não foi aluno e o mestre que nunca se colocou na posição de aprendiz.

Júpiter e o espírito de liderança

ELEMENTO	PERSONALIDADE	O QUE VALORIZO
Fogo (Áries, Leão, Sagitário)	O Explorador	Liberdade, bondade e nobreza
Terra (Touro, Virgem, Capricórnio)	O Provedor	Os deveres, responsabilidades e a fartura
Ar (Gêmeos, Libra, Aquário)	O Pensador	A justiça, a paz e o bom senso
Água (Câncer, Escorpião, Peixes)	O Curador	O amor, o altruísmo, a proteção

Quando se posiciona em um signo de Fogo, Júpiter se torna aventureiro e deseja explorar novas fronteiras, expandindo seus limites pessoais. Ele parte em busca da descoberta e expressão de todo o seu potencial interior; daquilo que o torna único. Visa o refinamento pessoal para colocar essas habilidades à disposição da comunidade e preza os mais altos ideais, embora deva tomar cuidado com a soberba que essa busca pode ocasionar.

Já em um signo de Terra, a energia de Júpiter se volta para os temas concretos do trabalho, as regras sociais, a estabilidade, a segurança e responsabilidades. Sua natureza é nutridora e provedora, e ele sente que deve alimentar o mundo de alguma forma. Seu senso de responsabilidade é grande, e ele buscará a prosperidade e a estabilidade material.

Se estiver em signo de Ar, Júpiter elevará a mente e a comunicação a um patamar superior. Há uma grande necessidade de estabelecer relações, crescer intelectualmente e espalhar novas ideias. Esse Júpiter verá a si mesmo em relação aos demais, sempre inserido em contextos sociais e visando o bem coletivo.

No caso de a morada de Júpiter no mapa astral ser em um dos signos de Água, é o campo das emoções que receberá suas bênçãos, e um dom curador estará sobre nós – cada signo expressando-o à sua maneira. A empatia e a necessidade de estabelecer relações significativas ganharão importância, e o crescimento pessoal será sempre vivenciado no relacionamento com os demais.

Posicionamentos de Júpiter

♃			
DOMICÍLIO	**EXÍLIO**	**EXALTAÇÃO**	**QUEDA**
SAGITÁRIO ♐	**GÊMEOS** ♊	**CÂNCER** ♋	**CAPRICÓRNIO** ♑

Júpiter nos signos

Júpiter leva em torno de doze anos para dar uma volta completa ao redor do Sol e percorrer todos os signos do zodíaco. Seu tempo de permanência em cada um dos signos é de aproximadamente um ano, variando de acordo com os períodos de movimento retrógrado.

> **JÚPITER RETRÓGRADO:** Um "R" ao lado do símbolo de Júpiter no mapa astral indica que ele estava retrógrado no momento do seu nascimento. Se o planeta do Rei Interior estiver retrógrado, as características expressas pelo signo que ocupa e os temas relacionados à casa onde se encontra exigirão mais esforço para alcançar todo o seu potencial. Os vícios pessoais talvez sejam potencializados, e pode-se viver com certa falta de sorte em situações do cotidiano, desenvolvendo-se assim uma personalidade mais introspectiva.

Ao consultar o signo onde Júpiter está em seu mapa astral, lembre-se de considerar as interpretações nas páginas seguintes sempre em conexão com os planetas pessoais discutidos anteriormente, para melhor compreender como Júpiter se expressa.

Consulte também, nos capítulos seguintes, informações sobre a casa onde Júpiter se posiciona e estude os aspectos formados por ele para uma interpretação mais específica.

SIGNO	A NOBREZA INTERIOR	VALOR FUNDAMENTAL	PONTO FRACO
Áries	É um líder nato; busca a independência e está sempre em uma jornada interior para explorar novos territórios.	A dignidade.	O orgulho.
Touro	Ético, vive de acordo com seus princípios. Espírito realizador para manifestar planos.	O cuidado.	A insatisfação.
Gêmeos	Flexibilidade para entender os aspectos particulares de cada situação.	A inteligência.	A superficialidade.
Câncer	Valoriza a preservação da família e das relações, cuidando das pessoas amadas e nutrindo-as. Senso de bondade e doação.	A compaixão.	O apego.
Leão	A bondade e a verdade em primeiro lugar. Dá grande importância aos valores e àquilo que é certo. Muito sociável.	A nobreza.	A vaidade.
Virgem	Há um grande ímpeto à servidão e doação ao outro. Está sempre em busca do melhor possível em tudo o que faz.	A ordem.	A desconfiança.
Libra	Pacificador por natureza, busca a harmonia da coletividade.	A justiça.	A frieza.
Escorpião	Capacidade de desvendar segredos e obter conhecimentos ocultos. Capacidade de liderança e persuasão.	O poder.	O autoritarismo.
Sagitário	Busca sempre ideais elevados e o aprimoramento do ser por meio do conhecimento que serve ao coletivo.	A sabedoria.	A arrogância.
Capricórnio	Excelente planejador e executor. Traça metas e caminhos específicos, sendo capaz de permanecer neles e realizá-los.	A lei.	O conservadorismo.
Aquário	Profundo desejo de tornar o mundo um lugar melhor para todos por meio de novas ideias e invenções.	A fraternidade.	O ceticismo.
Peixes	Amante da alma humana e de suas potencialidades. Amor universal e genuíno. Ótimo conselheiro.	O altruísmo.	A ingenuidade.

SIGNO	SISTEMA DE CRENÇAS	ÁREAS DO CONHECIMENTO	O QUE PODE SE TORNAR EXAGERADO
Áries	Religiões diretas, pouco místicas, envolvendo o lado prático da vida.	Difíceis e desafiadoras, que tragam um senso de autossuperação.	Ambição, coragem, otimismo, sede por vitória.
Touro	Práticas espirituais objetivas, que envolvam mudanças concretas e observáveis.	Tudo o que for concreto, prático e realista.	Prazeres e desejos do corpo. Tendência a acumular coisas.
Gêmeos	Foca-se no aspecto intelectual e filosófico da experiência religiosa. Tendência ao ceticismo.	Lógicas, racionais ou técnicas. É um bom professor.	A necessidade de socialização. O pensamento muito racional e frio.
Câncer	Religiões intuitivas e maternais, com presença de figuras femininas fortes.	Artísticas e intuitivas. Tudo o que toca a humanidade.	A imaginação e o cuidado com os outros, levando à falta de cuidado pessoal.
Leão	Baseado em valores e na elevação espiritual do ser humano. Religiões que aproximem as pessoas do senso de realização pessoal.	Artes e expressão, ou áreas envolvendo o cuidado ou uma posição de admiração.	O espírito de liderança e a dianteira em todas as atividades coletivas.
Virgem	Crenças espirituais que dialoguem com o pensamento lógico e racional, envolvendo métodos e práticas repetitivas e estruturadas.	Científica e analítica, ou ao menos bem estruturada. Tudo o que envolve detalhes.	Olhar demais os detalhes e perder a noção do todo. Críticas pessoais intermináveis.
Libra	Envolve a harmonia, a beleza, o pensamento refinado e estético.	O belo e o artístico, ou então tudo o que envolve a justiça, a ordem e a harmonia.	A ideia de que o mundo tem um débito com a pessoa. Falta de iniciativa.
Escorpião	Esoterismo, magia, misticismo; os poderes ocultos da mente.	Observação, investigação e pesquisa.	O desejo de controlar os outros e exercer poder sobre eles.
Sagitário	Caminhos variados, desde que proporcione a profunda experiência mística de união pessoal com o sagrado.	Filosofia, ética, religião, espiritualidade, pensamento abstrato.	Muitos interesses variados, que podem levar à inconstância. Um senso de superioridade inabalável.
Capricórnio	Religiões e práticas espirituais rigorosas, estruturadas e simples.	Tudo o que for racional, técnico, analítico e rígido.	Pessimismo e uma visão muito dura da realidade.
Aquário	Religiões não convencionais. A exaltação da mente humana. Tendência ao ateísmo ou ceticismo.	Tecnologia, criação, pesquisa e comunicação. Tudo o que pode contribuir com o coletivo.	A necessidade de provocar mudanças. Sentimento de não pertencimento ou não adequação.
Peixes	Religiões e espiritualidade baseadas na experiência direta com o sagrado; transe e meditação.	Criatividade, arte, psicologia. Tudo o que é simbólico e abstrato.	Necessidade de fuga da realidade.

Correspondências de Júpiter

CORES: azul-escuro, púrpura

NÚMERO: 4

DIA DA SEMANA: quinta-feira

ELEMENTO: Fogo

ARCANJO: Metatron

METAL: estanho

PEDRAS: lápis-lazuli, safira, ametista

ERVAS E/OU FLORES: carvalho, cedro, zimbro

TARÔ: O Imperador

MITOLOGIA: Zeus, Júpiter, Thor, Osíris, Xangô

♄

Saturno – o desafiador

Onde estão meus maiores desafios? ~ Quais são meus grandes medos? ~ Em quais áreas terei mais dificuldade para realizar meus objetivos?

É o rival que faz nascer o herói.

É apenas perante os desafios e as dificuldades da vida que podemos encontrar força interior para vencermos e nos superarmos, e assim atingirmos o posto de verdadeiros heróis de nossa história. Os desafios são sempre oportunidades de crescimento, e é esse o papel que cabe a Saturno no mapa astral.

Pense nele como aquele professor rígido e exigente, que força os alunos o máximo possível e nunca está completamente satisfeito. Ele não faz isso por ser mau – na verdade, muito pelo contrário, o papel que cabe a esse planeta é difícil, porém importantíssimo. Afinal, se não formos confrontados, nunca poderemos alcançar um patamar elevado de consciência ou extrair o melhor de nós.

Saturno é o grande limitador; sendo assim, tudo aquilo que está sob sua influência terá dificuldade em ser expresso: seja a temática do signo ou a casa em que ele se encontra ou os outros planetas com os quais ele formar aspectos no mapa astral.

Ele representa nossa necessidade de limites, formas sólidas, estruturas firmes e bases reais.

Com Saturno, nada pode ser conquistado facilmente, pelo contrário – tudo deve vir por meio de esforço, empenho e trabalho árduo.

Sob os domínios de Saturno, apenas aquilo que for verdadeiramente merecido será nosso. Com ele, tudo se movimenta bem devagar, pois uma de suas funções é justamente retardar as experiências, e, em termos mitológicos, Saturno é conhecido como o Senhor do Tempo. Ele nos coloca frente a frente com a realidade como ela é e nos lembra de que nem tudo depende de nós ou pode ser da maneira que desejamos.

Saturno é o momento presente, a realidade nua e crua que faz ruir nossas ilusões. No geral, quanto mais maduros somos, mais facilmente passaremos pelas duras lições desse difícil professor, porque o amadurecimento é uma de suas maiores dádivas para os alunos dedicados. Nesse sentido, se ele indica grandes dificuldades, também mostrará nosso maior potencial de aprendizado e superação.

Todas as áreas do mapa astral tocadas por Saturno deverão ser vivenciadas com responsabilidade, paciência e disciplina. Ele está associado à figura paterna e ao aprendizado de regras e leis.

O princípio saturnino é de aprendizado por meio das restrições – assim como precisamos educar uma criança com o "não" para mantê-la em segurança, da mesma maneira Saturno vem para estabelecer limites bem definidos para nosso crescimento.

É também nos reinos de Saturno que somos forçados a escolher nossas prioridades, afinal, ele nos lembra de que os recursos são limitados, inclusive o tempo.

Ele exigirá o nosso melhor e não nos poupará de viver certas experiências repetidas vezes, para que possamos nos aperfeiçoar cada vez mais. É Saturno também quem nos recorda de que não podemos eleger culpados senão nós mesmos: ele nos convida a mergulhar profundamente no mundo interior para nos responsabilizarmos por quem somos, tomando assim as rédeas de nossa vida. É apenas se responsabilizando que você pode transformar sua situação, pois traz de volta o poder pessoal para si.

O retorno de Saturno

Bastante temido e incompreendido, o retorno de Saturno acontece quando o planeta completa uma volta no céu desde o momento do nosso nascimento, ou seja, no período que vai dos 28 aos 30 anos. Esse é o momento da avaliação – Saturno virá para julgar tudo o que construímos na vida e nos testará: o que for falso cairá por terra e teremos de recomeçar, reconstruir de maneira melhor.

O retorno de Saturno é a época em que as formas definidas de nossa vida começam a se estabelecer, e podemos sentir que tudo o que vivemos nessas três primeiras décadas de vida não passou de um treino para a vida real. É um momento de renascimento, uma oportunidade para nos tornarmos a melhor versão de nós mesmos.

Saturno nos conduz pelo caminho do crescimento e da autorresponsabilidade, anunciando que devemos ser adultos de uma vez por todas.

O retorno de Saturno é uma experiência inevitável em nossa vida, então o melhor que podemos fazer é encará-lo como uma oportunidade de amadurecimento, aperfeiçoamento e mudança, quando podemos trabalhar para que nossas insatisfações sejam transformadas. E, ao contrário do que muita gente pensa, esse período não é apenas uma fase de perdas – ele também nos traz os presentes da persistência e da paciência. Tudo aquilo que foi semeado e cultivado com esforço e devoção florescerá e amadurecerá.

Ninguém passa ileso pela foice desse duro planeta, mas todos os que têm coragem para enfrentar seus domínios e suas perguntas incômodas serão presenteados com a dádiva do conhecimento sobre si mesmos, sendo esse princípio a chave de todos os mistérios antigos. Conhecer-nos é o primeiro passo para nos superarmos. E, assim como em toda boa história, a lição final de Saturno é de que ele não é um inimigo – na verdade, todas as limitações e dificuldades que ele nos impõe para nos desafiar são nossas, e não dele. Tudo o que ele faz é trazê-las à luz para que possamos encará-las e vencê-las.

O retorno de Saturno acontece em média a cada 28/30 anos e ocorre em diferentes fases da vida, sempre trazendo novas reflexões, aprendizados e realizações.

Saturno e os medos da alma

ELEMENTO	MEDO	PRIVAÇÕES	DESAFIO
Fogo (Áries, Leão, Sagitário)	Autoexpressão	Criatividade e espontaneidade	Confiar em si mesmo
Terra (Touro, Virgem, Capricórnio)	Perdas	Satisfação pessoal	Desapego
Ar (Gêmeos, Libra, Aquário)	Ignorância	Comunicação	Relacionar-se
Água (Câncer, Escorpião, Peixes)	Emoções profundas	Segurança emocional	Expressar sentimentos

Os signos de Fogo são os mais afetados negativamente pela presença de Saturno, e é muito fácil entender o porquê – a natureza desses signos é intensa, expansiva e agressiva, e não combina nem um pouco com a paciência, as regras e os limites apresentados por esse planeta desafiador. É como se Saturno cortasse a conexão com a fonte de inspiração, criatividade e originalidade tão característica desses signos.

Já para os signos de Terra, Saturno traz a falta de segurança que as bases sólidas e materiais nos proporcionam, provocando uma sensação de instabilidade. Isso tende a gerar uma personalidade possessiva, egoísta, apegada e acumuladora, que nunca consegue se sentir satisfeita com os recursos que possui e sempre almeja mais. Assim como a imagem mítica do deus Cronos devorando os filhos, Saturno em signos de Terra provoca um desejo insaciável por mais.

O elemento Ar é o que melhor acolhe Saturno, pois sua natureza é racional e objetiva. Entretanto, o planeta das restrições provoca uma grande dificuldade na comunicação e no uso da criatividade. Pode gerar problemas de relacionamento e até mesmo um sentimento de isolamento e inadequação, como se não fosse possível a pessoa encontrar seu lugar no mundo.

A Água é outro elemento bastante incompatível com a presença de Saturno, porque, ao passo que ela representa o mundo emocional e inconsciente, ou seja, tudo aquilo que não tem forma definida, Saturno é o Senhor da Forma, que insistirá em criar limites e barreiras. Isso provocará dificuldade em se aceitar e perceber as próprias emoções, e principalmente uma grande insegurança em demonstrá-las. Pode gerar tanto um profundo isolamento quanto uma enorme dependência, fazendo com que as emoções sejam reprimidas e evitadas.

Posicionamentos de Saturno

♄			
DOMICÍLIO	EXÍLIO	EXALTAÇÃO	QUEDA
CAPRICÓRNIO ♑	CÂNCER ♋	LIBRA ♎	ÁRIES ♈

Saturno nos signos

Saturno leva cerca de 28 anos para dar uma volta completa ao redor do Sol e percorrer todos os signos do zodíaco. Seu tempo de permanência em cada um dos signos é de aproximadamente dois anos e quatro meses, variando de acordo com os períodos de movimento retrógrado.

> **SATURNO RETRÓGRADO:** *Um "R" ao lado do símbolo de Saturno no mapa astral indica que ele estava retrógrado no momento do seu nascimento. Quando o Desafiador está retrógrado no mapa, isso indica um sentimento internalizado de medo e insegurança, uma dificuldade em nos sentirmos seguros e protegidos. Também pode trazer tristeza e um tom depressivo ou pessimista à personalidade. A casa e o signo ocupados por Saturno retrógrado terão mais dificuldade para manifestar suas potencialidades, pois esse planeta retardará o desenvolvimento de tais habilidades.*

Ao consultar o signo em que Saturno está em seu mapa astral, lembre-se de considerar as interpretações nas páginas seguintes sempre em conexão com os planetas pessoais discutidos anteriormente, para melhor compreender como Saturno se expressa.

Consulte também, nos capítulos seguintes, informações sobre a casa onde Saturno se posiciona e estude os aspectos formados por ele para uma interpretação mais específica.

SIGNO	LIMITAÇÕES E PROIBIÇÕES	O GRANDE OBSTÁCULO
Áries	Falta de iniciativa e poder para mudar a própria situação. Medo de agir e paralisação.	Conquistar autoconfiança e desenvolver a independência.
Touro	Relação difícil com o corpo, a sexualidade e a fidelidade, que pode ser obsessiva ou inexistente.	Sentir segurança com as conquistas e aceitar a ajuda dos outros. Sentimento constante de instabilidade.
Gêmeos	Falta de curiosidade e limitações na capacidade de se comunicar. Dificuldades na vida social e no aprendizado.	Sentir-se ouvido e comunicar suas ideias.
Câncer	Dificuldades em lidar com as próprias emoções, principalmente as mais profundas. Dificuldade em sentir-se amado e acolhido. Crises familiares.	Libertar-se de sentimentos represados e inacessíveis.
Leão	Autoestima e valor pessoal abalados. Dificuldade em agir de maneira autêntica. Timidez.	Impor-se e assumir o controle da própria vida. Sentir-se reconhecido.
Virgem	Falta de adaptabilidade e flexibilidade. Personalidade rígida.	Sentir-se capaz de realizar coisas. Livrar-se de sentimento constante de falha iminente.
Libra	Dificuldade em entender o outro como ele é. Problemas para se relacionar. Pontos de vista inflexíveis.	Expressar opinião própria sem medo do julgamento externo. Livrar-se da artificialidade, da rigidez e da frieza analítica.
Escorpião	Vivência extrema da sexualidade, reprimida ou exagerada. Dificuldade em lidar com finais, perdas e despedidas. Apego excessivo.	Criar relações de confiança e acreditar na lealdade das pessoas ao redor. Livrar-se do sentimento constante de ameaça e desconfiança.
Sagitário	Cobrança excessiva do próprio desempenho intelectual. Dificuldade em viver o próprio potencial. Ceticismo ou fanatismo.	Achar um sentido maior para a vida. Livrar-se do medo de sair da zona de conforto em direção ao desconhecido.
Capricórnio	Dificuldade em assumir compromissos e responsabilidades; rigidez excessiva nas crenças e relações. Conservadorismo.	Realização profissional e ascensão a cargos superiores.
Aquário	Dificuldade em se relacionar, encontrar seu lugar no mundo e sentir-se livre. Excesso de idealismo teórico.	Lidar com o inusitado e o inesperado; equilibrar metas pessoais com a visão de mundo idealizada.
Peixes	Sonhos, esperanças e expectativas sempre castrados por uma visão concreta da realidade.	Liberta-se do profundo sentimento de isolamento ou falta de propósito. Livrar-se do medo da rejeição.

SIGNO	VÍCIOS	O QUE DEVO APRENDER
Áries	Hostilidade, ódio, comportamentos destrutivos.	Canalizar a agressividade para fazer mudanças de vida.
Touro	Mesquinhez. Tendência a acumular coisas. Excessivamente materialista.	Valorizar-me pelo que sou, e não pelo que tenho.
Gêmeos	Pessimismo e ceticismo; atitude mental extremista, incapaz de conciliações. Ideias rígidas.	Flexibilizar ideias e pensamentos; encontrar maneiras de me expressar e me comunicar.
Câncer	Humores negativos, densos e depressivos. Pessimismo e fatalismo. Sentimento de inferioridade.	Expressar meus sentimentos de maneira saudável e verdadeira.
Leão	Necessidade de se autoafirmar a todo momento. Comportamento rebelde na tentativa de se diferenciar.	Enxergar meu valor pessoal e reconhecer minhas falhas.
Virgem	Preocupação excessiva com a saúde e necessidade de controle sobre todos os aspectos da vida. Comportamentos repetitivos e rotina rígida.	Não me sobrecarregar; deixar de viver sob modelos de perfeição inatingíveis.
Libra	Regras e códigos morais inflexíveis. Criticidade excessiva. Racionalização de emoções e necessidades pessoais.	Flexibilizar minha visão do outro e minhas expectativas. Entender outros pontos de vista.
Escorpião	Dominar e controlar emocionalmente as pessoas ao redor. Impulsos destrutivos.	Desenvolver relações que não sejam baseadas em poder e dominação.
Sagitário	Dogmatismo e inflexibilidade. Pensamento e comportamento rígidos. Sonhos e esperanças castrados por uma visão concreta e dura da realidade.	Não me limitar por regras nem obstáculos. Seguir em direção aos meus sonhos.
Capricórnio	Rigor e intolerância ao lidar consigo e com os outros. Obsessão com o trabalho e as metas pessoais.	Transformar a ditadura pessoal em disciplina equilibrada.
Aquário	Sentimento de solidão e medo do isolamento ou de exclusão pelo seu modo diferente de ser, pensar, sentir ou agir. Necessidade constante de desafiar a ordem estabelecida.	Desenvolver responsabilidade. Equilibrar independência com coletividade.
Peixes	Culpa, autodepreciação, sacrifícios pessoais, dor, estados alterados de consciência.	Adquirir maturidade emocional, empatia genuína e compaixão.

Correspondências de Saturno

COR: preto	**PEDRAS:** hematita, ônix, obsidiana
NÚMERO: 3	**ERVAS E/OU FLORES:** cipreste, pinho, violeta
DIA DA SEMANA: sábado	
ELEMENTO: Terra	**TARÔ:** O Eremita
ARCANJO: Camael	**MITOLOGIA:** Cronos, Saturno, Seth, Fenrir, Nanã
METAL: chumbo	

Os planetas transpessoais

Urano ~ Netuno ~ Plutão

Finalmente chegamos aos três últimos planetas do mapa astral: Urano, Netuno e Plutão. Eles são chamados de planetas transpessoais pois, como levam muitos anos para transitarem de um signo a outro pelos céus e completarem uma volta pelo zodíaco, sente-se a influência deles sempre em nível coletivo e pessoal, influenciando toda uma geração e mostrando as tendências grupais às quais estamos submetidos.

A interpretação para esses planetas é feita da seguinte maneira: o signo que cada um ocupa no mapa representa as influências coletivas do planeta à época; a casa que for ocupada por eles no mapa astral revelará a área da vida em que as forças de cada um desses três planetas se manifestará; e os aspectos que formarem com outros planetas do mapa mostrarão as influências dessas tendências coletivas sobre a personalidade individual.

Os nomes desses três planetas vieram dos deuses romanos que personificam os três reinos do universo: Urano governa o Céu, Netuno rege o Mar e Plutão tem como domínio as profundezas do Submundo – que, para muitas mitologias, era a representação da morada dos mortos, onde as almas aguardavam seu renascimento. Urano, Netuno e Plutão mostram a influência de cada um desses reinos em nível coletivo: Urano aponta os altos ideais que guiam a busca e a evolução; Netuno apresenta as influências nebulosas do inconsciente; enquanto Plutão revela as experiências de transformação profunda e todos os processos de regeneração.

Dessa forma, esses planetas garantem a evolução da humanidade e nos lembram de que somos parte de um todo muito maior. A presença dos planetas transpessoais no mapa astral faz-nos recordar que, apesar de sermos seres individuais e independentes, vivemos sob influências maiores que provocarão determinadas experiências individuais para o crescimento da coletividade.

Urano – o libertador

Quais são nossos ideais elevados?~ Do que precisamos nos libertar? ~ Que força de expressão buscamos?

Viver é permanecer em movimento, e é isso que Urano vem assegurar no mapa astral. Este planeta recebeu seu nome do Deus do Céu e personifica os domínios do pensamento elevado. Ele é o espírito libertário que estimula a mudança e faz com que cada geração avance e mude, rompendo com determinadas características do passado para se transformar. Apesar de Urano ter uma mensagem individual para nós, de acordo com a casa e os aspectos planetários do mapa astral, devemos lembrar que ele permanece em um mesmo signo por aproximadamente sete anos, portanto sua influência também é coletiva e está além de nossa individualidade – ele nos insere em um contexto cultural, social e temporal.

Enquanto Saturno representa a realidade como ela é – o momento presente –, Urano é o visionário que nos faz levantar a cabeça e olhar para o futuro, enxergando as possibilidades que se apresentam e nos dando um sentido para caminhar e transformar o momento atual. Ele é a esperança da mudança e da visão de mundo que nos inspira e impulsiona.

Regente do visionário signo de Aquário, que é libertário, inventivo, rebelde e humanitário, Urano compartilha de suas características e vem para nos libertar quando somos dominados pela rigidez.

Como o planeta dos rompimentos e das rupturas, sua função é desestabilizar a ordem para criar originalidade e trazer à tona aquilo que temos de único e especial. Sua natureza é singular, revolucionária e desobediente. Por isso, por onde ele passa, grandes transformações sempre acontecem.

O signo onde ele se encontra revela como o espírito libertário é vivenciado e compartilhado pelas pessoas da sua geração, enquanto a casa que ele ocupa no mapa astral mostrará mais especificamente a área da sua vida que será mais afetada pela rebeldia desse planeta, na qual você desejará ser autêntico, diferente e singular – nela, nunca haverá estabilidade, apenas imprevisibilidade, e ela revelará os temas em relação aos quais mudanças radicais tenderão a ocorrer mais.

Assim como Aquário, que está sob sua regência, Urano prefere o pensamento lógico e racional. Sua natureza é científica e técnica, e é ele quem preside a tecnologia e seus avanços.

Por outro lado, é Urano que rege também todo o conhecimento místico que envolve técnicas, cálculos e o domínio da mente, como a yoga ou a própria Astrologia.

Urano e o espírito libertário da geração

ELEMENTO	NECESSIDADE	DO QUE NOS LIBERTA	DIFICULDADES
Fogo (Áries, Leão, Sagitário)	Autoafirmação em experiências	Expectativas convencionais	Egocentrismo
Terra (Touro, Virgem, Capricórnio)	Autoafirmação em compromissos	Leis e condicionamentos rígidos	Satisfação pessoal
Ar (Gêmeos, Libra, Aquário)	Autoafirmação em ideias	Pensamento e relações convencionais	Criar vínculos profundos
Água (Câncer, Escorpião, Peixes)	Autoafirmação em desejos	Tabus familiares e sociais	Vícios e comportamentos autodestrutivos

Em um signo de Fogo, o rebelde Urano vai impulsionar sua geração ao exagero e ao máximo das experiências que reforcem sua individualidade. Nesse contexto, podemos nos sentir autênticos apenas se agirmos de maneira extrema, o que pode acarretar um comportamento muito egoísta. Há um enorme medo de ser "engolido pela massa". Talvez o exemplo mais exagerado e difícil dessa influência de Urano sobre uma geração seja o próprio Hitler, que chegou ao poder durante um trânsito de Urano em Áries.

O espírito libertário de Urano em um signo de Terra vai buscar reorganizar a ordem, ou seja, atuará sobre as leis e as regras sociais, influenciando o senso de dever e as obrigações. Nesse contexto, não aceitaremos cumprir determinadas tarefas ou expectativas só porque elas nos são impostas, mas desejamos escolher o que ter, o que estudar, que leis respeitar, os deveres com os quais vamos nos comprometer.

Já nos signos de Ar, é a opinião que deseja ser livre e é o pensamento que procura alçar voo. Aqui surgem as ideias revolucionárias e a vontade de se expressar de maneira rebelde. Tudo isso pode gerar uma intelectualidade fria e sem propósito, ou ainda uma grande dificuldade em se relacionar ou formar vínculos e compromissos emocionais.

Quando em um signo de Água, Urano provoca uma revolução no inconsciente, fazendo os sentimentos e desejos virem à tona com a finalidade de passar pelo processo de libertação e mudanças. Por isso, tabus que visem reprimir vontades serão desafiados em todas as instâncias, inclusive na própria família. Isso pode levar a um comportamento vicioso, caótico e denso, muitas vezes desequilibrado e autodestrutivo.

Posicionamentos de Urano

DOMICÍLIO	EXÍLIO	EXALTAÇÃO	QUEDA
AQUÁRIO	LEÃO	ESCORPIÃO	TOURO

Urano nos signos

Urano leva cerca de 84 anos para dar uma volta completa ao redor do Sol e percorrer todos os signos do zodíaco. Seu tempo de permanência em cada um dos signos é de aproximadamente sete anos, variando de acordo com os períodos de movimento retrógrado. Por passar muito tempo em cada signo, ele é classificado como um planeta geracional, e sua influência é exercida sobre uma geração inteira, e não sobre a personalidade individual. Seus efeitos particulares no mapa astral são mais bem compreendidos pela análise da casa astrológica em que se encontra.

> **URANO RETRÓGRADO:** Um "**R**" ao lado do símbolo de Urano no mapa astral indica que ele estava retrógrado no momento do seu nascimento.
>
> Nesse caso, a natureza rebelde de Urano pode se voltar para dentro, gerando um profundo sentimento de insatisfação pessoal, ao invés de direcionar-se para o mundo ao redor. Isso pode se expressar por meio de muita ansiedade e muita autocrítica. A mudança buscada é interna, e não externa.
>
> No geral, há dificuldade para expressar as qualidades do signo em que se posiciona.

A tabela na página seguinte descreverá as características sociais que esse planeta inspira nas pessoas que nasceram durante os sete anos de sua permanência em cada signo.

Para entender como Urano afeta seu mapa astral em nível pessoal, use os próximos capítulos para interpretar o signo onde ele está, a casa onde se posiciona – ou seja, a área da vida que está sob sua influência – e os aspectos que ele forma com outros planetas, fortalecendo ou dificultando sua expressão.

SIGNO	IDEAIS COLETIVOS E TENDÊNCIAS	FORÇA DE EXPRESSÃO
Áries	A liberdade do eu, o contraste entre o eu e o mundo, necessidade de mudança por meio de ideias inovadoras e radicais.	Iniciativa e rompimento com o passado.
Touro	Relacionados à natureza, ao trabalho e ao dinheiro. Inovações práticas e concretas na vida material coletiva.	Valores e ética pessoal.
Gêmeos	Novos ideais sobre o pensamento e a expressão. Educação global não especializada.	Educação e criatividade.
Câncer	Nova estrutura familiar e do lar, novas maneiras de se relacionar ou de lidar com parentes próximos.	Empatia e conexão profunda com o outro.
Leão	Expressões artísticas, aparência diferente da convencional e busca pela individualidade, ou seja, há um foco no eu.	Autenticidade e expressão pessoal.
Virgem	Revolução nos campos da medicina, tecnologia, ecologia.	Harmonia do eu com o mundo.
Libra	Mudanças na maneira de se relacionar e escolher os parceiros.	Respeito e equilíbrio do eu com o outro.
Escorpião	Vazão aos desejos e impulsos vistos como negativos ou proibidos. Busca por intensidade.	Honestidade com os desejos.
Sagitário	Novos impulsos religiosos, filosóficos e de compreensão da vida. Busca por educação e conhecimento. Sentido mais profundo do eu.	Ampliação dos horizontes pessoais.
Capricórnio	Inovação no trabalho e em maneiras de ganhar dinheiro. Necessidade de se libertar das responsabilidades impostas.	Necessidades e escolhas pessoais.
Aquário	Mudanças radicais na ciência e tecnologia. Revoluções sociais na maneira de pensar e se relacionar coletivamente.	Liberdade e o direito de ser diferente.
Peixes	Novas tendências religiosas e experiências coletivas de maneira geral. Espírito sonhador e idealista.	Intuição e percepção simbólica da vida.

SIGNO	DESEJO DE ROMPIMENTO COM	DEVO TOMAR CUIDADO COM
Áries	A passividade e a falta de iniciativa.	O egoísmo.
Touro	A falta de estabilidade.	A dependência.
Gêmeos	A ordem, regras e estruturas.	A frieza.
Câncer	A organização familiar vigente.	O isolamento.
Leão	A submissão nas relações.	Confrontos constantes com o outro.
Virgem	Os hábitos convencionais e o pensamento individualista.	O sentimento de superioridade.
Libra	A estrutura das relações afetivas.	A autoanulação.
Escorpião	Os tabus sexuais e religiosos.	A destrutividade.
Sagitário	O excesso de dogmatismo.	A vaidade pessoal.
Capricórnio	A estrutura tradicional do trabalho.	A falta de comprometimento.
Aquário	A intolerância e o preconceito.	O excesso de individualidade.
Peixes	O racionalismo e o pensamento técnico.	Os ideais inatingíveis.

Correspondências de Urano

COR: verde-claro

NÚMERO: 17

DIA DA SEMANA: quinta-feira

ELEMENTOS: Ar e Água

ARCANJO: Uriel

METAL: platina

PEDRAS: labradorita, topázio, aventurina

ERVAS E/OU FLORES: valeriana, sálvia, orquídea

TARÔ: O Louco

MITOLOGIA: Urano, Nyx, Nut

Netuno – o sonhador

Quais visões me inspiram? ~ Como me misturo ao todo? ~ Onde está minha redenção pessoal?

Por baixo da superfície, há sempre um mar agitado, e é isso que Netuno vem nos lembrar.

Esse planeta foi descoberto apenas em 1846, tendo recebido seu nome do Deus do Mar. Sua natureza, portanto, é como a da Água: enigmática, misteriosa, sedutora e difícil de descrever. Assim como nas águas do mar tudo se mistura e se dissolve, da mesma maneira Netuno é o planeta que nos impulsiona à fusão com a coletividade. É ele quem nos faz vislumbrar que por trás da realidade concreta há uma profunda conexão entre todas as coisas, sendo também quem nos inspira a experiências místicas e de união com o divino. Por isso, ele é o regente natural do signo de Peixes.

Os domínios de Netuno são sempre abstratos e simbólicos, e todas as experiências que achamos impossíveis de descrever em palavras são proporcionadas por ele. As grandes perguntas e a busca pelo sentido da vida são inspiradas por esse planeta misterioso que nos traz sonhos e visões do mundo espiritual. Esse é o planeta dos místicos, médiuns, religiosos, psicólogos e todos os outros terapeutas da alma.

Netuno permanece em cada signo por catorze anos. Assim como Urano e Plutão, é um planeta geracional – significa que seu movimento pelo zodíaco é bem lento e suas influências são exercidas sobre toda uma geração. Entender as mensagens dele no mapa astral pode ser bastante proveitoso no sentido de nos ajudar a descortinar vários enigmas.

Enquanto o signo em que ele se encontra é de influência coletiva, a casa que ele ocupa no mapa evidenciará as áreas da vida em que temos mais tendência a experimentar sonhos, ilusões e fantasias; em que é mais difícil distinguir o imaginário da realidade concreta. Mas esse também será o ponto de nossa vida que servirá de fonte de inspiração, criatividade e até mesmo experiências sagradas.

Quando Netuno faz bons aspectos com os planetas pessoais, isso pode acarretar uma personalidade bastante atraída para o misticismo.

Dentre as qualidades que esse planeta nos ensina estão a empatia e a compaixão, ou seja, a capacidade de mergulharmos nas outras pessoas e compreendermos o mundo com base no ponto de vista delas.

Pessoas profundamente tocadas por Netuno tornam-se ótimos curadores justamente porque são capazes de compartilhar das experiências de outras pessoas. Também é ele que aguça a intuição e desperta os poderes psíquicos, abrindo nosso sexto sentido a outros níveis de percepção.

Netuno nos abre portas para a sabedoria da alma, aquela intuição que se manifesta por meio do sentir. Quando simplesmente "sabemos" de algo, sem conseguir explicar como nem por que estamos vivenciando a força desse planeta.

Ele está associado a outros níveis e estados de consciência, e por isso pode se expressar negativamente por meio de vícios, drogas e substâncias que alteram a consciência. Também pode provocar em nós o hábito de nos refugiarmos em um mundo interior para não encarar a realidade concreta, criando certo distanciamento do mundo.

Netuno e as aspirações da alma

ELEMENTO	IMAGEM INTERIOR	ASPIRAÇÃO	DESAFIOS
Fogo (Áries, Leão, Sagitário)	Ideal de Nobreza	O refinamento das qualidades do ser	Arrogância e prepotência
Terra (Touro, Virgem, Capricórnio)	Ideal de Autoridade	A realização concreta do potencial interior	Insegurança e falta de limites
Ar (Gêmeos, Libra, Aquário)	Ideal de Comunicação	A harmonia e o respeito nas relações	Idealismo e abstração
Água (Câncer, Escorpião, Peixes)	Ideal Místico	Dar vazão ao potencial criativo e intuitivo	Perda de contato com a realidade

Pensando em nível de influências pessoais, em um signo de Fogo, Netuno provocará a busca pelo valor pessoal, fazendo ruir tudo o que limita a expressão do eu e da individualidade. Também provocará o impulso por aspirações mais elevadas do ser, o que muitas vezes ocasiona uma sensação de autoimportância e autossuficiência, como se a pessoa fosse detentora do verdadeiro caminho e das respostas mais corretas.

Já em um signo de Terra, o tema central trabalhado por Netuno será a autoridade. Uma nova ordem interior precisa ser encontrada, e tende a se vivenciar uma reestruturação da personalidade. Netuno em Terra entende que o coletivo deve proporcionar aos indivíduos oportunidades e ferramentas para construir a própria autonomia e independência. Nessa tentativa de esboçar uma linha entre o eu e o outro, pode-se ter uma sensação de falta de estrutura e insegurança, muitas vezes havendo dificuldade para definir limites.

Quando toca um signo de Ar, Netuno atua no reino dos pensamentos e da mente, e em tudo o que diz respeito à educação e à comunicação. Ele conduz à busca de ideais e valores coletivos que assegurem o bem comum, fazendo-nos, de modo geral, desafiar o preconceito, a alienação e a maneira de as pessoas se relacionarem. Nesse contexto, há uma profunda busca por harmonia e respeito. Tudo isso pode nos levar a vivenciar os relacionamentos mais na própria cabeça do que no mundo real – corremos o risco de nos relacionarmos com ideais, e não com pessoas de carne e osso.

Já em um signo de Água, o reino natural de Netuno, ele desperta o potencial emocional e místico dentro de cada um de nós, colocando-nos em contato direto com o universo simbólico da intuição e da criatividade. Somos seduzidos pelos mistérios da vida e da alma humana, mas precisamos tomar cuidado para, nesse percurso interior tão profundo, não perder o contato com a realidade e o mundo ao redor.

Posicionamentos de Netuno

DOMICÍLIO	EXÍLIO	EXALTAÇÃO	QUEDA
PEIXES ♓	VIRGEM ♍	CÂNCER ♋	CAPRICÓRNIO ♑

Netuno nos signos

Netuno leva cerca de 165 anos para dar uma volta completa ao redor do Sol e percorrer todos os signos do zodíaco. Seu tempo de permanência em cada um dos signos é de aproximadamente catorze anos, variando de acordo com os períodos de movimento retrógrado. Por passar muito tempo em cada signo, ele é classificado como um planeta geracional, e sua influência é exercida sobre uma geração inteira, e não sobre a personalidade individual. Seus efeitos particulares no mapa astral são mais bem compreendidos pela análise da casa astrológica em que se encontra.

> **NETUNO RETRÓGRADO:** Um "**R**" ao lado do símbolo de Netuno no mapa astral indica que ele estava retrógrado no momento do seu nascimento. Nesse caso, há uma forte tendência a escapar da realidade e buscar refúgio em planos interiores, especialmente por meio da alteração da consciência, seja através de técnicas espirituais, substâncias químicas ou instabilidade psicológica.
>
> No geral, há dificuldade para expressar as qualidades do signo em que se posiciona.

A tabela abaixo descreverá as características sociais que esse planeta inspira nas pessoas que nasceram durante os catorze de sua permanência em cada signo.

Para entender como Netuno afeta seu mapa astral em nível pessoal, use o capítulo anterior para interpretar o signo no qual ele está posicionado, e os capítulos seguintes para analisar a casa onde ele se posiciona – ou seja, a área da vida que está sob sua influência – e os aspectos que forma com outros planetas, fortalecendo ou dificultando sua expressão.

SIGNO	A BUSCA INTERIOR	NECESSIDADE DE REFINAMENTO
Áries	A coragem e o direito de ser quem se é.	Agressividade e brutalidade.
Touro	Estabilidade, ordem, segurança e conforto.	Impulsos e prazeres do corpo.
Gêmeos	Inspiração e intelectualidade.	A opinião própria e os valores pessoais.
Câncer	A família, o romance e o cuidado.	Percepção concreta do mundo ao redor.
Leão	A perfeição da personalidade humana.	Egocentrismo e vaidade.
Virgem	A saúde, o equilíbrio e a ordem.	Valores e ética pessoais.
Libra	A beleza e a harmonia entre tudo e todos.	Respeito no contato com o outro.
Escorpião	O misterioso e oculto, a magia e a sexualidade.	Expressão das paixões e do desejo.
Sagitário	A elevação da consciência por meio do nobre e do sagrado.	Falta de flexibilidade na visão de mundo.
Capricórnio	A responsabilidade, regras e determinações.	Autoritarismo e conservadorismo.
Aquário	O amor fraternal entre todos os seres.	Ideais inatingíveis.
Peixes	O amor universal.	Vulnerabilidade interior e visão de mundo fantasiosa.

SIGNO	PONTO FRACO	CAMINHO DE REDENÇÃO
Áries	Pobreza de identidade.	Uso das habilidades pessoais para mudar o mundo.
Touro	Instabilidade e insegurança.	Relação harmoniosa e segura com o mundo.
Gêmeos	Pensamento teórico dissociado da realidade.	Expansão do conhecimento e compreensão integrada da realidade.
Câncer	Insegurança interior.	Autossacrifício em nome do coletivo.
Leão	Sentimento de pobreza interior.	Busca pela nobreza interior.
Virgem	Pobreza da capacidade analítica.	Espírito de doação à coletividade.
Libra	Falta de comprometimento nas relações.	Ideais sociais.
Escorpião	Falta de poder pessoal e autocontrole.	Direcionamento das paixões primitivas para ideais elevados.
Sagitário	Falta do sagrado e empobrecimento da realidade.	Profundos compromissos com o elevado, o ético e o religioso.
Capricórnio	Falta de comprometimento com os aspectos práticos da vida.	Busca por seu lugar no mundo de modo a contribuir com o todo.
Aquário	Ignorância sobre as próprias necessidades.	Aprimoramento da razão e da lógica para entender o mundo.
Peixes	Indução a estados de consciência alterados.	Imaginação e contato com os planos espirituais.

Correspondências de Netuno

COR: azul profundo

NÚMERO: 12

DIA DA SEMANA: quinta-feira

ELEMENTO: Água

ARCANJO: Assariel

METAL: bronze

PEDRAS: água-marinha, safira, coral

ERVAS E/OU FLORES: jasmim, lírio, lótus

TARÔ: A Papisa

MITOLOGIA: Netuno, Poseidon, Psique, Atagartis, Iemanjá, Manannan

Plutão – o guardião dos segredos

O que precisa ser transformado? ~ Quais são nossos medos ocultos? ~ Qual é a sombra coletiva do meu tempo?

Se nossa jornada pelos planetas no mapa astral começa com o Sol, o astro da luminosidade, da consciência e do brilho pessoal que se lança para o mundo, terminamos com Plutão, o Senhor da Escuridão, das Profundezas Inalcançáveis da Terra, de tudo aquilo que está oculto e é invisível. Se o Sol é aquele que abre os portais para o paraíso interior, Plutão é o guardião dos reinos inferiores, do submundo, para onde viajavam as almas dos mortos em todas as mitologias antigas.

Ele é o guardião da Sombra Interior – um domínio terrível que esconde nossos piores medos e dores, mas onde também aguardam todos os dons que ansiamos conquistar e manifestar no mundo. Todos aqueles que buscam alcançar seu potencial mais elevado devem buscar os recursos que se escondem nos sombrios domínios de Plutão.

Entramos em contato com a força desse misterioso planeta nos momentos de crise em nossa vida, quando acreditamos que todos os recursos e chances estão esgotados. As lições de Plutão envolvem lidar com as perdas e as verdades mais difíceis da vida – e a principal delas é nossa própria morte, em um plano simbólico.

Plutão é a força da transformação interior por meio da mudança (morte e renascimento), e nos ensina que só podemos seguir no caminho da evolução por meio de momentos difíceis, nos quais somos confrontados – afinal, quando está tudo bem, não queremos mudança. São os tormentos e as tempestades da vida que nos chacoalham e trazem a necessidade interior de transformação, e é esse o poder deste planeta – ele espera nas profundezas da terra, nos alicerces do nosso ser, e envia seus terremotos para que tudo o que não for genuíno possa ruir. E o faz não porque sua natureza é maléfica, mas para que possamos encontrar toda a nossa força interior a fim de vencer os desafios e as adversidades.

Somos seres inteiros e completos, por isso não há parte de nós que possa ser apagada ou destruída. Tudo aquilo que insistimos em negar ou de que fugimos a respeito de nossa própria personalidade – todos os impulsos, energia e desejos que reprimimos para que não venham à superfície – é coletado por Plutão e permanece latente em seu reino subterrâneo e escuro. Ele nos ensina que a bondade e a maldade não estão nas forças que há em nós, mas no uso que fazemos delas; sendo assim, insiste em devolver-nos tudo aquilo que preferimos esconder em seus domínios.

As guerras, a ganância, o egoísmo e os distúrbios sexuais de nosso tempo são forças desequilibradas trazidas à tona por Plutão, para que possamos equilibrá-las e integrá-las. Essas forças são destrutivas porque atravessamos os reinos de Plutão ignorantes de sua presença em nós – desse modo, a chave para passar pelas experiências plutonianas é o autoconhecimento.

A grande dádiva de Plutão para a humanidade é o poder da cura e da regeneração. Sua força é como a lava destruidora do vulcão que, após a erupção, torna a terra fértil para que nova vida possa nascer. A purificação da alma só pode ser conquistada por meio das experiências de Plutão, quando todas as fontes de sofrimento interior são trazidas para a superfície e, assim, podem ser trabalhadas. Só seremos destruídos pelas experiências plutonianas se formos resistentes aos processos que este planeta nos trouxer. Devemos aprender *com* ele, e não lutar *contra* ele – porque o regente do mundo dos mortos nunca perde. Assim como uma semente deve penetrar o interior do solo para apodrecer e viver uma morte aparente antes de germinar, nós também, nos domínios de Plutão, perdemos a casca velha e, com sua força, crescemos e irrompemos o solo mais uma vez. Não é à toa que um de seus símbolos seja a serpente, animal que rasteja pela terra, faz sua morada dentro dela e se renova trocando de pele.

Enquanto seu trânsito ao longo de cada um dos signos leva muitos anos, influenciando o submundo coletivo de toda uma geração, a casa onde ele se posiciona no mapa astral indicará as áreas da vida em que tenderemos a vivenciar os processos de morte e renascimento, destruição e reconstrução, capazes de nos levar às profundezas de nosso ser. Lá também estarão nossa fonte de cura e regeneração.

Plutão e os domínios infernais

ELEMENTO	ESCRAVIDÃO PESSOAL	SENTIMENTO OCULTO	PADRÃO DESTRUTIVO	CAVALEIRO DO APOCALIPSE
Fogo (Áries, Leão, Sagitário)	Necessidade de afirmação do eu	A impotência	O constante forçar-se além dos limites	Guerra
Terra (Touro, Virgem, Capricórnio)	Obsessão por estabilidade e posses	A pobreza	A exaustão pelo hábito de acumular e muita rigidez	Fome
Ar (Gêmeos, Libra, Aquário)	Busca incessante por ideais	A mediocridade	Insatisfação com a realidade concreta	Peste
Água (Câncer, Escorpião, Peixes)	Relações de dependência	A solidão	Negação de si mesmo	Morte

Quando ocupa no mapa astral um signo de Fogo, Plutão desafiará as noções de nossa própria identidade e expressará uma necessidade obsessiva por autoafirmação. Há um medo irracional de ser engolido pela massa, e por isso há uma busca incessante por se autoafirmar a todo momento. A raiz desses impulsos está no sentimento oculto de impotência e na percepção de que não somos capazes de realizar o que desejamos. Buscando negar esse medo interior, podemos procurar todo tipo de experiência extrema que nos traga a sensação de potência interior, muitas vezes colocando em risco nossa própria existência. Sendo assim, todos os nascidos durante o trânsito de Plutão por signos de Fogo devem enfrentar dentro de si os impulsos da Guerra, o Cavaleiro do Apocalipse que pode levar à sua destruição pessoal, mas sobretudo à capacidade de se transformar e se regenerar por meio de tais experiências.

Quando ocupa um signo de Terra, Plutão oculta um sentimento de pobreza interior e insatisfação com a própria vida. Também pode expressar uma necessidade obsessiva com o controle de si mesmo, o domínio do eu – como se de algum modo a pessoa sentisse que a própria vida não lhe pertence. Isso se exteriorizará como uma necessidade de dominar e controlar o mundo, principalmente por meio de posses e recursos materiais, os quais ela tentará acumular de modo incessante, ou dos quais desdenhará, tendo uma relação completamente desequilibrada que vai colocá-la em contato com esse sentimento interior de escassez. Por isso, o Cavaleiro do Apocalipse que trava uma batalha interior no mundo psicológico dessas pessoas é a Fome – o sentimento de insaciedade e insuficiência.

Ocupando um signo de Ar, Plutão exercerá seu poder nos domínios da mente e dos ideais inatingíveis, que estarão em constante contraste com a realidade concreta, sendo isso, para ele, fonte de sofrimento – por isso o Cavaleiro do Apocalipse que deve ser enfrentado aqui é a Peste, a visão de um mundo imperfeito e enfermo, um pessimismo interior dominante que levará as pessoas sob sua influência à fuga para a realidade idealizada de sua mente, provocando isolamento e dificuldade de se relacionar. Há uma necessidade profunda de transformar a maneira pela qual nos comunicamos, aprendemos e nos relacionamos, mas a impossibilidade de transformar o mundo inteiro trará à tona o sentimento oculto por esse Plutão – a mediocridade pessoal e interior, que será projetada para a coletividade.

Já em um signo de Água, o mundo emocional, Plutão nos leva às camadas mais profundas dos sentimentos para revelar a solidão, fruto do medo de não sermos amados. A natureza da Água é se conectar, e é dessa forma que as experiências de Plutão se expressarão – seja criando uma ilusão de superioridade e autossuficiência para não lidar com a fraqueza, seja estabelecendo relações de grande dependência e anulação pessoal em nome do outro para evitar a solidão. Tudo isso fará com que a pessoa experimente uma sensação de insatisfação, revelando as dores de se sentir só.

O Cavaleiro do Apocalipse que personifica esse tipo de experiência é a Morte, que às vezes pode ser romantizada como a única maneira de se ligar ao Todo genuinamente, rompendo as limitações da solidão e lançando-se nas águas da vida.

Posicionamentos de Plutão

DOMICÍLIO	EXÍLIO	EXALTAÇÃO	QUEDA
ESCORPIÃO ♏	TOURO ♉	LEÃO ♌	AQUÁRIO ♒

Plutão nos signos

Plutão leva cerca de 248 para dar uma volta completa ao redor do Sol e percorrer todos os signos do zodíaco. Sua órbita é elíptica, o que faz com que o tempo de permanência em cada signo varie drasticamente, levando de onze a trinta anos em cada um. O tempo ainda poderá ser maior ou menor de acordo com os períodos de movimento retrógrado. Por passar muito tempo em cada signo, ele é classificado como um planeta geracional, e sua influência é exercida sobre uma geração inteira, e não sobre a personalidade individual. Seus efeitos particulares no mapa astral são mais bem compreendidos pela análise da casa astrológica em que se encontra.

Seu trânsito pelos signos representa o submundo de toda uma geração, e só podemos entender suas influências em nível pessoal quando analisamos a casa ocupada por ele e os aspectos formados com outros planetas em nosso mapa astral. Consulte os capítulos seguintes desta obra para obter essas informações.

PLUTÃO RETRÓGRADO: Um "R" ao lado do símbolo de Plutão no mapa astral indica que ele estava retrógrado no momento do seu nascimento. Isso expressa um sentimento de apego e dificuldade em se permitir vivenciar as transformações interiores. Há também um medo de assumir o controle sobre a própria vida e certa tendência a permanecer com a consciência sob a superfície, fugindo do mundo exterior. No geral, há dificuldade em expressar as qualidades do signo em que se posiciona.

A tabela abaixo descreverá as características sociais que esse planeta inspira coletivamente nas pessoas que nasceram durante a permanência de Plutão em cada um dos signos.

Para entender como Plutão afeta seu mapa astral em nível pessoal, use o capítulo anterior para interpretar o signo onde ele está posicionado, e os capítulos seguintes para analisar a casa onde ele se posiciona – ou seja, a área da vida que está sob sua influência – e os aspectos que forma com outros planetas, fortalecendo ou dificultando sua expressão.

SIGNO	CONFLITO INTERIOR	RENOVAÇÃO INTERIOR
Áries	Poder e impotência.	Autoafirmação e coragem para romper com o passado.
Touro	A satisfação pessoal e os recursos naturais.	Mudança na relação do eu e suas posses.
Gêmeos	O valor do conhecimento e do aprendizado.	Revoluções na educação.
Câncer	Necessidades pessoais e coletivas.	Relações familiares e grupais de modo geral.
Leão	Independência do eu e escravidão do outro.	A busca por valores pessoais sólidos.
Virgem	Exigências da sociedade e necessidades imediatas.	A saúde, o trabalho e a ecologia.
Libra	Casamento, artes e relações consolidadas.	Leis que regem a sociedade e as interações humanas.
Escorpião	Poder interior e dominação exterior.	A sexualidade e os poderes ocultos. Os potenciais proibidos.
Sagitário	Instituições religiosas e morais norteadoras da experiência humana.	A busca por um sentido mais profundo para a vida.
Capricórnio	Leis e obrigações.	Ordem, hierarquia e todas as instituições de poder.
Aquário	O ideal coletivo e a liberdade pessoal.	Ideologias e visão de ser humano. A tecnologia.
Peixes	O inconsciente e as definições de realidade.	Experiências de transcendência da consciência.

SIGNO	SENTIMENTO DE SOBREVIVÊNCIA	A SOMBRA COLETIVA
Áries	O controle de si mesmo.	O assassino.
Touro	A relação do eu com o meio ambiente.	O acumulador.
Gêmeos	O entendimento sobre a realidade.	O prestidigitador.
Câncer	A ligação com o lar, o país e a família (imediata ou estendida).	O patriota fanático.
Leão	A expressão e o desenvolvimento do eu.	O escravagista.
Virgem	A busca pela cura interior.	O falso médico.
Libra	A harmonia entre o eu e o outro.	O juiz impiedoso.
Escorpião	A emergência de uma visão de mundo profunda e mais integrada.	O abusador.
Sagitário	Os valores éticos e a relação com o sagrado.	O falso guru.
Capricórnio	Revisão dos valores tradicionais.	O ditador.
Aquário	Relacionamentos e interdependência.	O cientista louco.
Peixes	A ligação do eu com o todo.	O adicto.

Correspondências de Plutão

COR: preto

NÚMERO: 11

DIA DA SEMANA: terça-feira

ELEMENTO: Água

ARCANJO: Azrael

METAL: plutônio, cromo, aço

PEDRAS: obsidiana floco de neve, howlita, turmalina negra

ERVAS E/OU FLORES: romã, crisântemo, beladona

TARÔ: A Morte

MITOLOGIA: Hades, Pluto, Plutão, Ereshkigal, Hel, Tanatos, Osíris, Perséfone

CAPÍTULO 5
AS CASAS ASTROLÓGICAS

As casas astrológicas representam doze áreas da vida definidas com base na linha do horizonte, onde de um lado encontramos o Ascendente e do outro, o Descendente.

Essa linha horizontal corta o mapa astral em duas metades: a superior representa o céu acima de nós, ou o "céu visível" no momento do nascimento, enquanto a parte de baixo representa o "céu invisível". Então, se você nasceu durante o dia, por exemplo, o Sol estará na metade superior do seu mapa astral; se nasceu à noite, o astro será localizado na metade inferior.

Cada uma dessas duas metades do mapa astral é então dividida em seis seções, totalizando 12 áreas no céu: as 12 casas astrológicas.

As seis primeiras casas astrológicas correspondem à metade inferior do mapa astral, enquanto as seis últimas são o céu visível e observável.

Há uma outra linha fundamental para a divisão do mapa astral: aquela que identifica o Meio do Céu e o Fundo do Céu, correspondentes aos pontos de meio-dia e meia-noite. Essa é uma linha vertical, e por intermédio dela vemos tanto o signo que estava no ponto mais alto do céu na hora do nascimento quanto o signo que estava exatamente abaixo de nós nessa perspectiva da linha vertical simbólica.

Ao passo que todas as 12 casas são fixas no céu, os signos, luminares e planetas vão girando por elas, e, assim, no momento do nosso nascimento, há uma disposição única de todos os astros pelas 12 casas do mapa. É ao estudo dessas casas astrológicas que nos dedicaremos neste capítulo.

Cada casa astrológica, como vimos no Capítulo 2, está relacionada a uma área da experiência humana. Mas como podemos interpretá-las?

Tipos de casa astrológica

As duas linhas básicas do mapa astral, uma horizontal e outra vertical, fazem-no se dividir em quatro quadrantes. Enquanto a porção invisível do céu, ou seja, a metade de baixo do mapa astral, correspondente aos quadrantes 1 e 2, fala dos aspectos privativos da nossa vida (afinal, é aquilo que está invisível no céu), a parte de cima, os quadrantes 3 e 4, revelam os aspectos públicos de nossa vida.

Da mesma maneira, o lado esquerdo da linha do Meio do Céu e Fundo do Céu, ou seja, os quadrantes 4 e 1, diz respeito aos aspectos pessoais de nossa vida, e o lado esquerdo do mapa, os quadrantes 2 e 3, tratam de tudo o que é coletivo. Isso acontece porque as casas da esquerda estão mais próximas do signo Ascendente, ou seja, o centro da identidade, enquanto as casas da direita estão mais próximas ao Descendente, que representa o Outro com o qual nos relacionamos. Portanto, obtemos:

	PESSOAL	COLETIVO
VIDA PÚBLICA	Quarto quadrante	Terceiro quadrante
VIDA PRIVADA	Primeiro quadrante	Segundo quadrante

Assim como na relação entre os signos e os meses das estações do ano encontramos a classificação de signos cardinal, fixo e mutável, cada uma das três casas de cada quadrante terá uma classificação diferente.

A primeira casa de cada quadrante é chamada de angular, e sua energia representa nossa maneira de atuar no mundo ao redor, ou seja, nossa **atitude**.

A segunda casa de cada quadrante é chamada de sucedente e representa a busca por **estabilidade** em diferentes áreas da vida. Já a terceira e última casa de cada quadrante é chamada de cadente, sendo associada ao nosso desenvolvimento por meio de transformações – as **lições** que devemos aprender.

Cada casa astrológica também está associada a um dos quatro elementos da natureza. Então, se pensarmos que as casas de Fogo tratam da nossa identidade e noção do eu, as casas de Terra tratam do plano material, as casas de Ar tratam das relações em geral, amor, amizade, vida social etc., e as casas de Água, de nossa natureza emocional e espiritual, teremos a seguinte classificação:

CASA	QUADRANTE	TIPO	ELEMENTO	QUALIDADE
Casa 1	Primeiro	Angular	Fogo	Atitude do eu
Casa 2	Primeiro	Sucedente	Terra	Estabilidade material
Casa 3	Primeiro	Cadente	Ar	Lições nas relações sociais
Casa 4	Segundo	Angular	Água	Atitude emocional
Casa 5	Segundo	Sucedente	Fogo	Estabilidade do eu
Casa 6	Segundo	Cadente	Terra	Lições materiais
Casa 7	Terceiro	Angular	Ar	Atitude nos relacionamentos
Casa 8	Terceiro	Sucedente	Água	Estabilidade emocional
Casa 9	Terceiro	Cadente	Fogo	Lições do eu
Casa 10	Quarto	Angular	Terra	Atitude material
Casa 11	Quarto	Sucedente	Ar	Estabilidade nos relacionamentos, nas relações sociais e amizades
Casa 12	Quarto	Cadente	Água	Lições emocionais

Interpretação das casas astrológicas

Mas, afinal, como devemos interpretar cada uma das casas astrológicas de acordo com a distribuição dos astros no mapa astral?

Vejamos as informações a seguir.

O signo, o astro regente e as casas vazias

Ao passo que os temas das 12 casas podem ser associados aos signos na mesma ordem de ocorrência, ou seja, a casa 1 trata de temas ligados ao signo de Áries; a casa 2, daqueles ligados a Touro, e assim por diante, não significa que esses serão os signos ocupantes das casas astrológicas no seu mapa astral – isso será determinado pelo horário do seu nascimento, que, da mesma forma que revela qual é seu signo Ascendente, também mostrará a posição de todos os outros signos em relação às casas astrológicas.

Chamamos de **cúspide** a linha que dá início a uma casa astrológica. O signo que for tocado por essa cúspide representará a energia atuante sobre aquela área da vida, e o astro regente desse signo será também o regente daquela casa astrológica no mapa astral. Portanto, se a cúspide da sua casa 4 estiver no signo de Libra, por exemplo, isso faz de Vênus, o planeta regente do signo de Libra, também o regente da sua casa 4, não importando onde esteja a Lua (natural da casa 4) no mapa astral – haja ou não outros planetas nessa casa astrológica.

Analisar esse astro regente, sua posição no mapa astral e os aspectos que forma com outros planetas (veja o Capítulo 6) o ajudará a entender as influências energéticas sobre aquela casa. Essas relações também vão estabelecer uma dinâmica entre as casas e os setores da vida.

Vamos a um exemplo: se o planeta regente da minha casa 4, a casa da Família, for Júpiter, mas Júpiter estiver na minha casa 11, a casa das Amizades, isso quer dizer que esses dois setores da minha vida estão em direta comunicação. O posicionamento positivo ou negativo de Júpiter indicará a natureza dessa relação.

Entender essa influência do planeta regente sobre todas as casas astrológicas no mapa astral é muito importante, pois nem todas elas serão ocupadas por planetas. Sendo assim, sempre que houver uma **casa vazia**, ou seja, sem nenhum planeta, você deverá interpretar a posição do astro regente do signo para entender as energias atuantes sobre esse setor da sua vida.

Por exemplo, suponhamos que sua casa 10, ligada à imagem pública e à carreira, não tenha nenhum planeta, mas sua cúspide toque o signo de Câncer. Como interpretar as influências astrais que agem sobre essa casa? Simples: basta olhar para a regente de Câncer, a Lua. Analise o signo em que ela se encontra e se forma aspectos positivos ou negativos com outros planetas (veja o Capítulo 6). Tudo isso revelará mais sobre sua casa 10.

Outros signos em cada casa

Você perceberá que, na maioria das vezes, um segundo signo também ocupará cada uma das casas astrológicas do seu mapa. Isso acontece porque, na maioria dos mapas astrais, a cúspide de cada casa não corresponde à cúspide de cada signo, fazendo com que haja outras influências astrais sobre cada setor de sua vida. Isso revelará uma segunda energia atuante sobre aquela casa. Às vezes temos dois planetas que, apesar de estarem na mesma casa astrológica, estarão em signos diferentes. Interpretar esse segundo signo o ajudará a identificar as energias secundárias que atuam sobre aquele setor de sua vida.

Signos interceptados

A esfera celeste do mapa astral é um círculo completo de 360°. Se ele for dividido em 12 seções de mesmo tamanho, teremos 12 casas de 30° cada uma. Entretanto, dependendo da localização geográfica em que nascemos, haverá uma distorção no tamanho de algumas casas do mapa, que torna algumas maiores e outras menores. Como a divisão dos 12 signos sempre obedecerá à medida de 30° para cada um deles, isso pode gerar aquilo que chamamos de **signo interceptado** – quando um signo fica completamente dentro de uma das casas do mapa, mas não toca nenhuma cúspide, ou seja, não se torna o signo regente de nenhuma área da vida.

Isso significa que teremos dificuldade para expressar a energia desse signo, pois ele não encontra uma vazão natural em nenhum dos setores da experiência humana para nós. Representa as habilidades que teremos mais dificuldade em desenvolver e que exigirão muito de nossa atenção e esforço; é como se a energia daquele signo, e por consequência suas habilidades, ficassem represadas dentro de nós.

A presença de um signo interceptado significa que haverá outro signo que tocará a cúspide de duas casas, tornando-se assim regente de dois setores da vida. Isso mostra que haverá uma dispersão das qualidades e habilidades desse signo, trazendo-nos dificuldades para direcionar e expressar suas características de maneira ordenada e focada.

Planetas confinados

Quando um planeta ou luminar ocupa um signo interceptado, ele se torna aquilo que chamamos de **planeta confinado**. Também haverá dificuldade para a expressão da energia e das potencialidades desse planeta ou luminar em nossa vida, por estar em um "ponto cego" do mapa astral. Isso influenciará naturalmente os planetas com os quais ele faz aspecto e a casa astrológica que estiver sob sua regência.

No caso de um planeta confinado, o astro se expressará de maneira fantasiosa e sonhadora, com dificuldades para agir nos aspectos práticos e concretos da vida. Se o planeta confinado está retrógrado, isso indica que essa ação distorcida do planeta atuará em níveis bem mais interiores, tornando ainda mais difícil sua percepção e exigindo mais do esforço da pessoa para superar essas dificuldades.

Casa 1 – o Ascendente

CORRESPONDÊNCIAS DA CASA 1					
SIGNO	DOMICÍLIO	ELEMENTO	TIPO DE CASA	QUADRANTE	TEMA
ÁRIES	MARTE	FOGO	ANGULAR	PRIMEIRO	IDENTIDADE

Temas fundamentais

A *identidade básica, maneira de agir e se comportar, a aparência física, a vitalidade, como me diferencio dos demais, como inicio projetos, meu temperamento.*
Todos os planetas da casa 1 têm atuação direta sobre a personalidade imediata.

Signo Ascendente

A cúspide da casa 1, ou seja, a linha que marca seu início no mapa astral, aponta para o Leste e revela o signo que se elevava no horizonte no exato momento do nosso nascimento. Para a Astrologia, a primeira respiração da criança é o que marca efetivamente seu nascimento, pois é nesse instante que o bebê deixa de depender com exclusividade da mãe e do cordão umbilical para receber oxigênio, e passa a respirar por conta própria, simbolizando o surgimento da individualidade. Apesar de o bebê ainda estar completamente dependente dos cuidados e do amparo do mundo exterior, é nesse momento que podemos dizer que ele ganha "vida própria". Muitas tradições espirituais atribuem o ato da primeira inspiração à entrada definitiva do espírito no corpo físico, e, da mesma maneira, a última expiração como o momento em que o espírito deixa o corpo.

Devemos lembrar que a cúspide da casa 1 é o ponto exato onde ela se separa da anterior casa 12, associada ao signo de Peixes, o oceano primordial onde toda a vida se mistura e o próprio inconsciente se encontra. Da mesma forma que o bebê flui de dentro do ventre materno, o signo Ascendente é aquele que se levanta do oceano psicológico para reger a casa 1 do mapa astral, ou seja, ele fala sobre tudo aquilo que nos faz únicos e originais. Por isso, o signo Ascendente nos ajuda a compreender nossa maneira pessoal de nos sentirmos únicos e de nos diferenciarmos do mundo ao redor.

Não podemos nos esquecer de que o Ascendente, junto do Sol e da Lua, faz parte do conjunto de posições astrológicas que definem nossa personalidade mais básica e essencial. Enquanto o Sol revela "quem sou eu", apontando para aspirações, vocações, dons e lições de vida, o Ascendente nos explica "como eu sou", ou seja, a maneira de nos comportarmos e, principalmente, a forma como enxergamos a nós mesmos e somos vistos pelos outros

Entendendo o Sol como nossa essência fundamental, o caminho que precisamos percorrer e o destino que devemos alcançar, o Ascendente mostra quais são as ferramentas que trazemos conosco para cumprir essa missão solar.

Arquetipicamente, podemos pensar no signo Ascendente como a *persona fundamental*. A palavra *persona* faz referência às máscaras que eram utilizadas no teatro grego, sendo usada também na psicologia analítica para se referir à identidade social compartilhada, aos papéis sociais que desempenhamos junto dos outros. Ao longo da vida, formamos muitas *personas* diferentes, de acordo com os grupos que integramos, mas o signo Ascendente diz respeito à maneira mais imediata pela qual nós nos percebemos, à nossa espontaneidade, aparência física e à primeira impressão que transmitimos aos outros.

Esse signo vai ser a lente pela qual filtramos e enxergamos o mundo, uma porta de entrada para nossa casa interior – muitas vezes, aquilo que parecemos ser e que fica à mostra para o mundo.

Interpretação do signo Ascendente

Antes de tudo, é importante dizer que o signo Ascendente é mais bem entendido quando suas características são cruzadas com o Sol e a Lua, tal qual vimos no Capítulo 4. Para uma visão mais completa a respeito das influências do signo Ascendente sobre sua personalidade, leia a seção referente a esse signo no Capítulo 3 tendo em mente as seguintes perguntas: Como me expresso? Como busco minha individualidade? Como os outros me percebem? O signo da cúspide da sua casa 1 também determinará o planeta regente desse setor do mapa astral, e analisar sua posição o ajudará a entender melhor as forças que atuam aqui. Como a casa 1 está naturalmente associada à energia de Áries, isso estabelece uma relação entre os temas dessa casa e Marte, e a análise desse planeta no mapa astral também poderá enriquecer sua interpretação.

Para uma visão resumida, acompanhe a tabela a seguir.

SIGNO	COMO ME EXPRESSO	COMO SOU PERCEBIDO	A BUSCA DA INDIVIDUALIDADE
ÁRIES Regência de Marte	Apaixonado, intenso, impulsivo, competitivo.	Espírito de liderança, corajoso, cheio de energia.	Na construção da própria independência.
TOURO Regência de Vênus	Calmo, relaxado, persistente, prático e objetivo.	Emotivo e sensual, com aparência agradável e um ar amigável e bondoso.	Na segurança e estabilidade de vida.
GÊMEOS Regência de Mercúrio	Comunicativo e criativo, curioso e de mente rápida.	Inteligente, eloquente, flexível. Faço muitas coisas ao mesmo tempo.	Na liberdade pessoal e conquista das próprias ideias.
CÂNCER Regência da Lua	Emocionalmente sensível e delicado; prefiro evitar conflitos.	Tímido e reservado, romântico, empático e ambicioso.	Na construção de relacionamentos sinceros.
LEÃO Regência do Sol	Enérgico, autoritário, otimista, criativo e intenso.	Alegre, confiante, expressivo, líder, generoso e ambicioso.	Na expressão pessoal.
VIRGEM Regência de Mercúrio	Metódico, detalhista, acolhedor, altruísta e objetivo.	Cuidadoso, sistemático, solícito, precavido, perfeccionista.	No aperfeiçoamento de si mesmo.
LIBRA Regência de Vênus	Elegante, amigável, pacífico, agradável, encantador.	Diplomático, alegre, charmoso, equilibrado e muito sociável.	Na harmonia.
ESCORPIÃO Regência de Plutão	Misterioso, sugestivo, questionador, intenso, observador.	Determinado, reservado, desconfiado, sedutor, observador.	No controle de si e uso do poder pessoal.
SAGITÁRIO Regência de Júpiter	Comunicativo, apaixonado, ousado, expansivo e criativo.	Espírito livre, otimista, inspirado, bondoso, justo, leal, confiante.	Na liberdade para desbravar o mundo.
CAPRICÓRNIO Regência de Saturno	Metódico, seguro, conservador, desconfiado.	Disciplinado, organizado, determinado, prático, paciente e persistente.	Na construção de estruturas sólidas.
AQUÁRIO Regência de Urano	Criativo, expressivo, livre, ousado, questionador, idealista.	Excêntrico, independente, amigável, inteligente, rebelde.	Na expressão da originalidade.
PEIXES Regência de Netuno	Simpático, compreensivo, empático, sensível.	Flexível, mutável, resiliente, reservado, sonhador, criativo.	Em um sentido de vida profundo.

Planetas

PLANETA	IDENTIDADE PESSOAL	ASPECTO SOMBRIO
SOL O Herói	A *realização pessoal* é encontrada pela autoafirmação, independência e realização de projetos pessoais. Traz autonomia e uma personalidade intensa.	Pode gerar uma personalidade egoísta, narcisista e individualista, com dificuldade para ouvir as pessoas ao redor.
LUA O Eu Emocional	As *emoções* fundamentam a personalidade, que é sensível, empática, intuitiva e afetiva, dando grande valor aos relacionamentos.	Humores oscilantes e bastante variáveis. Comportamento infantilizado e dependente. Age seguindo as emoções e os instintos.
MERCÚRIO O Comunicador	A *comunicação* faz parte de sua natureza fundamental. Cria uma personalidade flexível, adaptável e mutável. Habilidade de negociação e persuasão.	Movido pela curiosidade. Personalidade dispersa, com dificuldade para se concentrar.
VÊNUS A Amante	As *relações* são experiências importantes. Traz beleza, sorte e vaidade. Facilidade para atrair a atenção das pessoas. Popularidade e inclinações artísticas.	Possessividade e dificuldade para aceitar perdas; preocupação excessiva com a aparência e a imagem que mostra ao mundo.
MARTE O Guerreiro	A *força interior* está orientada para a capacidade de começar, realizar, conquistar e se diferenciar. Espírito guerreiro. Tem muita vitalidade e espontaneidade.	Impaciência e espírito beligerante, envolvendo-se constantemente em brigas e discussões. Inflexibilidade e teimosia. Competitividade e impulsividade exageradas.
JÚPITER O Grande Rei	*Amplifica* a busca pela independência. Personalidade otimista, confiante, segura de si, carismática e nobre, autêntica e com tendência a liderar.	Ego inflado. Dificuldade para enxergar riscos e dificuldades. Crença exagerada no próprio potencial. Dificuldade para ouvir críticas.
SATURNO O Desafiador	*Restringe* a iniciativa pelo fato de agir sempre cautelosamente. Prudência, responsabilidade e comprometimento. Personalidade séria e madura.	Falta de confiança e segurança em si mesmo. Pessimismo exagerado. Dificuldade para expressar o que sente de verdade e superar limites.
URANO O Libertador	Provoca *mudanças intensas* na noção de identidade. Espírito livre e contestador, que busca a liberdade, a expansão e combate restrições e proibições.	Ansiedade excessiva. Frieza e dificuldade para criar laços profundos. Rebeldia sem causa.
NETUNO O Sonhador	Traz *sensibilidade* para as ações no mundo. Personalidade orientada para a coletividade, intuitiva, criativa, sensível e psíquica. Sentido de missão interior.	Personalidade ingênua e sonhadora, com pouco senso da realidade. Vive projetado no mundo interior. Imprevisível. Dificuldade de fazer escolhas. Vitimização.
PLUTÃO O Guardião dos Segredos	*Experiências profundas* na construção da individualidade. Poder pessoal; facilidade para guiar pessoas em processos dolorosos. Personalidade misteriosa, sedutora e intuitiva.	Necessidade de controle das outras pessoas. Ansiedade; medo de ser abandonado. Teimosia e comportamento tempestuoso.

Lição espiritual

O tema fundamental da casa 1 é "Eu sou". Essa é a casa do nascimento, dos inícios e de nossa própria individualidade.

A representação de quem somos verdadeiramente se dá por todo o mapa astral, mas é na casa 1 que encontramos a essência mais básica; é por meio dela que conhecemos o corpo físico, sendo também considerada a "casa da encarnação".

A casa 1 vem para nos lembrar de nossa singularidade e propósito. Assim como o nascimento é o início de nossa jornada neste mundo, a casa 1 é o começo de nossa jornada pelo mapa astral – é uma parte de nossas potencialidades, mas é nessa casa que ganhamos a vida e nos diferenciamos da totalidade e da coletividade.

Ao meditarmos sobre a casa 1, devemos contemplar nossa existência como um presente divino e nos lembrar de que é através da vida – e do corpo material, como um veículo temporário da vida – que podemos conhecer o mundo, sorrir, amar e trabalhar segundo um propósito maior.

Esse ponto do mapa nos faz recordar que nascemos de uma centelha espiritual e, por isso, é para ela que devemos nos voltar a fim de buscar o sentido da vida. Tudo aquilo que é imbuído de um propósito maior torna-se poderoso; desse modo, ao meditarmos sobre nossos propósitos de vida, damos sentido a ela.

É por meio do nascimento que a consciência cósmica da unidade se individualiza e se torna consciente de si mesma.

O antigo Oráculo de Delfos, na Grécia, era um templo sagrado dedicado ao Deus do Sol Apolo, para onde as pessoas peregrinavam quando precisavam de orientação sobre o sentido da vida. Esse santuário trazia a famosa inscrição: "Conhece-te a ti mesmo". Esse axioma sagrado nos ensina que é por intermédio da consciência que podemos nos conhecer. Sendo assim, a casa 1 não é apenas um convite para desvendarmos todos os mistérios do restante do mapa astral, mas também um lembrete do milagre da vida que existe em todos nós.

Casa 2 – as posses

CORRESPONDÊNCIAS DA CASA 2					
SIGNO	DOMICÍLIO	ELEMENTO	TIPO DE CASA	QUADRANTE	TEMA
TOURO	VÊNUS	TERRA	SUCEDENTE	PRIMEIRO	ESTABILIDADE

Temas fundamentais

A *estabilidade, os bens materiais, o que se valoriza, o que é fonte de segurança, os recursos disponíveis, o sustento, valores pessoais, talentos e ocupações que podem ser fonte de sustento e prosperidade.*

Signo regente

A cúspide da casa 2 marcará em seu mapa o signo que rege a casa das Posses; assim, indicará sua maneira pessoal de lidar com todos os temas relacionados a ela: de onde vem sua segurança material, os valores que regem sua personalidade, o chão firme sob seus pés.

Em nossa sociedade materialista, há uma tendência a se pensar na casa 2 apenas como a casa do dinheiro, mas isso não é verdade. Tudo aquilo que é fonte de sustento, estrutura e estabilidade para nós fica representado nessa casa, e, apesar de o dinheiro ser um desses elementos, não é o único.

Mas é para essa casa que nós nos voltamos quando precisamos entender a relação com os recursos (entre eles, o dinheiro) – não só os que temos, mas também os que usamos.

Por exemplo: Como posso fazer para ganhar meu dinheiro? Quais recursos tenho disponíveis dentro de mim para conquistar algo?

O signo regente da casa 2 e os planetas que a ocupam também nos ajudarão a entender quais são os talentos naturais que podem servir como fonte de renda e ganho para nós.

Como essa é uma casa que está no primeiro quadrante do mapa, também se relaciona à nossa infância. Se a casa 1 é o nascimento, a casa 2 é tudo aquilo que assegura nossa sobrevivência; tudo aquilo que podemos chamar de "meu". Nela podemos entender melhor os recursos que estiveram disponíveis para nós durante a infância e a forma como nos sentimos nutridos e sustentados nos primeiros anos de vida.

Lembre-se de que por meio do signo regente da casa 2, ou seja, o signo que é tocado por sua cúspide, podemos descobrir qual é o planeta que rege esse setor da sua vida. Analisar a posição desse planeta no mapa também ajudará a entender melhor como esse tema se expressa.

SIGNO	ONDE BUSCO SEGURANÇA	MEUS VALORES FUNDAMENTAIS	MINHA RELAÇÃO COM O DINHEIRO
ÁRIES Regência de Marte	As posses materiais trazem um sentimento de realização pessoal.	Detesto depender das pessoas. Sou corajoso e criativo. Tenho espírito empreendedor.	Busco a independência financeira. Gasto impulsivamente com meus próprios desejos.
TOURO Regência de Vênus	A segurança material é uma necessidade fundamental na vida.	Praticidade para lidar com as necessidades básicas. Apreciação pelo conforto e pelo próprio corpo.	Gasto de maneira prudente. Administro bem os recursos. Levo tempo para conseguir minha estabilidade.
GÊMEOS Regência de Mercúrio	No plano da comunicação, do aprendizado e das ideias.	Flexibilidade, sagacidade, criatividade e curiosidade. Não gosto de me sentir aprisionado nem de viver sob regras rígidas.	Ganhos envolvendo a mente e a comunicação. Dificuldade em poupar e acumular. O dinheiro deve circular.
CÂNCER Regência da Lua	Nas relações e na afetividade. Minhas posses têm valor emocional.	Tendência nutridora e de cuidar muito dos outros. Preservação do próprio espaço e da casa.	Poupo para momentos de necessidade. Gasto dinheiro para trazer segurança emocional.
LEÃO Regência do Sol	Na imagem de sucesso que transmito. Atração por coisas caras e luxuosas.	Tendências artísticas e expressivas para ganhar dinheiro. Generoso, digno.	Busco estabelecer meu status pelas posses. Gasto para satisfazer meus desejos.
VIRGEM Regência de Mercúrio	Na gestão eficiente dos próprios recursos e na busca pelo perfeccionismo.	Fazer bom uso dos recursos; saber fazer o dinheiro render. Prezo a qualidade e a eficiência das posses.	Finanças organizadas e bem estruturadas. Estabeleço prioridades e gasto só com o necessário.

LIBRA Regência de Vênus	Nos valores pessoais e no senso de justiça.	Gosto de compartilhar o que tenho; não sou mesquinho. Necessidade de estar em ambientes organizados e belos.	Lido com dinheiro de maneira organizada. Posso estabelecer relações financeiras de dependência.
ESCORPIÃO Regência de Plutão	Nas paixões. Necessidade de satisfazer os desejos.	Necessidade intensa de controlar a própria vida financeira. Fontes de renda alternativas.	Relação apaixonada com o dinheiro e as posses. Extremos de abundância e escassez.
SAGITÁRIO Regência de Júpiter	Na própria independência e no crescimento pessoal.	Busco expandir a consciência por meio de posses como viagens, cursos, contato com outras culturas. Valorizo o sentimento de liberdade.	Gastos impulsivos. Não me apego muito aos bens materiais.
CAPRICÓRNIO Regência de Saturno	Minhas posses me trazem a sensação de sucesso e realização.	Praticidade e responsabilidade. Valores tradicionais e conservadores. Orientado ao trabalho.	Gasto com cautela; dou grande valor a bens e aquisições. Tendência para acumular posses.
AQUÁRIO Regência de Urano	Nos grupos e nas relações sociais que estabeleço.	Valores humanitários visando o bem comum. Interesse por ciência e tecnologia. Busca por independência.	Renda instável. Generosidade com os bens materiais.
PEIXES Regência de Netuno	Busco segurança emocional e espiritual.	Altruísmo; uso meus recursos para ajudar os outros. Tendências artísticas e intuitivas para ganhar dinheiro.	Dificuldade para administrar bens e dinheiro. Desapego de coisas materiais.

Planetas

PLANETA	RELAÇÃO COM AS POSSES	TALENTO PARA GANHAR DINHEIRO
SOL O Herói	A *realização pessoal* é encontrada por meio de posses e da estrutura material que estabelece para a própria vida. Necessidade de formar bases sólidas e seguras.	Produtividade, segurança e autoconfiança. A busca pela estabilidade é seu grande motivador para ganhar dinheiro.
LUA O Eu Emocional	As *emoções* buscam um ambiente seguro, estável, concreto e constante. Não gosta de altos e baixos emocionais.	Sensibilidade, empatia, facilidade para se colocar no lugar do outro, intuição.
MERCÚRIO O Comunicador	A *comunicação* é um talento natural para lidar com as finanças. A inteligência ajuda a passar por momentos financeiros difíceis. Fontes de renda sempre variáveis.	Educação, comunicação, vendas. Usa as habilidades mentais para se relacionar com as pessoas e ganhar dinheiro.
VÊNUS A Amante	Traz *apreciação* por conforto, estabilidade, beleza e segurança. Aspecto próspero que indica sorte na vida material. Generosidade com as relações estabelecidas.	A beleza e a estética, tudo o que envolve as relações sociais ou que está mais ligado ao universo feminino. Traz sorte para a vida financeira.
MARTE O Guerreiro	*Força interior* para conquistar independência e estabilidade material. Competitividade e necessidade de prosperidade imediata. Busca afirmar-se por meio das posses.	Com atividades que envolvam liderança, competitividade, determinação e persistência.
JÚPITER O Grande Rei	*Amplifica* a experiência de segurança material. Traz prosperidade e abundância. Sorte nos momentos de escassez. Traz motivação e generosidade.	Os ganhos materiais devem estar ligados à sua ética e valores pessoais. Facilidade para inspirar e guiar outras pessoas.
SATURNO O Desafiador	*Restringe* a capacidade de conseguir a própria independência material. Provas e dificuldades para conquistar estabilidade. Demora para conquistar posses.	Sua visão prática e realista ajuda a traçar planos para concretizar os objetivos. Preserva-se e evita correr riscos, o que muitas vezes o poupa.
URANO O Libertador	Provoca *mudanças intensas* no senso de segurança e na estabilidade financeira. Busca por independência e gerar o próprio dinheiro. Mudanças constantes de trabalho. Desapego.	Criatividade, inventividade e intuição para obter estabilidade. Precisa se sentir livre para conquistar o que deseja.
NETUNO O Sonhador	Traz *sensibilidade* para lidar com os bens materiais de maneira intuitiva e criativa. Percebe-se a estabilidade financeira de maneira nebulosa. Dificuldade para lidar com aspectos práticos da vida.	Com a intuição e a sensibilidade, o cuidado com o outro e assuntos místicos. Facilidade para compreender as outras pessoas.
PLUTÃO O Guardião dos Segredos	*Experiências profundas* de transformação quanto a estabilidade financeira e posses. Desapego material, mas poder pessoal e determinação para conquistar seus desejos. Vivência de perdas nessa área da vida.	Força de vontade para conquistar o que deseja. Facilidade para explorar talentos pessoais e conseguir dinheiro com eles.

Lição espiritual

Muito mais do que ter, precisamos pensar naquilo que fazemos com nossas posses, afinal, elas devem ser entendidas como instrumentos para conquistarmos o que desejamos, e não como uma finalidade em si. É essa a reflexão que a casa 2 nos convida a fazer: de que maneira usamos e aplicamos os recursos que obtemos para alcançar a realização pessoal? Nossa sociedade nos ensina que o acúmulo de bens e riquezas é tudo de que necessitamos para sermos felizes e bem-sucedidos, mas, na verdade, é o uso correto daquilo que temos, o que fazemos com isso, que realmente pode nos trazer um sentimento de realização.

Vivemos em um mundo onde tudo é transitório: relacionamentos, crenças, nosso próprio corpo e a aparência física. Assim como na natureza, tudo está em constante transformação em nossa vida. Tudo nasce, míngua e morre. Então, na casa das Posses, a área do mapa astral que fala sobre tudo o que é constante e permanente, precisamos meditar a respeito do que realmente podemos possuir de maneira perene.

O que, além de nós mesmos, nossos valores, ética e objetivos de vida, podemos possuir? Se soubermos quem desejamos nos tornar e mantivermos essa meta firme em nossa mente, o mundo inteiro pode mudar e ruir diante de nossos olhos, mas nossos passos permanecerão estáveis e seguros para seguir naquela direção.

A casa 2 nos ensinará a ver as posses materiais como ferramenta para possuir algo muito mais valioso: nós mesmos, nossos valores e recursos interiores.

Como você usa os recursos que tem? Para onde esse uso o faz caminhar? Em que direção segue o chão firme sob seus pés? Isso é tudo que você deve se perguntar nessa área do mapa astral.

Casa 3 – a comunicação

CORRESPONDÊNCIAS DA CASA 3					
SIGNO	DOMICÍLIO	ELEMENTO	TIPO DE CASA	QUADRANTE	TEMA
GÊMEOS	MERCÚRIO	AR	CADENTE	PRIMEIRO	COMUNICAÇÃO

Temas fundamentais

Aprendizado, comunicação, ensino básico, relações sociais, relacionamento com irmãos, fala, escrita e leitura, interesses mentais, a maneira como nos aproximamos dos outros, troca de informações, a lógica e a razão, o ambiente ao redor.

Signo regente

A casa 1 nos diz sobre nossa personalidade mais básica, a maneira pela qual nos apresentamos ao mundo; a casa 2 fala do que temos, nossas posses e senso de segurança; agora, na casa 3, começamos a interagir e nos relacionar. Ela marca o início do processo de socialização, ou seja, a maneira como nos apresentamos às outras pessoas para começar a estabelecer relações; a maneira mais básica de nos comunicarmos e de criarmos vínculos sociais.

Na infância, ela está associada à aquisição da linguagem e à capacidade de se comunicar de maneira clara e inteligente, ao raciocínio ordenado e ao pensamento.

É também para a casa 3 que devemos olhar a fim de entender melhor nossa relação com irmãos e amigos mais próximos. Aqueles que têm muitos planetas nessa casa sentem uma imensa necessidade de se comunicar ou exercitar o pensamento; costumam ser pessoas bem articuladas ou com grandes interesses intelectuais.

Nossa capacidade de negociar e as pequenas viagens também estão sob o domínio da casa 3, cujos temas estão sob o auspicioso Mercúrio.

Encontre a linha que inicia a casa 3 no seu mapa e veja qual é o signo tocado por ela. Esse signo revelará a você qual é o planeta regente dessa área de sua vida. A posição de Mercúrio, o planeta tipicamente associado às temáticas da casa 3, também será um bom indício das forças atuantes sobre esse setor.

Analisar a posição desse planeta ajudará a compreender melhor como essas forças se expressam no seu mapa.

SIGNO	COMO ME COMUNICO	MINHAS RELAÇÕES SOCIAIS	O QUE DEVO APRENDER
ÁRIES Regência de Marte	De maneira rápida, entusiasmada e impaciente.	Facilidade para fazer amizades, espírito de liderança nos grupos, relações apaixonadas.	Não ceder aos conflitos com amigos e irmãos.
TOURO Regência de Vênus	Com clareza, harmonia e senso de propósito.	Estáveis e duradouras. Espírito amigável e acolhedor.	Pensar de maneira mais abstrata e menos concreta.
GÊMEOS Regência de Mercúrio	Com muitas ideias, criativamente e de maneira inteligente. Mente rápida.	Facilidade para me comunicar com as pessoas em qualquer ambiente e situação. Relações baseadas no diálogo.	Tomar cuidado para não criar histórias na minha própria mente e acreditar nelas.
CÂNCER Regência da Lua	De maneira acolhedora, de acordo com meu próprio humor.	Emocionais. Estabeleço laços sinceros de parceria e amizade. Cuidado com o outro.	Não criar relações de dependência com amigos e irmãos.
LEÃO Regência do Sol	Dramático e expressivo. Atraio facilmente a atenção para mim.	Atraio muitos amigos. Espírito de lealdade e fraternidade. Gosto de ser o centro das atenções nos grupos sociais.	Devo tomar cuidado com o egocentrismo nas relações.
VIRGEM Regência de Mercúrio	De modo cuidadoso e atencioso, mas de forma técnica e lógica.	Preocupo-me em cuidar dos outros. Penso bem antes de falar. Crio muitas relações profissionais.	Não colocar as necessidades dos outros à frente das minhas.
LIBRA Regência de Vênus	Com harmonia, clareza e beleza. Fascino pela fala.	Prefiro relações equilibradas, em que sinto que tenho algo a dar e ganhar. Cresço junto com amigos e irmãos.	A dizer não e contrariar o outro quando ele cruzar meus limites pessoais.
ESCORPIÃO Regência de Plutão	De modo misterioso e reservado. Linguagem simbólica e intuitiva.	Prefiro poucos amigos, com quem possa estabelecer relações profundas.	Não me fechar demais em meu próprio círculo social.
SAGITÁRIO Regência de Júpiter	Com entusiasmo e alegria. Fala cativante.	Prefiro amigos que compartilhem de meus interesses filosóficos, religiosos ou da mesma visão de mundo.	Cuidado para não falar demais e agir de menos.
CAPRICÓRNIO Regência de Saturno	Com segurança e autoridade, de modo ambicioso e profissional.	Ajo como pai dos amigos e irmãos. Pode indicar uma educação conservadora na infância.	Falar de maneira afetuosa. Cuidado com discursos frios.
AQUÁRIO Regência de Urano	De modo inspirado e intenso. Desafio e questiono.	Crio laços por meio de ideais compartilhados. Preciso me sentir inspirado em minhas amizades.	Lidar com quem pensa diferente de mim.
PEIXES Regência de Netuno	De forma imaginativa e criativa, com um ar místico.	Busco experiências de transcendência e doação pessoal nas relações, que sejam voltadas ao mundo espiritual, místico ou intuitivo.	Evitar me vitimizar nas relações.

Planetas

PLANETA	ATUAÇÃO PLANETÁRIA	INFLUÊNCIA SOBRE A CASA 3
SOL O Herói	A *realização pessoal* é encontrada na comunicação, no aprendizado e nas trocas. Dá grande importância à vida social.	Traz clareza para as relações sociais e facilidade para se comunicar e fazer novas amizades.
LUA O Eu Emocional	As *emoções* precisam ser expressas com clareza. Necessidade de se sentir ouvido e compreendido.	Todas as relações sociais são permeadas de sensibilidade e afetividade. Há um senso de cuidado com amigos e irmãos.
MERCÚRIO O Comunicador	A *comunicação* e os estímulos mentais são fundamentais nas relações sociais. Mente aberta a mudanças e ao aprendizado.	A comunicação é dinâmica e eficiente. Pode ter muitos amigos, transitar entre diferentes grupos ou trocar de círculos sociais com facilidade.
VÊNUS A Amante	Traz *apreciação* pelas amizades e muita facilidade para se relacionar e fazer amigos. Necessidade de ser agradável aos outros. Fala envolvente e sedutora.	Busca amizades harmoniosas e pacíficas. Facilidade para se relacionar com o público feminino. Cria harmonia entre as pessoas.
MARTE O Guerreiro	A *força interior* está voltada para a busca intelectual ou comunicativa. Competitividade intelectual. Fala agressiva e impulsiva.	As relações sociais são intensas e calorosas. Busca uma posição de liderança nos círculos sociais. Iniciativa para fazer novos amigos.
JÚPITER O Grande Rei	*Amplifica* a capacidade de tirar aprendizados e lições de vida de suas relações sociais. Facilidade para liderar e transmitir conhecimento. Tem prestígio entre os amigos.	Dá grande importância para a vida social, amigos e irmãos. Tem a capacidade de guiar e orientar irmãos ou amigos.
SATURNO O Desafiador	*Restringe* a fala e a comunicação a uma maneira literal, concreta, objetiva e às vezes pessimista de se expressar. Dificuldade para se relacionar. Cria responsabilidade cedo.	Traz experiências de amadurecimento e crescimento pessoal por meio de relações sociais. Pode provocar timidez ou inibição das capacidades sociais ou no aprendizado.
URANO O Libertador	Suas relações sociais estão sempre sofrendo *mudanças intensas*. Busca a liberdade por meio da intelectualidade. Forma laços de amizade sem grandes apegos emocionais.	A vida social é intensa e se relaciona com as pessoas de acordo com ideais compartilhados. Vê no conhecimento e no contato social a possibilidade de encontrar liberdade.
NETUNO O Sonhador	Traz *sensibilidade* para o aprendizado e a maneira de pensar e se comunicar. Fala de maneira profunda e sempre inspirada. Aprende com experiências aparentemente superficiais.	Timidez ou dificuldade de comunicação e aprendizado. Personalidade reservada, voltada para questões íntimas. Relação nebulosa com irmãos.
PLUTÃO O Guardião dos Segredos	*Experiências profundas* no campo dos pensamentos. Mente investigativa, atraída pelo oculto e pelo proibido. Persuasivo e sedutor na maneira de se comunicar.	Os grupos sociais são fonte de transformação pessoal e interior. Personalidade introspectiva. Rompimentos significativos com amigos e irmãos.

Lição espiritual

A casa 3 marca o fim do primeiro quadrante do mapa astral, sendo o ponto de encontro entre a noção individual do Eu e a compreensão coletiva dos relacionamentos. Ela nos lembra de que nunca estamos sozinhos ou isolados, mas desde o nascimento estamos em constante relação e interação com as forças e influências ao redor. Nada pode ser compreendido isoladamente. Por isso, seu desafio é que consigamos manter a própria identidade e ainda assim nos relacionarmos. E mais: ela nos revela como nossa identidade é influenciada por esses relacionamentos e como podemos nos realizar por meio do contato com outras pessoas.

É nessa casa que nosso pensamento opera, que a necessidade de comunicação se expressa e que ansiamos por nos perceber como seres integrados ao ambiente ao redor. A casa 3 mostra não apenas como somos influenciados pelo mundo, mas também como podemos modificá-lo e lhe dar nossas contribuições. Somos seres sociais; estamos constantemente buscando os outros como maneira de firmar e enfatizar nossa identidade.

O que essas relações sociais nos ensinam sobre nós mesmos? Quais fraquezas e forças elas revelam a respeito do nosso mundo interior? Como podemos usar essas relações para encontrar a realização pessoal? Tudo isso pode ser aprendido ao analisarmos essa área do mapa astral.

Casa 4 – a família e o lar

CORRESPONDÊNCIAS DA CASA 4					
SIGNO	DOMICÍLIO	ELEMENTO	TIPO DE CASA	QUADRANTE	TEMA
CÂNCER	LUA	ÁGUA	ANGULAR	SEGUNDO	CASA

Temas fundamentais

As origens, a casa, a família, o lar, o eu profundo, a intuição, a alma, a necessidade de segurança, as raízes, o estilo de vida, os hábitos, a relação com o passado, a infância, a figura maternal, rejeição ou aceitação, o senso de pertencimento.

Signo regente – Fundo do Céu

A casa 4 é o ambiente onde nos sentimos em casa – seja externa, seja internamente. Ela revela tanto nosso eu mais íntimo, quando nos sentimos seguros e protegidos, quanto a casa onde crescemos e o valor que damos à família e às relações familiares. É nela que estão as influências das tradições e legados que recebemos, nossa conexão com a terra natal, mas também as profundezas de nossa alma e os desejos mais profundos. Nossas motivações emocionais mais primitivas podem ser encontradas nessa casa, bem como nossas bases e fundações. Nela estão as origens, o solo fértil capaz de sustentar tudo o que desejamos construir e ver florescer na vida.

A cúspide da casa 4 marca o ponto do **Fundo do Céu**, ou seja, as motivações inconscientes implícitas em nossas ações. Trata-se das águas obscuras sob a superfície, nutrindo todas as plantas que crescem acima do solo.

O Fundo do Céu é o verdadeiro combustível da nossa alma, a fonte de nossa inspiração e aquilo que nos dá segurança. Enquanto seu ponto oposto, o **Meio do Céu**, representa aquilo que desejamos alcançar e nos tornar, o Fundo do Céu está mais relacionado àquilo que nos impulsiona e faz com que nos movimentemos.

O planeta regente do signo do Fundo do Céu também revelará a força que atua nas profundezas do nosso ser, impulsionando nossas escolhas e atuando sobre o inconsciente e nos aspectos mais íntimos da personalidade. Também representa a força básica capaz de nos nutrir e de onde podemos tirar energia. A posição da Lua no mapa astral, o astro que rege as mesmas temáticas da casa 4, também indicará nossa maneira de buscarmos segurança e de nos relacionarmos com nossas raízes. Analise-a para enriquecer sua percepção.

SIGNO	NECESSIDADE INCONSCIENTE	LARES FÍSICO E EMOCIONAL
ÁRIES Regência de Marte	Independência, transgressão, rompimento com o passado.	Funciona melhor por conta própria. Aprendeu desde cedo a ser autossuficiente e a cuidar de si mesmo.
TOURO Regência de Vênus	Necessidade de conforto e satisfação dos desejos. Necessidade de criar uma vida sólida e concreta.	Seguro, em que as necessidades básicas foram supridas. Por isso, precisa de grande segurança emocional.
GÊMEOS Regência de Mercúrio	Curiosidade e necessidade de movimento. É movido por um senso de descoberta.	Ambiente cheio de estímulos mentais; sente-se "em casa" no plano da mente. Pode indicar mudanças constantes de casa.
CÂNCER Regência da Lua	Nutrir laços amorosos e familiares. Necessidade de conexão emocional.	Grande influência do lar e da família sobre seu senso de segurança. A casa e a intimidade são lugares protegidos, refúgios.
LEÃO Regência do Sol	Expressar-se e obter reconhecimento pelo seu potencial e por habilidades inatas.	A casa e a família são seu trono. Ambiente onde pode desenvolver o lado artístico e criativo.
VIRGEM Regência de Mercúrio	Descobrir seu lugar no mundo e como expressar suas habilidades em harmonia com o coletivo.	Necessidade de organização. Um lar disciplinado, com grandes expectativas e perfeccionista.
LIBRA Regência de Vênus	Busca por equilíbrio e paz interior. Desejo de estabelecer uniões legítimas.	Lar belo, harmonioso e pacífico, com regras claras. Senso de justiça e dever.
ESCORPIÃO Regência de Plutão	Experiências profundas, intensas e transformadoras. Explorar as próprias profundezas.	Com emoções fortes e turbulentas. Necessidade de contato com seu íntimo. Preservação da independência.
SAGITÁRIO Regência de Júpiter	Descoberta e aventura. Expansão dos horizontes. Movido por paixões e desejos imediatos.	Livre e desinibido. Raízes não estão presas em um único lugar. Senso de liberdade e desejo de mudança.
CAPRICÓRNIO Regência de Saturno	Obter sucesso, reconhecimento, prestígio e estabilidade. Criar um ambiente seguro para si.	Lar rígido e disciplinado, em que as regras imperam sem flexibilidade. Estável e constante. Segurança material e conforto.
AQUÁRIO Regência de Urano	Busca por originalidade e autenticidade. Necessidade de encontrar liberdade.	Estimulante e libertário, que inspira a criatividade e a autonomia. Direito de ser quem você é.
PEIXES Regência de Netuno	Transcender a realidade convencional e entrar em contato com aspectos mais profundos da alma.	Sentimentos profundos. Necessidade de segurança interior, emotiva, mística e espiritual.

Planetas

A presença de planetas em conjunção com a cúspide da Casa 4, ou seja, no ponto do Fundo do Céu, indica sensibilidade espiritual e mediunidade. Para isso, consideramos planetas que se encontrem no máximo a 5° de qualquer um dos lados dessa cúspide, mesmo que ainda estejam ocupando o final da casa 3.

PLANETA	ATUAÇÃO PLANETÁRIA	INFLUÊNCIA SOBRE A CASA 4
SOL O Herói	A *realização pessoal* é encontrada por meio de boas relações familiares, do contato consigo mesmo e da expressão adequada das emoções.	Gosta de exercer uma posição de liderança na família, preservando seus costumes e tradições.
LUA O Eu Emocional	As *emoções* buscam laços profundos e de bastante intimidade. Traz sensibilidade e intuição. Necessidade de segurança emocional.	Vínculos emocionais fortes com a família, que busca nutrir e pela qual procura ser nutrido. Busca segurança na própria história e no passado.
MERCÚRIO O Comunicador	A *comunicação* é sensível e emocional, figurativa e simbólica. Expressa suas ideias em ambientes seguros e familiares.	Age como intermediário e elo entre os familiares. Desapego em relação aos membros da família.
VÊNUS A Amante	Traz *apreciação* pela intimidade e busca relações estáveis e seguras. Personalidade romântica.	Traz harmonia e emotividade para o ambiente familiar, prezando o conforto e o bem-estar. Pode indicar apego à casa dos pais.
MARTE O Guerreiro	A *força interior* volta-se para proteger o espaço pessoal e a privacidade. Essa força interior é mobilizada pelos sentimentos.	Vida familiar conflituosa. Luta para conquistar a independência da família, embora esteja sempre pronto para defendê-la e protegê-la.
JÚPITER O Grande Rei	*Amplifica* os sentimentos e a sensibilidade, fazendo os sentimentos íntimos virem à tona. Dá grande importância ao passado e a suas origens.	Comportamento exigente e grandes expectativas com a família e a casa. Posição importante e influente dentro da família.
SATURNO O Desafiador	*Restringe* o sentimento de cuidado emocional e a conexão com os próprios sentimentos, fazendo a pessoa amadurecer mais cedo.	Sentimentos dolorosos na infância relacionados à rejeição, ao abandono ou à educação rígida. Desafios de desenvolvimento emocional ligados à família.
URANO O Libertador	Provoca *mudanças intensas* no vínculo familiar, pois não gosta de se sentir preso nem limitado. Dificuldade para criar laços de intimidade. Explosões emocionais.	Desapego da família e busca pela independência desde cedo. Visão de mundo e estilo de vida muito diferentes dos da família.
NETUNO O Sonhador	Traz *sensibilidade* para a percepção do próprio mundo interior, criando uma pessoa muito intuitiva ou que foge das emoções. Carrega marcas profundas do passado.	Demora para deixar a casa de origem. Visão idealizada da família. Histórias pessoal e familiar nebulosas.
PLUTÃO O Guardião dos Segredos	*Experiências profundas* de renovação no ambiente familiar e de mudança interior por meio do contato com os membros da família.	A pessoa se sente diferente ou excluída da família, que é considerada perigosa, adversa ou ao menos desafiadora.

Lição espiritual

A casa 4 traz a lição de que há muito além da superfície. Todos carregamos uma bagagem herdada da família, do contexto social em que nascemos, do passado e dos primeiros anos de vida. Tudo isso tem uma função estruturante em nossa personalidade, e todas essas "primeiras experiências" são a nutrição que existe sob o solo firme no qual caminhamos, as águas ocultas que alimentam nossos desejos, sonhos e expectativas. É nessa área do mapa astral que aprendemos o verdadeiro significado de "sentir-se em casa", seja na família de onde viemos, na família que formaremos ou mesmo em nossa casa interior, aquele espaço pessoal em que nos sentimos seguros, protegidos e amados.

Essa região do mapa nos leva para a intimidade, para aquilo que vivenciamos de maneira privada e que compartilhamos com poucas pessoas, ou mesmo o que guardamos apenas para nós mesmos.

A casa 4 nos lembra de que todos temos uma vida interior profunda, alimentada por sonhos, desejos, emoções, lembranças e expectativas, e que muitas vezes as atitudes exteriores são motivadas por essas forças subjetivas – mesmo que na maior parte do tempo sequer sejamos capazes de perceber isso. Nesta casa astrológica, necessitamos olhar para o passado, que nos convida a compreender de onde viemos. Só assim poderemos entender o significado da casa oposta, a casa 10 – aonde desejamos chegar. Precisamos aprender a honrar e fazer as pazes com o passado, pois são as experiências positivas e negativas de nossa história que fazem de nós quem somos.

É só por meio da cura interior que a casa 4 nos convida a vivenciar que podemos ganhar mais liberdade e agir de maneira menos condicionada pelo passado. Nesta casa, podemos entender aquilo que fizeram de nós, mas isso não basta – é preciso que nos perguntemos o que vamos escolher fazer com aquilo que fizeram de nós. Somos chamados à responsabilidade. Ninguém pode fugir desse processo, pois ele sempre estará lá no fundo do mapa, sustentando nossas experiências.

Casa 5 – a alegria de viver e se expressar

CORRESPONDÊNCIAS DA CASA 5					
SIGNO	DOMICÍLIO	ELEMENTO	TIPO DE CASA	QUADRANTE	TEMA
LEÃO	SOL	FOGO	SUCEDENTE	SEGUNDO	CRIATIVIDADE

Temas fundamentais

Confiança, segurança, autoestima, poder criativo, expressão pessoal, o romance e as paixões, os prazeres, os filhos e a relação com as crianças, a sorte nos jogos, a arte, o prestígio pessoal, a alegria de viver, os passatempos, diversão, espontaneidade, coragem, suscetibilidade a correr riscos, independência.

Signo regente

Nesta casa, cujos temas estão intimamente relacionados ao signo de Leão, buscamos encontrar nossa expressão única no mundo. Enquanto o primeiro quadrante do mapa fala sobre nosso ser, aqui buscamos expandir quem somos, refinar a experiência humana e expressar o poder criativo – por isso esta casa é vista como a área do mapa que fala da nossa relação com os filhos, e o signo que a ocupar pode explicar a personalidade deles, ou ao menos como tendem a se relacionar com você.

A casa 5 também trata de nossas experiências amorosas, a maneira pela qual nos apaixonamos e como vivenciamos essas emoções. Enquanto o casamento e as relações estáveis estão na casa 7, na casa 5 falamos sobre a atração pelos outros e nosso poder de sedução; é aqui que podemos acessar muito sobre autoestima e a positividade com a qual encaramos a vida. Esta casa também está ligada à nossa sorte de maneira geral.

O signo que estiver na cúspide da casa 5 vai definir o planeta regente que atua sobre essa área de nossa vida, e, quando buscamos entender o posicionamento do planeta correspondente ao signo no mapa astral, compreendemos melhor como vivenciamos os temas desse setor. A posição do Sol, que está tipicamente associado aos temas da casa 5, poderá enriquecer ainda mais sua compreensão. O signo que ocupa esta casa também definirá que tipo de experiência vamos ter na casa 5 e as energias que atuam sobre ela.

SIGNO	COMO ME DIVIRTO	MINHAS PAIXÕES
ÁRIES Regência de Marte	Esportes e jogos competitivos.	Tenho iniciativa e gosto de liderar. Paixões intensas.
TOURO Regência de Vênus	Atividades para relaxar e descansar. Cozinhar. Contato com a natureza.	Firmes e duradouras. Posso formar laços possessivos.
GÊMEOS Regência de Mercúrio	Leitura, conversas e discussões, sempre no campo mental.	Rápidas, sempre mudando, com um ar divertido e leve.
CÂNCER Regência da Lua	Atividades caseiras, com pessoas íntimas. Gosto de passar algum tempo sozinho.	Carinhosas e envolventes, com bastante emoção. Sou sensível.
LEÃO Regência do Sol	Artes expressivas, como teatro ou música. Diversão acompanhada de muitos amigos, sempre expansiva.	Sinto-me atraído por pessoas confiantes e vivencio as paixões com intensidade. Gosto de mimar.
VIRGEM Regência de Mercúrio	Hobbies tanto intelectuais quanto práticos, envolvendo planejamento e organização.	Sou bem seletivo e crítico com as pessoas com quem me envolvo.
LIBRA Regência de Vênus	Contato social e interação positiva com outras pessoas. Atração por artes e discussões.	Adoro flertar e sou naturalmente atraente, sempre romântico.
ESCORPIÃO Regência de Plutão	Interesses relacionados a tudo o que for misterioso, oculto ou místico, ou que tiver caráter investigativo.	Sou bastante emocional e apaixonado. Interesso-me por pessoas misteriosas. Forte atração sexual.
SAGITÁRIO Regência de Júpiter	Atividades que tragam algum tipo de enriquecimento para o ser, e não apenas para passar tempo.	Espontâneo e independente, passo muito tempo sem companhia para me sentir livre.
CAPRICÓRNIO Regência de Saturno	Dificuldade para relaxar e deixar de lado as obrigações. Hobbies que envolvam controlar ou conquistar algo.	Não me envolvo com muitas pessoas. Vivencio o romance de maneira reservada.
AQUÁRIO Regência de Urano	Tecnologia ou atividades fora do comum, que envolvam o senso de liberdade.	Sinto-me atraído por pessoas de mente semelhante. Torno-me amigo das pessoas com quem me envolvo. Gosto de liberdade.
PEIXES Regência de Netuno	Artes mais introspectivas, meditação e tudo o que envolva o mergulho no mundo interior.	Sou apaixonado, sentimental e sonhador. Vivo amores idealizados.

Planetas

PLANETA	ATUAÇÃO PLANETÁRIA	INFLUÊNCIA SOBRE A CASA 5
SOL O Herói	*Realização pessoal* por meio da criatividade e da expressão pessoal no mundo. Age de maneira sempre espontânea e vê a vida como uma grande festa.	Capaz de expressar bem os talentos e de obter destaque e prestígio entre as outras pessoas. Tudo se torna intenso.
LUA O Eu Emocional	As *emoções* são positivas e repletas de entusiasmo, vivenciadas de corpo e alma. O temperamento é brincalhão e divertido. Criativo. Muda facilmente de humor.	O poder de expressão vem das emoções; necessidade de expressar os sentimentos. Relaciona-se bem com as crianças. Aprecia a liberdade.
MERCÚRIO O Comunicador	A *comunicação* é magnética e divertida, capturando a atenção das pessoas. Gosta de sempre se superar. Comunica-se bem com crianças.	Sentimentos e interesses mudam sempre. Precisa estar em movimento para se divertir e se envolver. Traz criatividade.
VÊNUS A Amante	Traz *apreciação* por paixões intensas e calorosas. Autoestima positiva. Aumenta o brilho pessoal.	Expressa-se de maneira sedutora e envolvente. Adora se apaixonar. Habilidades artísticas.
MARTE O Guerreiro	A *força interior* é voltada para provar o valor pessoal. Sexualidade calorosa. Projeta a própria imagem como uma autoridade.	Diverte-se de maneira competitiva, testando os próprios limites. Busca ser sempre o melhor.
JÚPITER O Grande Rei	*Amplifica* as paixões, a confiança em si mesmo e o valor próprio. Traz sorte para o amor e os jogos de azar.	Prefere assumir posições de destaque. Autoestima elevada. Age sempre com originalidade. Cria uma personalidade bondosa.
SATURNO O Desafiador	*Restringe* a autoestima e a segurança em si mesmo. Deixa de agir ao se sentir ameaçado. Falta de espontaneidade. Falta de iniciativa.	Atitude responsável diante da diversão e das paixões. Pessoa sóbria. Busca segurança em amizades e amores.
URANO O Libertador	Provoca *mudanças intensas* na maneira de se envolver emocionalmente, que é sempre oscilante e fora de controle.	É muito criativo e tem grande necessidade de expressar suas ideias. A vida tem muitas situações inesperadas.
NETUNO O Sonhador	Traz *sensibilidade* para perceber as necessidades dos outros e se mostrar da maneira como os outros desejam. Criativo e artístico.	A sexualidade é vivenciada como uma experiência mística. A paixão e o romance exercem forte poder. Insegurança ou narcisismo.
PLUTÃO O Guardião dos Segredos	*Experiências profundas* em relação às experiências emocionais. É bastante atraente e sedutor. Deve aprender a lidar com rupturas.	Expressão emocional sempre muito intensa. Busca o poder e o controle nas relações, que são fonte de grandes transformações pessoais.

Lição espiritual

A casa 5 revela onde colocamos nossa alma e nosso coração. Ela representa o direito de viver bem e obter prazer, de sentir com intensidade e encontrar correspondência no mundo para todas as nossas expectativas e potenciais. Nesse ponto do mapa, resgatamos a inocência de desejar, expressar, o direito de sermos acolhidos pelo que somos – uma experiência bem próxima da criança interior. Esse setor do mapa astral vem para nos lembrar que o desejo e os impulsos não são bons nem maus em essência, mas precisam encontrar uma via positiva de expressão no mundo.

É aqui que conhecemos nossa autoestima e autoconfiança. A casa 5 também revela quanto estamos confortáveis com a imagem que projetamos ao mundo, e se seremos mais introspectivos ou extrovertidos.

A intensidade ardente desta casa, relacionada com o Sol, fala ainda sobre todos os impulsos que são naturais e parecem nos conduzir facilmente, arrastando-nos. É nosso direito sermos espontâneos. Infelizmente, isso sempre contrasta com as expectativas das outras pessoas e da sociedade que nos rodeia; por isso a casa 5 nos pergunta quanto de nossa natureza livre condicionamos a essas expectativas. Posicionamentos afortunados nesse setor do mapa astral revelam que estamos mais adaptados a essas exigências, enquanto posicionamentos tensos revelam a dificuldade em intermediar o Eu com o mundo.

Lembre-se: a natureza do Sol é brilhar e, com sua luz, alimentar o mundo ao redor, trazendo beleza e harmonia. Todos nós temos uma luz própria capaz de projetar no mundo determinadas qualidades e características, e só poderemos fazer isso quando encontrarmos o poder pessoal que reside no centro do nosso ser.

É preciso fazer as pazes com quem você é para poder brilhar. Como esta é a casa comumente relacionada ao amor, ela também nos lembra da necessidade de nos ligarmos às pessoas e nos misturarmos a elas, e isso traz à tona nossas inseguranças, medos e desafios interiores. Por isso, a casa 5, de tanto poder, é também onde podemos encontrar nossas maiores fragilidades e angústias existenciais.

Casa 6 – a saúde e o trabalho

CORRESPONDÊNCIAS DA CASA 6					
SIGNO	DOMICÍLIO	ELEMENTO	TIPO DE CASA	QUADRANTE	TEMA
VIRGEM	MERCÚRIO	TERRA	CADENTE	SEGUNDO	BEM-ESTAR

Temas fundamentais

A *organização prática da vida, o dia a dia, a ocupação e o trabalho, as pessoas com quem se trabalha, a saúde, os cuidados com o corpo, a alimentação, o tempo de sono, a qualidade de vida, a prática de exercícios, as tarefas cotidianas, a organização pessoal, o espírito de servir, a necessidade de se fazer útil, animais domésticos.*

Signo regente

Esta casa, regida pelo elemento Terra, revela os aspectos práticos do cotidiano e a maneira pela qual organizamos nossa rotina. Ela trata de nossas ocupações, sendo a principal delas o trabalho. Dessa forma, entendendo a casa 6, poderemos compreender melhor a maneira pela qual servimos as outras pessoas e o chamado pessoal para colaborar e contribuir com os demais.

Tudo o que diz respeito à saúde e ao bem-estar também está associado à casa 6: hábitos de sono e alimentares, higiene, exercícios. Assim como o trabalho de certa maneira representa o modo como "funcionamos" diante da sociedade, a saúde diz respeito aos próprios funcionamento e trabalho das partes de nosso corpo – nesse sentido, trabalho e saúde se tornam uma coisa só.

O signo que inicia a casa 6 determinará seu planeta regente, que vai nos revelar qual energia rege esse cuidado com a rotina e o corpo. Analisar a posição desse planeta regente ajudará a compreender as forças que atuam sobre esse campo de nossa vida. Considere analisar também a posição de Mercúrio, que está associado aos mesmos temas da casa 6. A presença de outros signos e o posicionamento de planetas na casa 6 também influenciarão a maneira pela qual essa temática se expressa em nossa vida.

SIGNO	MEU TRABALHO	CUIDADO PESSOAL
ÁRIES Regência de Marte	A energia pessoal está voltada para o trabalho e as tarefas do dia a dia. Trabalho com paixão.	Vigor para atividades físicas e esporte. Precisa gastar essa energia no dia a dia, por meio de uma rotina intensa.
TOURO Regência de Vênus	Meu ritmo é devagar e sempre. Entedio-me com facilidade e preciso me manter sempre motivado. O trabalho deve vir com um sentimento de prazer.	É preciso enfatizar o cuidado com o corpo e uma dieta saudável, tomando cuidado com gastos supérfluos, sem esquecer das reais necessidades pessoais e dos exageros que possam prejudicar principalmente a saúde física.
GÊMEOS Regência de Mercúrio	Trabalho envolvendo a mente, a comunicação e a troca com pessoas. Posso mudar de emprego com facilidade.	Preocupação excessiva com a mente e não tanto com o corpo. Precisa de consciência corporal e atentar para doenças psicológicas.
CÂNCER Regência da Lua	O trabalho deve envolver um senso de cuidado com o outro e conexão emocional, assumindo um grande foco na vida.	Lida bem com a rotina, as obrigações e os afazeres de modo geral; tem senso de responsabilidade. Precisa tomar cuidado com a saúde emocional.
LEÃO Regência do Sol	Trabalho ligado ao público, ou ao menos que traga um senso de prestígio pessoal e criatividade. É preciso me orgulhar do trabalho.	A saúde é vigorosa; tem bastante energia. Hábitos de autocuidado. A vitalidade é renovada pela alegria.
VIRGEM Regência de Mercúrio	O trabalho deve ser prático e ter senso de utilidade aos outros – não há trabalho sem propósito maior.	Preocupa-se bastante com a saúde e os hábitos de cuidado pessoal. A rotina é organizada e bem estruturada.
LIBRA Regência de Vênus	Busco experimentar harmonia por meio do trabalho. Tenho facilidade para mediar e dialogar, além de um ar artístico e inspirado para o trabalho.	A chave para o bem-estar é o equilíbrio. Precisa se sentir intelectualmente estimulado. Necessidade de viver em um ambiente harmonioso.
ESCORPIÃO Regência de Plutão	Dá tudo de si no trabalho, que deve ser estimulante e desafiador. Prefere trabalhar por conta própria e age de modo reservado e discreto.	A saúde se enfraquece quando a energia emocional se esvazia. Deve tomar cuidado com comportamentos autodestrutivos.
SAGITÁRIO Regência de Júpiter	O trabalho deve ser enriquecedor e fonte de crescimento pessoal. Necessidade de se sentir livre e expressar sua inspiração.	A rotina deve ser leve e flexível. Na saúde, deve tomar cuidado com exageros, principalmente alimentares.
CAPRICÓRNIO Regência de Saturno	Excesso de atividades (sobrecarga) ou completa dedicação e compromisso com o trabalho. Prefere uma rotina de trabalho estável e se mantém no mesmo emprego por muito tempo.	A saúde precisa periodicamente de momentos de descanso para se restabelecer. Tendência a se sobrecarregar com frequência.
AQUÁRIO Regência de Urano	Necessidade de mudanças e movimento; facilidade para trabalhar em grupo. A ocupação deve envolver um senso de progresso coletivo.	Facilidade para resolver problemas do dia a dia e lidar com mudanças e surpresas. Na saúde, deve tomar cuidado com os problemas da mente.
PEIXES Regência de Netuno	A ocupação deve ser gratificante e realizadora, profundamente conectada às emoções e à sensibilidade.	A energia se volta para o psíquico, o que pode indicar mais vulnerabilidade física e falta de energia. É preciso ter cuidado com o sistema nervoso e os vícios.

Planetas

PLANETA	ATUAÇÃO PLANETÁRIA	INFLUÊNCIA SOBRE A CASA 6
SOL O Herói	A *realização pessoal* se dá por meio da integração saudável do eu com a comunidade, e do valor pessoal e da contribuição com o coletivo.	Torna a personalidade ordenadora e estruturada, com uma visão prática de mundo, orientada para o fazer.
LUA O Eu Emocional	As *emoções* se orientam para o campo prático da vida. Natureza intuitiva voltada a perceber o que os outros precisam. Necessidade de colocar a criatividade a serviço do trabalho.	Sensibilidade no campo profissional e do cuidado pessoal. Busca intimidade com as pessoas com quem convive no dia a dia. Ligação profunda entre as emoções e a saúde física.
MERCÚRIO O Comunicador	A *comunicação* é cuidadosa, com sensibilidade para saber o que o outro precisa ouvir. Traz necessidade de dinamismo para o trabalho.	O trabalho torna-se ágil e fácil. Adapta-se muito bem a situações diversas e novas tarefas. Transita entre diferentes círculos sociais. Torna a pessoa autocrítica.
VÊNUS A Amante	Traz a*preciação* e atração por pessoas práticas, que contribuam com o dia a dia e participem de sua rotina. A capacidade artística deve se expressar no trabalho.	Facilidade para promover a beleza, a paz e a harmonia no ambiente de trabalho e entre as pessoas de seu convívio. Precisa amar o trabalho.
MARTE O Guerreiro	A *força interior* está voltada a realizar compromissos e ascender profissionalmente. Age de maneira organizada e planejada.	Busca autonomia no trabalho, o que pode gerar impaciência, conflitos e críticas. A saúde pode se prejudicar com a pressão do ambiente profissional.
JÚPITER O Grande Rei	*Amplifica* o sucesso na vida profissional e no cuidado das coisas do dia a dia. Desejo genuíno de ajudar os outros.	O ambiente de trabalho deve proporcionar crescimento pessoal. Lida bem com regras e hierarquias. Pode levar à sobrecarga no trabalho.
SATURNO O Desafiador	*Restringe* o bem-estar na rotina profissional, levando a um comportamento rígido para cumprir todas as tarefas do dia com rigor. Sobrecarrega-se no trabalho.	A rigidez de Saturno pode fazer do trabalho um fardo pesado e doloroso. Dificuldade para lidar com situações adversas no ambiente profissional.
URANO O Libertador	Provoca *mudanças intensas* na maneira de estruturar a rotina ou de trabalhar. Noção própria de organização e planejamento, nem sempre compreendida pelos outros.	Necessidade de liberdade e autonomia no trabalho. Dinâmico e criativo no dia a dia. Inquietação em atividades rotineiras. Detesta cobranças, prazos e rotina.
NETUNO O Sonhador	Traz *sensibilidade* para perceber as necessidades dos outros. Age de maneira sonhadora no dia a dia. Tendência a deixar as coisas acontecerem no próprio ritmo.	O trabalho deve envolver o uso de intuição, sensibilidade, cuidado de atenção, foco ou espiritualidade. Dificuldade para criar rotinas. Absorve as energias do entorno com facilidade.
PLUTÃO O Guardião dos Segredos	*Experiências profundas* com a saúde e o cuidado pessoal. Compulsão pelo trabalho. Determinação e ambição profissional.	Trabalha bem sob pressão. Desejo de independência e dificuldade para se submeter a hierarquias e jogos de poder.

Lição espiritual

Talvez você se pergunte que lições espirituais a vida cotidiana e corriqueira pode trazer. Simples: a apreciação pela própria vida!

A casa 6 nos convida a enxergar o Sagrado em todas as coisas, e que as atividades diárias devem ser imbuídas de um poderoso senso de propósito. Na vida, cada segundo conta. Não basta esperar chegar o fim do dia, depois do trabalho, ou o fim de semana para que possamos viver. A vida acontece a cada segundo, e cada instante é precioso e genuíno. O tempo não para e não espera, e o único momento que realmente existe é o presente. A casa 6 é a casa do eterno presente.

Esse é o setor do mapa astral que nos ensina a nos apropriarmos de tudo aquilo que somos e fazemos. Como casa do Trabalho, ela nos questiona sobre se estamos encontrando um propósito profundo nas atividades que desempenhamos. Como casa da Saúde, lembra-nos de que nosso corpo é um templo, um veículo que nos permite realizar todos os objetivos e desejos, e que portanto precisa ser preservado e bem cuidado.

Um antigo princípio espiritual nos ensina que nossa energia pessoal flui para tudo aquilo em que nossa própria atenção se concentra. Então, observe sua atenção: ela é focada e repleta de propósito, ou dispersa e fraca? Assim também é a potência da energia que você investe em suas atividades. Um bom exercício a se fazer é procurar realizar cada tarefa do dia a dia com atenção total e plena. Sendo assim, quando estiver tomando banho, por exemplo, concentre-se no próprio corpo; quando estiver comendo, volte os cinco sentidos para a refeição; quando estiver trabalhando, não deixe que problemas ou outras situações roubem sua atenção e energia. Em outras palavras, aprenda a estar no momento presente de corpo e alma, assim você colocará toda a sua energia naquilo que faz, e os resultados serão bem melhores.

Não deixe as mudanças para amanhã. Não deixe planos nem projetos para a semana que vem.

Aprenda a integrar à sua rotina os seus propósitos e objetivos de vida. Viva agora sua própria história, e todos os dias observe se está se aproximando ou se afastando do seu ideal de ser humano e pleno. Apenas quando os mais altos propósitos estiverem integrados ao dia a dia é que estaremos de fato vivendo nossa história.

Casa 7 – os relacionamentos e as parcerias

CORRESPONDÊNCIAS DA CASA 7					
SIGNO	DOMICÍLIO	ELEMENTO	TIPO DE CASA	QUADRANTE	TEMA
LIBRA	VÊNUS	AR	ANGULAR	TERCEIRO	O OUTRO

Temas fundamentais

Compromisso, casamentos e relacionamentos afetivos, as parcerias de todo tipo, a busca pelo outro nas relações, a busca pela imagem projetada de si, uniões, vida a dois, a sombra pessoal, o opositor, inimigos declarados.

Signo Descendente

A sétima casa é aquela que fala de nossas parcerias em todos os campos da vida: profissionalmente, ela mostra a capacidade de estabelecer acordos e de nos associarmos a outras pessoas; já em termos afetivos, é a casa do Casamento e dos Relacionamentos de Longa Duração. Muitos pensam nela como a casa do amor ou da paixão, o que não é bem verdade – esses são temas pertinentes à casa 5. Na casa 7 do mapa astral, veremos nossa capacidade para viver a dois e de gerenciar os relacionamentos, algo que não envolve apenas o amor.

O signo que for tocado pela cúspide da casa 7 é chamado **signo Descendente**, e no mapa astral ele está em oposição direta ao signo Ascendente, que representa a imagem pessoal de nossa identidade. Logo, se o Ascendente representa o Eu, naturalmente o Descendente representará o Outro com quem tendemos a estabelecer laços duradouros e formar conexões. Esse signo revelará as qualidades que buscamos nas pessoas com quem escolhemos nos relacionar e tudo aquilo que admiramos nesses parceiros.

Em nível psicológico, o signo Descendente também revela algum aspecto pessoal que não conseguimos perceber e de alguma forma rejeitamos, sendo necessário, portanto, enxergá-lo por intermédio do outro, que funcionará como um espelho para que entremos em contato com esse aspecto da personalidade.

Sendo assim, as qualidades do signo Descendente podem ser ao mesmo tempo admiradas e temidas por nós, e pessoas que têm dificuldade para se relacionar com os nativos do signo na casa 7 são assim justamente por não conseguirem enxergar essas características em si mesmos.

Nesse sentido, o signo Descendente também pode revelar o Opositor: aquele tipo de pessoa que nos ameaça ou nos causa desconforto, exatamente porque serve como um espelho para nossa própria identidade. Se esse for seu caso, leia sobre a imagem sombria do seu signo Descendente no Capítulo 3 e veja até que ponto você se identifica com ela.

Mas saiba que o contrário também é verdadeiro: se você tem uma simpatia natural e atração por pessoas nativas do seu signo Descendente, isso pode significar que há certa dificuldade em perceber o outro como ele é, porque na verdade você está se relacionando com um aspecto seu que é projetado sobre essa pessoa. É por isso que ela exerce um fascínio incompreensível sobre você.

Apesar de o signo Descendente representar o outro nas relações mais duradouras, isso não pode ser compreendido de maneira literal: não quer dizer que você vai se casar com um nativo desse signo, ou que deve buscar apenas parceiros cujo signo solar ou Ascendente sejam equivalentes ao seu Descendente, e muito menos que seu relacionamento atual com alguém de outro signo esteja fadado ao fracasso! Lembre-se de que o mapa astral é algo complexo, e são essas simplificações que dão à Astrologia sua fama negativa de superstição sem sentido nem fundamento. Ao contrário, esse signo expressará as qualidades e a energia que têm o poder de complementar sua própria personalidade, e essa energia poderá se expressar em nativos de quaisquer signos, dependendo do respectivo mapa astral.

Tenha em mente que o planeta regente do seu signo Descendente será também o regente da sua casa 7 e de todos os temas que ela aborda, mesmo que haja outros signos nessa casa em seu mapa astral. Então, analisar tanto a posição de Vênus, planeta que está naturalmente associado a essa temática, quanto do planeta regente o ajudará a esclarecer as energias que atuam sobre esse setor da sua vida.

SIGNO	QUALIDADES DO PARCEIRO	NECESSIDADE NAS RELAÇÕES	O OPOSITOR
ÁRIES Regência de Marte	Iniciativa, opinião própria, corajoso, figura de autoridade.	Autonomia.	Agressivo, autoritário, impaciente e muito independente.
TOURO Regência de Vênus	Paciente, prático, estável, carinhoso, seguro e cuidadoso.	Segurança.	Possessivo, ciumento, egoísta, teimoso, preguiçoso.
GÊMEOS Regência de Mercúrio	Dinâmico, leve, inteligente, criativo, comunicativo, independente.	Comunicação.	Desapegado, frieza emocional, superficial, crítico, inseguro.
CÂNCER Regência da Lua	Emotivo, sensível, cuidadoso, nutridor, confiável, caseiro, ousado.	Intimidade.	Instável, dependente, ciumento, dramático, pessimista.
LEÃO Regência do Sol	Confiante, alegre, bem-humorado, bondoso, generoso, expressivo.	Apreciação.	Egocêntrico, egoísta, exibido, controlador, exagerado.
VIRGEM Regência de Mercúrio	Atencioso, organizado, cuidadoso, humilde, compassivo, nutridor.	Companheirismo.	Detalhista ao extremo, rabugento, calculista, obcecado, crítico.
LIBRA Regência de Vênus	Pacífico, sociável, gentil, romântico, adaptável, elegante.	Tranquilidade.	Inseguro, questionador, superficial, indeciso, conquistador.
ESCORPIÃO Regência de Plutão	Intenso, profundo, misterioso, sedutor, apaixonado, independente.	Intensidade.	Reservado, fatalista, manipulador, vingativo, agressivo, sombrio.
SAGITÁRIO Regência de Júpiter	Aventureiro, livre, divertido, explorador, compreensivo, pensador.	Liberdade.	Infantil, sem senso de compromisso, sarcástico, teimoso.
CAPRICÓRNIO Regência de Saturno	Ambicioso, prático, confiante, bem-sucedido, objetivo.	Compromisso.	Pessimista, fatalista, autoprotetor, ar de superioridade, dominante.
AQUÁRIO Regência de Urano	Curioso, inteligente, ousado, inventivo, humanitário, instigante.	Independência.	Questionador, opositor, rebelde, contestador, frio, desapegado.
PEIXES Regência de Netuno	Emotivo, criativo, acolhedor, compassivo, espiritualizado.	Sensibilidade.	Pouco prático, sonhador, evasivo, vitimista, fatalista.

Planetas

PLANETA	ATUAÇÃO PLANETÁRIA	INFLUÊNCIA SOBRE A CASA 7
SOL O Herói	A *realização pessoal* é encontrada no bom relacionamento com o outro e na busca por estabelecer parcerias genuínas e duradouras.	Necessidade de encontrar a própria individualidade nas relações. Personalidade envolvente e magnética, capacidade mediadora. Dedica-se ao cuidado com o parceiro.
LUA O Eu Emocional	As *emoções* se direcionam para a busca de um relacionamento estável e seguro. Precisa se sentir compreendido e acolhido.	Cria vínculos de maneira muito emotiva. Facilidade para perceber as necessidades do parceiro. Pode criar relações de dependência.
MERCÚRIO O Comunicador	A *comunicação* é pacífica e harmoniosa, buscando não apenas se comunicar, mas também se fazer entender pelo outro. Compreende melhor as próprias ideias ao se expressar.	Facilidade para se socializar e conhecer novas pessoas. As relações devem ser dinâmicas, com comunicação e compatibilidade mental.
VÊNUS A Amante	Traz *apreciação* por relacionamentos estáveis; compromete-se muito rapidamente. É romântico e devotado, com uma atitude positiva nas relações.	Generoso e afetuoso, com facilidade para fazer acordos e trazer harmonia aos relacionamentos. Pode ser ciumento.
MARTE O Guerreiro	A *força interior* está orientada para as parcerias, em relação às quais age de maneira direta e objetiva. Relações entusiasmadas e repletas de paixão.	A intensidade traz conflitos e desentendimentos nas parcerias; dificuldade em ceder. Necessidade de relações dinâmicas e vibrantes.
JÚPITER O Grande Rei	*Amplifica* a qualidade das relações e cresce por meio dos relacionamentos. Experiências exageradas no campo das relações. Busca justiça e verdade nos relacionamentos.	Grande número de parcerias e relações. Confiança no parceiro. Idealização dos relacionamentos. Os parceiros devem buscar o mesmo sentido de vida.
SATURNO O Desafiador	*Restringe* a intimidade e a criação de laços duradouros. Grande esforço para preservar relações. Lida com relacionamentos de maneira prática e objetiva.	Busca parceiros mais velhos ou experientes, além de segurança nas relações, que se solidificam ao longo do tempo. O relacionamento é fonte de lições e aprendizados importantes para a vida.
URANO O Libertador	Vive *mudanças intensas* por meio dos relacionamentos, que precisam ser vividos com leveza e liberdade, mas intensos e dinâmicos.	Fugirá de relacionamentos limitantes ou que não tenham um sentido de propósito. Cresce por meio de experiências passadas. Começa relações rapidamente e as termina com a mesma facilidade.
NETUNO O Sonhador	Traz *sensibilidade* para as relações, mas eleva muito as expectativas em relação ao parceiro. Dificuldade em perceber os outros pelo que são concretamente. Ilusões.	Relações platônicas. Facilidade para compreender profundamente o parceiro e seu mundo em nível emocional. Relacionamentos simbióticos. Natureza sedutora e acolhedora.
PLUTÃO O Guardião dos Segredos	*Experiências profundas* de transformação pessoal são vividas por meio dos relacionamentos. Necessidade de transformar a vida do parceiro.	As relações precisam ser intensas e profundas. Grande poder para atrair outras pessoas. Disputas de poder nos relacionamentos. Relacionamentos difíceis e desafiadores.

Lição espiritual

Ninguém vive só. Mas, ao mesmo tempo, a vida é uma jornada individual. Como conciliar essas duas verdades? É essa a lição que a casa 7 nos convida a conhecer.

Cada mapa astral é um universo próprio, rico e repleto de potencialidades únicas, assim como são as pessoas. Todos nós temos os próprios objetivos, as próprias histórias, as próprias aspirações... Mas vivemos em um mundo compartilhado e, portanto, nossa vida se entrecruza com outras sempre. Do mesmo modo, algumas dessas vidas se entrelaçarão à nossa também – são estas que dizem respeito à casa 7 do mapa astral.

As pessoas com quem estabelecemos laços e parcerias ensinam muito sobre quem somos. Muitas vezes, agimos de maneira tão automática que se torna quase impossível perceber quem ou como somos. São os outros que nos trazem essas notícias; eles nos ajudam a perceber melhor nossa própria maneira de pensar, agir e nos relacionarmos. Dizem que só conhecemos de fato uma pessoa quando comemos um quilo de sal com ela – a convivência demanda tempo e energia. Mas, da mesma forma que é com o tempo que conhecemos melhor o outro, é também por meio de um relacionamento profundo com ele que temos um espelho para nos mirarmos.

O que motiva suas relações, parcerias e compromissos com outras pessoas? Quais são suas próprias expectativas? O que você espera que o outro lhe proporcione, e o que você tem para beneficiar o outro com quem escolhe se relacionar? Toda relação precisa ser nutrida e alimentada, senão ela definha e morre.

Todos os relacionamentos duradouros, sejam eles românticos, profissionais ou de outra natureza, servem a algum propósito – e dizer isso não significa que nos relacionamos com os outros sem afetividade ou apenas por interesse, mas não é só o afeto que sustenta as relações, afinal, apesar de a casa 7 ser comumente conhecida como a casa do Casamento, não é ela que fala sobre o amor e as paixões: tais temas encontram-se na casa 5.

A casa 7 nos ajuda a perceber que todo compromisso estabelecido é um contrato, e que, por meio desses compromissos, ambas as partes precisam se beneficiar e crescer juntas. É por intermédio dessa casa que aprendemos a abrir mão de alguns interesses pessoais para acolher as necessidades do outro, compartilhando nossa energia para fazer acontecer também os propósitos de uma outra pessoa.

Em um relacionamento, ambas as partes precisam cuidar uma da outra, e interpretar a casa 7 o ajudará a entender melhor suas próprias expectativas e a maneira como o outro pode nutrir e cuidar melhor de você.

Casa 8 – a sombra e as profundezas dos instintos

CORRESPONDÊNCIAS DA CASA 8					
SIGNO	DOMICÍLIO	ELEMENTO	TIPO DE CASA	QUADRANTE	TEMA
ESCORPIÃO	PLUTÃO	ÁGUA	SUCEDENTE	TERCEIRO	TRANSFORMAÇÃO

Temas fundamentais

Os instintos, os desejos ocultos, a segurança interior, o poder pessoal, a sexualidade, as experiências de cura e transformação, investimentos financeiros, bens e posses obtidos por meio do contato com o outro, temas tabus, experiências iniciáticas, as crises da vida, a reconstrução do ser, o luto e as perdas, a capacidade de regeneração.

Signo regente

A casa 8 é tão temida e incompreendida quanto o signo a que se associa: Escorpião. Ela representa a área da vida em que experimentamos transformações profundas, sendo simbolicamente associada à morte. Porém, devemos pensar não na morte física, e sim nas várias mortes simbólicas que todos sofremos no decorrer de nossa existência. Todos já vivemos experiências transformadoras, que funcionaram como verdadeiros divisores de água, fazendo-nos emergir transformados, renascidos.

A morte da qual fala a casa 8 é esta: a experiência dolorosa e intensa que faz o amadurecimento se impor e nos tornar outra pessoa ainda nesta mesma encarnação.

Nesse sentido, ela está associada a crises, ao luto, às perdas que sofremos na vida, a tudo aquilo que é poderoso o bastante para abalar as estruturas da nossa personalidade a fim de criar transformações e mudanças. Da mesma maneira, também está relacionada ao poder pessoal – uma dádiva bastante associada ao planeta que governa esses domínios: Plutão. É preciso entender que aqui estamos em oposição à casa 2, a área do mapa astral que fala das nossas posses; por isso, esta casa revela também nossa relação com o dinheiro, com a diferença de que a casa 2 mostra a estrutura da vida, aquilo que precisamos para viver bem, enquanto a casa 8 aborda a relação com o dinheiro do ponto de vista do poder pessoal – e, como ela vem logo após a casa do signo Descendente, apresenta ainda riquezas e posses que conquistamos por meio das relações com o outro. Encontram-se aqui as heranças, os empréstimos e todo o dinheiro que não é nosso ou que ainda não ganhamos – os recursos de que dispomos, mas que não são exatamente nossos.

Nesta casa estão todas as nossas paixões e desejos secretos, aquilo que permanece oculto e que optamos por não revelar de maneira explícita às pessoas ao redor, mas que de alguma maneira nos mobilizam. Enquanto a casa 5 mostrará nossa sexualidade e a maneira de buscarmos e experimentarmos o prazer, a casa 8 revelará a sexualidade como uma experiência transformadora capaz de provocar a regeneração de algum aspecto de nosso ser. É por isso que ela também pode se relacionar à saúde, afinal, regeneração é a capacidade de nos recuperarmos, e uma casa 8 bastante ativada representará um intenso poder de regeneração.

Desse modo, o signo que toca a cúspide da casa 8 determina as energias predominantes nesse setor da vida, bem como o planeta que vai exercer mais influência sobre todos esses temas. Analisar a posição desse planeta no mapa astral nos ajudará a entender melhor como essas forças atuam sobre nós. O planeta que está mais associado às temáticas da casa 8 é Plutão, por isso sua análise enriquecerá ainda mais sua interpretação. Talvez possamos pensar na casa 8 como nosso subconsciente – as energias das profundezas que buscam vir à tona. É interessante notar que, na mitologia, Plutão não é apenas o Deus do Submundo, onde estão os mortos, mas também o Guardião das Riquezas; sendo assim, a casa 8 será responsável por revelar os poderes que precisamos aprender a manifestar durante a vida.

No quadro apresentado a seguir, a coluna "Mundo oculto pessoal" tratará de nossos potenciais regeneradores, ou seja, dos temas que nos fazem vivenciar transformações profundas ao longo da vida. Falará também dos desejos e das necessidades que sempre nos influenciam e que precisam encontrar um canal saudável de expressão no mundo, apesar de nem sempre conseguirmos lidar com isso da melhor forma possível, pois esses desejos e necessidades nos são dolorosos.

Na coluna "Poderes que deve aprender a manifestar" encontram-se as habilidades que temos, mas cuja forma de utilização construtiva precisamos ainda aprender, em vez de permitir que nos controlem.

Por fim, "Vício" revela o aspecto de nossa personalidade que governa todos os assuntos ligados à casa 8. Ele é a fonte de nosso poder pessoal e dos dons que podem realizar nossos desejos mais íntimos.

SIGNO	MUNDO OCULTO PESSOAL	PODERES QUE DEVE APRENDER A MANIFESTAR	VÍCIO
ÁRIES Regência de Marte	Fortes paixões e muita energia que tem dificuldade de expressar. Busca por poder.	A força de vontade, a independência, a coragem, a ousadia.	Autoritarismo.
TOURO Regência de Vênus	Prazeres e sensações físicas. A estabilidade, a riqueza e o descanso. Busca por conforto.	A segurança em si mesmo, a sensualidade, a autossuficiência.	Comodismo.
GÊMEOS Regência de Mercúrio	As relações sociais, a fala, a escrita, o aprendizado e o conhecimento. Busca por comunicação.	A capacidade de comunicar, influenciar, ensinar e estabelecer relações a seu favor.	Superficialidade.
CÂNCER Regência da Lua	As emoções, a intuição, a segurança interior, as lembranças e as experiências do passado. Busca por intimidade.	A empatia, a capacidade de nutrir o outro e a si mesmo, a obstinação, o poder de ressignificar o passado.	Chantagem emocional.
LEÃO Regência do Sol	Os desejos pessoais, a autoestima, os valores e o código de conduta. Busca por autoafirmação.	O carisma, a capacidade de influenciar as pessoas, a sexualidade, o empoderamento, o valor pessoal.	Deseja ser o centro das atenções.
VIRGEM Regência de Mercúrio	As expectativas de perfeição, os ideais e as exigências. Busca pelo constante autoaperfeiçoamento.	A capacidade de cura, a organização financeira, a gestão de recursos, o autoconhecimento.	Perfeccionismo.
LIBRA Regência de Vênus	O romance, as relações, as regras, o senso de justiça. Busca por igualdade e equilíbrio.	A sensibilidade para lidar com temas delicados, o poder de atração e sedução, a capacidade de convencer os outros.	Manipulação.
ESCORPIÃO Regência de Plutão	Fácil acesso ao mundo interior. Sexualidade, medos, traumas, desejos, fantasias. Busca por experimentar o proibido.	O magnetismo pessoal, a fascinação, a sexualidade, a intuição, o contato com a realidade espiritual.	Paixão.
SAGITÁRIO Regência de Júpiter	As novas experiências, as viagens, o desprendimento, a necessidade de crescimento pessoal. Busca por expansão.	A capacidade de orientar outras pessoas, as aspirações filosóficas e religiosas, o ímpeto para explorar o que é oculto.	Falta de raízes.
CAPRICÓRNIO Regência de Saturno	O envelhecimento, a rigidez, questões com autoridade. Controle excessivo dos desejos. Busca por construir e deixar um legado.	O poder, a determinação, a obstinação, a liderança, o acúmulo de posses.	Controle.
AQUÁRIO Regência de Urano	O desejo pelo novo, os jogos de poder, a desobediência, a autonomia. Busca por liberdade.	A transgressão, a ousadia, a capacidade de inovar, o poder de libertar e romper as amarras que aprisionam.	Contestação.
PEIXES Regência de Netuno	A intuição, o mundo espiritual, o contato com o inconsciente. Vive sempre nas profundezas. Busca por transcendência.	A empatia, a compaixão, a capacidade de cura emocional e regeneração interior, o contato com a intimidade do outro.	Fuga da realidade.

Planetas

PLANETA	ATUAÇÃO PLANETÁRIA	INFLUÊNCIA SOBRE A CASA 8
SOL O Herói	A *realização pessoal* está no reconhecimento dos desejos e das paixões, e no encontro do poder pessoal nas profundezas do próprio ser.	A escuridão interior é iluminada. Capacidade de autogestão e de governar a si mesmo. Personalidade forte e determinada.
LUA O Eu Emocional	As *emoções* são vividas sempre de maneira intensa. Intuição e sensibilidade para enxergar as profundezas da alma. Interesse por assuntos ocultos. Busca por intimidade nos relacionamentos.	Sente-se confortável com assuntos que são tabus e proibidos. Experiências intensas de rupturas emocionais. Mudanças profundas de dentro para fora.
MERCÚRIO O Comunicador	A *comunicação* e o pensamento são enigmáticos e misteriosos. Capacidade observadora e investigativa. Acentua-se a intuição. Pensa de maneira profunda e sua fala tem um poder magnético.	Facilidade para lidar com mudanças, transformações e tudo o que é inesperado. Alta capacidade de adaptação e regeneração. Criatividade e sensibilidade para perceber o que está oculto.
VÊNUS A Amante	Traz *apreciação* e atração por tudo aquilo que é proibido, sombrio, enigmático e misterioso. Alto poder para controlar as pessoas por meio da sedução e da atração.	O subconsciente é preenchido por desejos, fantasias e paixões. Desejo por intimidade. Sexualidade extremamente livre, ou então escravizada e fonte de sofrimento.
MARTE O Guerreiro	A *força interior* vem à tona das profundezas de si, criando um temperamento forte e impetuoso. Paixões densas e sexualidade instintiva. Sempre testa os próprios limites.	Muita energia psíquica disponível. Capacidade de regeneração e recuperação. Agressividade latente, que pode se expressar como determinação construtiva ou violência destrutiva.
JÚPITER O Grande Rei	*Amplifica* os processos de transformação interior e o contato com a própria intimidade. Necessidade de refinar os defeitos e superar os vícios.	Facilidade para transformar experiências dolorosas e difíceis em lições de vida, mas também potencializa e prolonga sofrimentos. Faz vir à tona os sentimentos mais profundos.
SATURNO O Desafiador	*Restringe* a capacidade de lidar com transformações profundas, que precisam de tempo para serem processadas. A morte e a velhice são fontes de lições valiosas.	Resistência para lidar com crises emocionais, que proporcionam aprendizados importantes e marcantes. Ressalta medos, angústias e a insegurança.
URANO O Libertador	Provoca *mudanças intensas* por meio da busca pela libertação do aprisionamento interior, de medos, vícios e traumas. Rebela-se contra as forças caóticas dentro de si.	Constantemente desce às profundezas e retorna transformado. Necessidade de sempre se superar e evoluir. Libera potenciais reprimidos.
NETUNO O Sonhador	Traz *sensibilidade* para perceber o plano espiritual e tudo o que é oculto, reconhecendo os próprios desejos e necessidades. Poderes psíquicos e mediunidade.	Dificuldade para superar situações dolorosas e distinguir o real do ilusório. Fantasias sexuais. Medos irracionais. Não teme correr riscos.
PLUTÃO O Guardião dos Segredos	*Experiências profundas* por meio do uso do poder pessoal, do magnetismo e do fascínio que exerce nas pessoas ao redor. Relação intensa com a busca pelo poder.	Vivencia muitos conflitos interiores que são fonte de regeneração da alma. Necessidade de quebrar tabus e viver com intensidade. Precisa dar vazão a seus impulsos e desejos.

Lição espiritual

Compreender as experiências da casa 8 pode ser muito difícil para aqueles que vivem na superfície da vida, pois nada do que ela nos proporciona pode ser entendido se não ousarmos mergulhar nas profundezas sombrias.

Seu presente para nós é nada menos que a experiência da "morte em vida" – a capacidade de nos transformarmos e nos regenerarmos como uma fênix, ou como uma serpente que troca de pele. Deixamos um velho Eu para trás e buscamos renascer com uma nova identidade.

A dádiva da casa 8 é o conhecimento do que é oculto dentro de nós mesmos.

Nada disso é fácil ou simples. Esta casa vem nos lembrar de algo que frequentemente gostamos de esquecer: a vida é feita tanto de momentos doces quanto de momentos amargos, mas é apenas por meio das experiências dolorosas que poderemos crescer e nos transformar.

Você já percebeu que, quando estamos em um bom momento na vida, tudo o que desejamos é que as coisas permaneçam exatamente como estão? O estado de prazer e alegria, embora seja muito agradável e desejado, não é fonte de crescimento ou amadurecimento. É só por meio do desconforto, de rupturas, perdas e dores que nossas estruturas podem ser abaladas, e teremos então a oportunidade de buscar mudanças. São os desafios da vida que nos tornam fortes, e a casa 8 vem para assegurar que esses confrontos aconteçam. Aqueles que tiverem coragem de atravessar essas situações colherão os frutos da liberdade e da sabedoria que essa área do mapa astral guarda para nós.

Essa casa astrológica reserva-nos experiências prazerosas e desejadas, mas que ao mesmo tempo poderão ser fonte de sofrimento, garantindo que estejamos sempre em constantes transformação e renovação – ela nos adverte que não podemos permanecer sempre os mesmos.

Para colher as lições espirituais desta casa, você deve aprender a retirar a sabedoria que existe em cada situação difícil da vida, pois é só assim que você vai se impedir de vivenciar algo de maneira repetitiva. Portanto, se existe algum padrão negativo que parece se repetir o tempo todo em sua vida, significa que você ainda não foi capaz de aprender o que precisa. Pare, interrompa o ciclo de repetições, quebre o padrão e busque agir de outra maneira. Entenda o que a vida quer lhe comunicar. Colha a lição desse momento de dor, aprenda algo com ela, e desse modo você vai evitar a repetição, estando pronto para novos aprendizados. Já que na vida a dor é inevitável, que ao menos possamos atribuir a ela um propósito: tornar-nos pessoas mais sábias e melhores.

Casa 9 – os propósitos e as crenças

CORRESPONDÊNCIAS DA CASA 9					
SIGNO	DOMICÍLIO	ELEMENTO	TIPO DE CASA	QUADRANTE	TEMA
SAGITÁRIO	JÚPITER	FOGO	CADENTE	TERCEIRO	SENTIDO DA VIDA

Temas fundamentais

A *formação intelectual, o ensino superior, a autonomia e a ampliação da visão de mundo, intercâmbios culturais, viagens, a religião e as crenças fundamentais, a filosofia de vida, os valores, a mente superior, a expansão da consciência, o direcionamento interior, a busca pela verdade.*

Signo regente

Esta é a área do mapa astral em que buscamos compreender mais profundamente o que é a vida e que sentido ela tem para nós.

Enquanto a oposta casa 3 fala do conhecimento objetivo e imediato, a casa 9 nos faz procurar expandir os horizontes pessoais para encontrar um conhecimento que não apenas explique o mundo do lado de fora, mas principalmente do lado de dentro. É por isso que, enquanto a educação básica está associada à casa 3 – aquela pela qual todos precisamos passar –, a formação superior costuma ser associada a este setor do mapa, afinal, costumamos escolher essa formação de acordo com aquilo que faz sentido para nossa vida. Não somos mais motivados só pela busca do conhecimento, mas em especial pela busca de um sentido. A diferença primordial é que na casa 3 aprendemos os conhecimentos lógicos e práticos da vida; já na casa 9 nos deparamos com a sabedoria superior, uma verdade mais elevada.

É essa busca de sentido, ao vislumbrar o que está distante e caminhar em sua direção, que também faz da casa 9 a área do mapa astral relacionada a viagens de longa distância e ao contato com culturas diferentes. Enquanto as primeiras casas falam de nossas bases e raízes fundamentais, aqui estamos no campo oposto: Para onde desejamos ir? Qual é o horizonte que contemplamos? É exatamente dessas questões que trata a casa 9.

Ela também está diretamente associada às nossas crenças pessoais, a tudo aquilo que de algum modo direciona e conduz nossa vida. É conhecida como a casa da Filosofia ou a casa da Religião – representa não apenas nossa ligação com instituições, mas principalmente com princípios e valores. Pessoas que têm ênfase de casa 9 no mapa astral darão ótimos professores, líderes espirituais, conselheiros, mestres, filósofos e pensadores.

O signo que toca a cúspide da casa 9 nos indicará a energia fundamental que rege essa área de nossa vida, revelando também o planeta regente desse setor. Analisar a posição desse planeta, bem como de Júpiter, naturalmente associado à casa 9, vai nos ajudar a compreender as forças em atuação por nossa busca pelo sentido da vida.

SIGNO	VISÃO DE MUNDO	FILOSOFIA DE VIDA	QUEM BUSCA PELA VERDADE
ÁRIES Regência de Marte	Própria e independente. Busca pela individualidade e pela originalidade. Espiritualidade independente e muito pessoal. Está sempre começando algo novo relacionado à educação, religião ou filosofia.	"Grandes coisas são obtidas à custa de grandes perigos." Heródoto	O desbravador. Busca incessantemente expandir os horizontes.
TOURO Regência de Vênus	Concreta, prática e dogmática. Apego às tradições. Pode ter uma atitude conservadora. Mantém o foco no momento presente e preocupa-se mais com o que é imediato do que com aquilo que é distante. Necessidade de aplicar o conhecimento de maneira prática.	"O prazer no trabalho aperfeiçoa a obra." Aristóteles	O preservador. Busca criar estruturas e explorar ao máximo os potenciais de uma experiência.
GÊMEOS Regência de Mercúrio	Necessidade de descobrir o mundo e conhecê-lo. Orientado para o conhecimento formal e a comunicação. Mente lógica e racional, com tendência ao ceticismo.	"Penso, logo existo." Descartes	O curioso. Busca expandir os horizontes e conhecer um pouco de cada coisa.
CÂNCER Regência da Lua	Enxerga a relação que existe entre todas as coisas. Vocação ao serviço e ao cuidado. Seus valores e ética são orientados pelos sentimentos. Facilidade para se adaptar a outras culturas.	"Ser é ser percebido." George Berkeley	O nutridor. Busca crescer e se expandir alimentando suas raízes.

LEÃO Regência do Sol	Busca o aperfeiçoamento pessoal por meio da ética, de valores, filosofia ou religião. Desejo de refinamento interior. Sente-se movido por uma força maior. Atitude generosa.	"Tente mover o mundo – o primeiro passo será mover a si mesmo." Platão	O entusiasta. Busca explorar todos os seus potenciais.
VIRGEM Regência de Mercúrio	Precisa ver para crer. Cético e orientado a dados e fatos. Enxerga a vida de maneira prática e objetiva, e constrói ideais concretos.	"Onde não há lei, não há liberdade." John Locke	O pesquisador. Busca compreender melhor a vida e a realidade pela observação concreta.
LIBRA Regência de Vênus	Suas crenças pessoais, sejam morais, filosóficas ou religiosas, devem inspirar a beleza e a harmonia, nunca a restrição. Orientado por um senso claro de justiça e valores.	"Para saber falar é preciso saber ouvir." Plutarco	O apreciador. Busca contemplar a arte, a beleza e o abstrato.
ESCORPIÃO Regência de Plutão	Necessidade de desvendar os mistérios da vida e compreender mais profundamente aquilo que é oculto. Busca entender o que é a vida e seu propósito.	"O que não me mata me torna mais forte." Friedrich Nietzsche	O investigador. Mais interessado em fazer as perguntas corretas do que em encontrar respostas definitivas.
SAGITÁRIO Regência de Júpiter	Sabe que o mundo é um lugar muito grande e sofre porque não poderá conhecer tudo o que ele tem para oferecer. Desejo constante de expandir sua percepção de mundo. Aspirações filosóficas, religiosas ou acadêmicas.	"Só sei que nada sei." Sócrates	O aventureiro. Tem uma necessidade intensa de descobrir o mundo e explorá-lo.
CAPRICÓRNIO Regência de Saturno	Busca por respostas definitivas e concretas. Respeito por figuras de autoridade. Concentra-se no mundo observável e nos aspectos práticos da vida.	"O sucesso depende de preparação prévia." Confúcio	O conservador. Manter as tradições já estabelecidas é seu ideal.
AQUÁRIO Regência de Urano	É aberto a diferentes sistemas de crenças e consegue dialogar bem com todos eles. Ter ideias e compartilhá-las com o mundo faz parte de sua natureza. Acredita que o conhecimento liberta.	"Os filósofos limitaram-se a interpretar o mundo de diversas maneiras; o que importa é modificá-lo." Karl Marx	O inovador. Busca sempre se renovar e estar em contato com o que é diferente para seu crescimento pessoal.
PEIXES Regência de Netuno	Inclinações espirituais, místicas e filosóficas. Natureza compassiva e preocupada com a coletividade. Necessidade de desbravar os planos interiores do ser.	"A beleza das coisas existe no espírito de quem as contempla." David Hume	O guru. Suas viagens são interiores, em direção à própria essência.

Planetas

PLANETA	ATUAÇÃO PLANETÁRIA	INFLUÊNCIA SOBRE A CASA 9
SOL O Herói	A *realização pessoal* está em seguir ou descobrir um sistema de crenças que explique genuinamente o mundo e sirva como base para sua experiência da realidade.	A necessidade de explorar outros lugares e culturas é grande. Está sempre em uma jornada em busca de si mesmo. Encontra-se ao estar em contato com o mundo.
LUA O Eu Emocional	As *emoções* sempre se expandem para buscar algo novo. As viagens e os estudos são nutrição emocional. Precisa cercar-se de pessoas que inspirem crescimento.	Lida bem com novos ambientes e consegue se sentir em casa em qualquer lugar. Ideais espirituais e religiosos. Tendência contemplativa da vida. Apego a crenças familiares.
MERCÚRIO O Comunicador	A *comunicação* é dinâmica, curiosa e instigante. Facilidade para aprender e lidar com culturas e idiomas diferentes. Mente orientada a assuntos religiosos e filosóficos.	Lida muito bem com temas e assuntos variados e diversos. Espírito explorador e questionador. Sede por aprendizado.
VÊNUS A Amante	Traz *apreciação* pelo amor elevado e tem paixão por explorar os próprios potenciais e expandir os horizontes. Os relacionamentos precisam ser vivenciados em liberdade.	Os sentimentos e as relações são instrumentos para elevar a consciência. Idealização dos relacionamentos. A vida cultural é bastante atrativa.
MARTE O Guerreiro	A *força interior* volta-se para a autossuperação constante. Disputas intelectuais, morais e religiosas. Autodidata. Deseja sempre desbravar novos territórios nos temas pertinentes à casa.	Tensões e paixões no ambiente acadêmico, religioso ou filosófico do qual participa. Segurança e certeza das próprias convicções. Defende a todo custo aquilo em que acredita.
JÚPITER O Grande Rei	*Amplifica* a busca pelo significado profundo de todas as coisas, pelos valores pessoais e pela fé (ou pelo sistema de crenças). Desbrava limites.	Define metas claras de vida e age com senso de propósito. Sente que é conduzido por forças superiores. Sonha alto e mira longe. Suas buscas são sempre intensas.
SATURNO O Desafiador	*Restringe* a capacidade de olhar ao longe e buscar ideais muito distantes. Dificuldade em correr riscos e agir impulsivamente. Prefere o território conhecido.	Dificuldade em lidar com ideias e ideais muito diferentes dos próprios. Atitude rígida e rigorosa perante a vida. Para a expansão, precisa de regras claras e bem definidas.
URANO O Libertador	Provoca *mudanças intensas* por meio da necessidade de buscar expansão e desbravar novos territórios. Aversão a regras e limites. Espírito questionador.	Vive segundo os próprios ideais; tem necessidade de conhecer o mundo e compreendê-lo, e de aprender coisas novas. Busca por culturas distantes.
NETUNO O Sonhador	Traz *sensibilidade* para as buscas na vida, agindo sempre de modo intuitivo e nunca de maneira racional. Ar sonhador, sempre em busca, nem sempre sabe do quê.	Dificuldade para separar as próprias metas das expectativas externas. Dificuldade também para tomar decisões importantes. Deixa a vida decidir em seu lugar.
PLUTÃO O Guardião dos Segredos	*Experiências profundas* de transformação pessoal no campo de crenças, ideais, viagens e buscas pessoais. Lança-se sem reservas a jornadas da vida e ao desejo por descobertas. Precisa se sentir livre. Interesses mágicos e místicos.	Fascínio pelo próprio sistema de crenças, que defende impiedosamente. É a busca por um sentido de vida que abra as portas para as camadas mais profundas do ser. Dedicado a uma causa.

Lição espiritual

Na casa 9, encontramos nosso Templo Interior. Ele é o depositário de nossos sistemas de crenças, sejam elas religiosas, éticas, ideológicas ou morais. É nesta casa que nos filiamos a causas que dão sentido à vida e onde buscamos o conhecimento que não servirá apenas para entender a realidade, mas também para dar um significado à nossa existência.

Todos nós temos um Templo Interior. Para as pessoas com vocação religiosa, fica muito claro entender que templo é esse, afinal, elas já dedicam naturalmente sua energia ao cultivo desse espaço sagrado interior. Mas lembre-se: pessoas que não possuem uma religião definida ou mesmo que não acreditam na existência do Divino também possuem um Templo Interior, onde igualmente cultuarão e preservarão as próprias verdades e sua visão de mundo. Como o famoso mitólogo do século XX, Mircea Eliade, explicou na introdução de seu livro *O Sagrado e o Profano*, o homem é essencialmente um ser religioso, quer ele se dedique ou não à prática de determinada religião.

Nessa área do mapa astral, aprendemos a cultivar as crenças pessoais e a nos relacionarmos com elas.

Há uma série de questionamentos necessários para o nosso crescimento por meio da casa 9. Vivemos uma época em que a fé e a espiritualidade passam por verdadeiras crises sociais: diversos escândalos não param de surgir o tempo todo nas mídias, denunciando religiosos e templos que se valem da fé para ganhar proveito ou mesmo enganar os fiéis. Por isso, a primeira coisa que devemos nos perguntar ao colocarmos os pés na casa 9 – o Templo Interior – é se não estamos atribuindo aos outros, sejam eles pessoas ou instituições, o poder de decidir e sustentar nossa vida espiritual e nossos valores fundamentais; mas, sobretudo, devemos nos questionar sobre o que nos dá sentido e significado à vida e quem é que busca a verdade dentro de nós para encontrarmos os mestres interiores: o apreciador, o nutridor etc.

A casa 9 diz respeito a instituições que buscamos para encontrar um sentido de vida, não apenas as religiosas, mas também, por exemplo, as acadêmicas – as universidades tornaram-se verdadeiros templos aos quais o ser humano moderno recorre em busca de conhecimento e desenvolvimento intelectual, no intuito de se preparar para a vida. Mas será que ainda assim não estamos delegando ao outro a função de nutrir algo que deveria ser íntimo? Quanto de nossas crenças, valores e mesmo objetivos de vida são realmente nossos?

Quanto deles são expectativas externas sobre nós? Até que ponto nos limitamos a só repetir aquilo que nos foi ensinado? Será que buscamos ter ideias próprias, ou apenas reproduzimos os discursos vazios de outras pessoas?

O fanatismo é o grande perigo da casa 9, e eventualmente todos teremos de lidar com ele, de uma forma ou de outra. Por fanatismo podemos entender a dificuldade em flexibilizar as próprias crenças e valores ou em compreender que pessoas diferentes possam ter diferentes visões de mundo, e que isso não acarreta nenhum problema, muito pelo contrário!

Uma das lições da Astrologia é que cada ser humano é um universo único; sendo assim, todos têm o direito de desenvolver o próprio conjunto de crenças e valores, e, da mesma maneira que não podemos apenas imitar mecanicamente aquilo que nos é transmitido ou ensinado pelos outros, também não podemos impor nossas verdades ao mundo.

É a casa 9 que nos ensina a lidar com a diversidade e entender que cada ser trilha uma jornada pessoal de autodescoberta, cada um devendo se responsabilizar pela própria viagem. Se deixarmos que os outros façam as escolhas importantes de nossa vida por nós, terminaremos nossa existência amargurados por tudo aquilo que não vivemos. Do mesmo modo, se não nos abrirmos para aceitar os que pensam diferente de nós, acabaremos sozinhos – porque, no fim das contas, somos todos diferentes.

Este é o ponto do mapa astral que nos convida a colocar as diferenças de lado, para que possamos nos congregar com outros que compartilhem dos mesmos interesses e ideais, de modo que todos possamos crescer juntos. Beneficiamos a coletividade, da mesma forma que a coletividade beneficia a singularidade em cada um de nós.

Você segura as rédeas da própria jornada?

Casa 10 – a autoridade e o reconhecimento

CORRESPONDÊNCIAS DA CASA 10					
SIGNO	DOMICÍLIO	ELEMENTO	TIPO DE CASA	QUADRANTE	TEMA
CAPRICÓRNIO	SATURNO	TERRA	ANGULAR	QUARTO	POSIÇÃO SOCIAL

Temas fundamentais

A *carreira, o sucesso, o prestígio, o reconhecimento, as vocações pessoal e profissional, visibilidade, admiração, os frutos dos esforços, a influência social, a capacidade de realizar e crescer na vida social e realizar grandes metas de vida, a figura paternal, a autoridade, a reputação, a maneira de lidar com hierarquias.*

Meio do Céu

O signo que toca a cúspide da casa 10 é chamado **Meio do Céu**. Ele está em oposição direta ao Fundo do Céu de nossa casa 4, que demonstra as raízes e bases sobre as quais construímos nossa vida. A casa 10, ao contrário, é o ápice do céu, representando os ramos frondosos da árvore, que se estendem para o alto – o lugar para onde vamos crescer e que alcançaremos ao longo da vida. Ela representa a ascensão social, sendo a área onde chamamos a atenção das pessoas e recebemos admiração e prestígio. Nela encontram-se nossas aspirações mais elevadas.

A casa 10 é o ponto mais alto do céu no mapa astral, e todos os planetas que se posicionam nela ganham destaque. O Meio do Céu é o ponto que marca o brilho do Sol do meio-dia, ou seja, o ponto de maior luminosidade e ascensão do mapa; portanto, o Meio do Céu representa aquilo que desejamos alcançar, nosso potencial mais elevado. É por isso também que o Meio do Céu é associado à carreira e à escolha da profissão, pois indica os temas em que mais naturalmente alcançaremos sucesso e prestígio.

Analisar o Meio do Céu juntamente com o Sol e o Ascendente nos dará uma boa ideia do tipo de trabalho ao qual nos dedicaremos durante a maior parte da vida, sendo que a casa 10 nos mostrará "como" faremos isso.

Quando olhamos para o signo da casa 10, entendemos quais são os temas e assuntos que ganharão cada vez mais importância e destaque para nós e aos quais passaremos a nos dedicar, concentrando neles nossa energia. É preciso pensar nesta casa como um ponto de aprimoramento e desenvolvimento constante, a direção que nos dá inspiração para crescer. Portanto, a casa 10 pode indicar não só a posição social ou o papel pelo qual somos reconhecidos, mas também as características e qualidades que desenvolveremos ao longo da vida à medida que vamos amadurecendo.

O signo do Meio do Céu vai determinar ainda o planeta regente da casa 10 em nosso mapa, e por isso a posição desse planeta no mapa astral também deve ser analisada a fim de entendermos melhor o tipo de atividade à qual nos dedicaremos e as influências gerais sobre a casa 10. O planeta mais tipicamente associado aos temas da casa 10 é Saturno, por isso analisar sua posição no mapa vai ampliar nossa percepção sobre essas temáticas.

SIGNO	TIPO DE OCUPAÇÃO E ASSUNTOS IMPORTANTES	HABILIDADES-CHAVE PARA O SUCESSO	A IMAGEM DE SUCESSO
ÁRIES Regência de Marte	Necessidade de encontrar seu propósito pessoal, aquilo que o faz único. Atividades que exijam energia, capacidade de liderança, determinação e autoridade.	Autonomia, força, capacidade de se defender, motivação, dinamismo, coragem.	O sucesso está ligado à autossuficiência.
TOURO Regência de Vênus	Necessidade de construir bases seguras na vida e se sentir verdadeiramente produtivo por meio do trabalho. Atividades ligadas ao bem-estar, cuidado, à conservação ou gestão de bens.	Persistência, paciência, sensualidade, segurança, gentileza, ambição, praticidade.	O sucesso está ligado à estabilidade.
GÊMEOS Regência de Mercúrio	Necessidade de transmitir uma mensagem para o mundo. Atividades ligadas ao trabalho com o público e à comunicação.	Tolerância, flexibilidade, agilidade mental, criatividade, comunicação.	O sucesso está ligado à inteligência.
CÂNCER Regência da Lua	Necessidade de nutrir e cuidar de um ideal, projeto ou grupo. Atividades ligadas a emoções, ao universo feminino, à casa, ou que envolvam algum tipo de cuidado.	Compaixão, empatia, persistência, contato com o lado interior feminino, emoções profundas.	O sucesso está ligado à doação de si a uma causa.

LEÃO Regência do Sol	Necessidade de descobrir seu valor pessoal. Atividades que envolvam a própria imagem, as artes, a beleza, a expressão criativa, orientação ou liderança.	Reconhecimento, amor-próprio, prestígio, generosidade, confiança.	O sucesso está ligado à imagem pessoal positiva.
VIRGEM Regência de Mercúrio	Necessidade de constante aperfeiçoamento das habilidades. Atividades que envolvam organização, gestão, crítica, orientação.	Observação, organização, pensamento crítico, discernimento, cuidado, empatia, comunicação.	O sucesso está ligado ao refinamento das habilidades.
LIBRA Regência de Vênus	Necessidade de manifestar equilíbrio, justiça e beleza. Atividades ligadas a mediação, comunicação, harmonia, estética, lei, elegância e paz.	Eloquência, charme, equilíbrio, ponderação, imparcialidade.	O sucesso está ligado a uma vida equilibrada e repleta de beleza.
ESCORPIÃO Regência de Plutão	Necessidade de estar em constante transformação. Atividades ligadas a percepção, investigação, aperfeiçoamento, cura, morte, regeneração ou espiritualidade.	Confiança, autopreservação, independência, observação, profundidade.	O sucesso está ligado à exploração do desconhecido.
SAGITÁRIO Regência de Júpiter	Necessidade de crescer sempre e expandir os horizontes. Atividades ligadas à educação, orientação, exploração, liderança, contatos internacionais, interação social e cultural.	Nobreza, ímpeto, determinação, ousadia, alegria, liberdade.	O sucesso está ligado ao crescimento pessoal constante.
CAPRICÓRNIO Regência de Saturno	Necessidade de tornar algo sólido ou concreto. Atividades que envolvam a responsabilidade, a gestão adequada de recursos, o planejamento, a liderança, a preservação de costumes ou tradições.	Obstinação, foco, persistência, autonomia, perseverança, autoridade.	O sucesso está ligado à ideia de cumprir um dever ou propósito.
AQUÁRIO Regência de Urano	Necessidade de transgredir e fugir das normas convencionais. Atividades que envolvam a criatividade, tecnologia, pensamento, comunicação, ciência ou humanidades, o contato com o público.	Independência, habilidades intelectuais, criatividade, alegria, visão inovadora.	O sucesso está ligado à contribuição positiva à coletividade por meio de algum projeto de caráter mental ou intelectual.
PEIXES Regência de Netuno	Necessidade de orientar sua vida ao serviço e à doação à comunidade ou ao contato com o humano. Atividades envolvendo a cura emocional, sentimentos, intuição, espiritualidade, estados de consciência, artes, desenvolvimento pessoal.	Intuição, sensibilidade, compaixão, cuidado com o outro, capacidade de promover renovação.	O sucesso está ligado à capacidade de compreender melhor a humanidade.

Planetas

PLANETA	ATUAÇÃO PLANETÁRIA	INFLUÊNCIA SOBRE A CASA 10
SOL O Herói	A *realização pessoal* é obtida por meio da realização e do cumprimento de um propósito de vida. A identidade se volta para a posição ou o papel social. Busca pelo reconhecimento das habilidades do signo que ocupa.	Traz grande visibilidade e prestígio social. Posição de autoridade. Dá grande valor à carreira e a seus objetivos. Carisma natural. Capacidade de liderança, atitude positiva perante a vida. Ambicioso, busca por admiração.
LUA O Eu Emocional	As *emoções* são nutridas quando recebe reconhecimento e sente-se notado. Facilidade para estabelecer laços nos ambientes por onde transita e se destaca.	O trabalho, o sucesso e tudo o que constrói na vida são fonte de segurança emocional. Insegurança sobre a imagem pública. Traz a instabilidade dos humores para o campo das ocupações.
MERCÚRIO O Comunicador	A *comunicação* é vista como uma ferramenta para transmitir uma mensagem à coletividade. Comunica-se bem e de modo articulado com as pessoas ao redor. Muda rapidamente de interesses.	Traz as habilidades de comunicação e inteligência para o campo do trabalho. Adapta-se bem para desempenhar diferentes funções. Pode indicar dificuldade na escolha de uma carreira.
VÊNUS A Amante	Traz *apreciação* das pessoas ao redor, popularidade e carisma naturais. Facilidade para lidar com o público e encantá-lo. Senso estético refinado. Busca por relações bem estruturadas.	A ocupação deve ser uma manifestação de beleza e harmonia. As relações amorosas são fortes e deixam grandes marcas. Precisa amar o que faz.
MARTE O Guerreiro	A *força interior* dirige-se completamente às ambições da carreira e à estruturação da vida. Precisa superar a si mesmo e os outros o tempo todo no campo profissional.	Gosta de se sentir desafiado e expressar sua competitividade na carreira. Busca prestígio, autonomia e autenticidade. Espírito inovador e desbravador no trabalho. Indica também conflitos e tensões.
JÚPITER O Grande Rei	*Amplifica* a relação entre trabalho e sentido da vida. Deseja ser visto e percebido como bem-sucedido e um líder nato. Traz para o reino do trabalho o brilhantismo das qualidades do signo que ocupa.	Grandes oportunidades de crescimento e ascensão social. Sorte no trabalho. Prefere cargos de prestígio e liderança. O trabalho pode envolver o mundo acadêmico, filosófico ou religioso – a figura do líder orientador.

SATURNO O Desafiador	*Restringe* a rápida ascensão profissional, que deve ser conquistada por meio dos próprios esforços. Traz disciplina, rigidez e organização para o trabalho.	Postura conservadora e orientada aos valores tradicionais no trabalho. Precisa enfrentar o medo de não atingir aquilo com que sonha. Atitude muito exigente no ambiente de trabalho.
URANO O Libertador	Provoca *mudanças intensas* na maneira de trabalhar, buscando por liberdade e autonomia. Procura expressar sua originalidade por intermédio da profissão e romper estruturas coletivas rígidas.	Dificuldade para lidar com regras muito rígidas na carreira e no ambiente de trabalho. Necessidade de uma ocupação repleta de significado. Pode perder instantaneamente o interesse pela profissão que desempenha.
NETUNO O Sonhador	Traz *sensibilidade* para manifestar seus sonhos e ideais por intermédio do trabalho. Permite que a própria vida conduza o setor profissional. Busca salvação e redenção no trabalho.	É considerado sonhador, misterioso, ou é incompreendido pelos outros. Dificuldade para traçar um plano profissional e crescer na carreira. Consegue perceber as necessidades das pessoas e atendê-las por meio do trabalho.
PLUTÃO O Guardião dos Segredos	*Experiências profundas* na busca por manifestar o poder pessoal por meio do trabalho. Grandes ambições profissionais. Vivencia transformações pessoais na maneira pela qual é visto socialmente e na carreira. É considerado uma figura poderosa.	Necessidade de controle. Traz instabilidade para o ambiente de trabalho e a tendência a se sentir ameaçado. Pode indicar ocupações e atividades profissionais mal compreendidas.

Lição espiritual

A vida deve ter um propósito. Essa talvez seja a grande lição que a casa 10 tem para nos proporcionar. Em um mundo tão materialista e orientado para o sucesso pessoal a todo e qualquer custo, essa área do mapa astral sempre chama nossa atenção, mas precisamos pensar: Qual é o legado que desejamos construir? Pelo que queremos ser lembrados? A que teremos nosso nome associado? Simplesmente às posses e aos bens materiais? Nossos alicerces não devem ser apenas materiais, mas sobretudo interiores.

Tanto o Meio do Céu quanto a casa 10 vêm para nos lembrar de que precisamos colocar nossos talentos e habilidades a serviço de um ideal. Devemos trabalhar em nome daquilo em que acreditamos e usar os talentos naturais para fazer com que o mundo ao redor se transforme positivamente. Não basta agir no mundo concreto – é preciso transformá-lo com base na riqueza do nosso mundo interior, das profundezas de nossa alma. Uma vida sem propósito é uma vida vazia.

Se foi na casa 9 que meditamos sobre o sentido que desejamos dar à vida, a casa 10 nos mostra o caminho concreto para realizarmos as potencialidades interiores que a casa anterior nos revelou. Mas também não podemos apenas nos perder nos mundos interiores e filosóficos da alma – se não arregaçarmos as mangas para trabalhar concretamente, nada acontecerá.

A casa 10 também é a morada dos ganhos que vêm por meio de nossos esforços, do trabalho duro; por isso ela nos convida a estar presentes no aqui e agora, para modificar nossa própria realidade. Nesta casa, aprendemos que as verdadeiras aspirações da alma só podem ser realizadas pelo contato com o mundo concreto ao redor, e, quando fazemos isso, tornamo-nos um elo entre os mundos interior e exterior.

As grandes metas se mostram na casa 10, e nesse sentido podemos nos perguntar: Aonde quero e necessito chegar?

Casa 11 – os amigos e os grupos

CORRESPONDÊNCIAS DA CASA 11					
SIGNO	DOMICÍLIO	ELEMENTO	TIPO DE CASA	QUADRANTE	TEMA
AQUÁRIO	URANO	AR	SUCEDENTE	QUARTO	VIDA SOCIAL

Temas fundamentais

As amizades, os grupos dos quais se participa, as causas coletivas, a diversidade, a partilha, a comunidade, questões sociais, política, visão de mundo compartilhada, trabalhos voluntários, as redes de apoio e os planos futuros, as tribos às quais pertencemos, senso visionário, as novas possibilidades, filantropia.

Signo regente

Chegamos então à casa das Amizades e de nossos laços sociais. Aqui, falamos da nossa tribo, de nossa comunidade estendida e de tudo aquilo que nos faz identificarmo-nos com os outros. Enquanto a casa 3 representa nossas habilidades de socialização e aprendizado, e a casa 10 mostra o lugar que ocupamos na sociedade, é na casa 11 que verdadeiramente nos reunimos àquelas pessoas que compartilham de nossos sonhos e ideais. Essa casa revela também a maneira de enxergarmos a sociedade e atuarmos sobre ela de forma mais ampla e coletiva.

O signo regente da casa 11 nos indica que tipo de amizade buscamos, a maneira de estreitarmos esses laços e aquilo que esperamos de nosso círculo social. Mostra ainda se temos tendência a formar laços profundos e mais intimistas, ou se nos relacionamos com as pessoas de modo mais superficial. Por meio dele, também podemos entender o papel que desempenhamos nos grupos dos quais fazemos parte e a maneira pela qual essas pessoas tendem a nos perceber. O planeta regente do signo que toca a cúspide da casa 11 vai indicar as forças em atuação sobre esse setor de nossa vida. O planeta que poderá complementar a análise das temáticas da casa 11 é Urano, por isso, considere analisá-lo também ao olhar para esse setor do seu mapa astral.

SIGNO	ATITUDE EM GRUPOS SOCIAIS	COMO CONSTRÓI LAÇOS	IMAGEM DO AMIGO
ÁRIES Regência de Marte	Extrovertido, divertido e seguro de si. Relaciona-se bem com muitas pessoas, mas preserva seu espaço pessoal.	Atrai pessoas naturalmente. Transita bem entre diferentes grupos. Pode se tornar o líder da turma.	O aventureiro.
TOURO Regência de Vênus	Pacífico e sempre de bom humor, procura ser agradável o tempo todo. Facilidade para fazer amizade com mulheres.	Age mais reservadamente e nem sempre toma iniciativa para se aproximar das pessoas, mas é um amigo leal e um bom companheiro.	O companheiro.
GÊMEOS Regência de Mercúrio	Consegue se comunicar com todas as pessoas, mas nem sempre constrói laços muito profundos. Circula em diferentes núcleos sociais.	Procura se filiar a grupos e se aproximar de pessoas que pensem da mesma maneira que ele. Gosta de pessoas inteligentes e comunicativas.	O tagarela.
CÂNCER Regência da Lua	Possui uma tendência natural a cuidar e nutrir emocionalmente os amigos. Tem nas relações e nos grupos seu porto seguro.	Seus amigos são sua família. Os vínculos são principalmente afetivos e emocionais. É mais reservado e se abre verdadeiramente para poucas pessoas.	O carinhoso.
LEÃO Regência do Sol	Facilidade para se tornar o centro das atenções nos grupos. É um líder natural e vê os amigos como responsabilidade sua.	Preza muito a lealdade entre os amigos e é bastante generoso. Tem uma atitude protetora em relação a eles.	O leal.
VIRGEM Regência de Mercúrio	Comunicativo e simples para se relacionar. Lida bem com diferentes tipos de pessoa. Gosta de se sentir útil nos grupos sociais que integra.	Gosta de pessoas simples e descomplicadas, e tem tendência a servir, ajudar e cuidar dos amigos de uma maneira prática.	O solícito.
LIBRA Regência de Vênus	Tem papel de mediador, sendo o elo nos grupos de que participa. É comunicativo e gosta de estar com pessoas de personalidades variadas.	Naturalidade para atrair amigos. Tem uma atitude pacificadora e agregadora. Atração por amigos criativos e com viés artístico ou eloquente.	O comedido.

ESCORPIÃO
Regência de Plutão	É mais reservado e observador, demora a fazer amigos e gosta de preservar seu espaço pessoal. Consegue captar bem as intenções e a personalidade das pessoas.	Cria uma relação bem profunda, mas com poucas pessoas. Seleciona muito bem aqueles que vai permitir entrar em sua vida social.	O reservado.
SAGITÁRIO
Regência de Júpiter	É bastante sociável e agradável; tem muita facilidade para fazer amigos e todos gostam de estar perto. Tem um ar sempre leve, alegre e bastante jovial nos grupos de que participa.	Lida muito bem com pessoas diferentes, desde que sejam positivas e descomplicadas. Cria vínculos muito facilmente, mas também pode se desapegar com rapidez dos grupos que integra, mudando de amigos constantemente.	O divertido.
CAPRICÓRNIO
Regência de Saturno	Tem uma postura naturalmente mais discreta e não se abre com facilidade para novos amigos. Pode agir de maneira possessiva ou ciumenta.	Filia-se a grupos ou cria laços de amizade por interesses compartilhados ou com propósitos bastante específicos. Gosta de manter o próprio espaço.	O responsável.
AQUÁRIO
Regência de Urano	Age de maneira extrovertida e é bastante orientado à comunidade e à coletividade. Tem uma atitude questionadora em relação às amizades ou vive experiências de transgressão com os amigos. A vida social é sua válvula de escape.	Faz amigos das maneiras mais inusitadas possíveis. Gosta de estar com pessoas que compartilhem de seus interesses, causas e ideais. Participa de grupos políticos, sociais ou educacionais. Vê nas redes de contato uma experiência de crescimento.	O ousado.
PEIXES
Regência de Netuno	Mantém uma postura observadora em um primeiro momento, tendo bastante sensibilidade para perceber as necessidades, ideias e os desejos das pessoas nos grupos de que participa. Muitas vezes, é a pessoa capaz de colocar as ideias do grupo em palavras e traduzir o que todos estão sentindo.	Estabelece relações por meio de uma conexão de alma. Precisa de laços profundos para integrar as comunidades. Estabelece um relacionamento curador, de ouvinte e conselheiro dos amigos. Busca grupos voltados à espiritualidade ou ao desenvolvimento humano de forma geral.	O que aconselha.

Planetas

PLANETA	ATUAÇÃO PLANETÁRIA	INFLUÊNCIA SOBRE A CASA 11
SOL O Herói	A *realização pessoal* se dá por meio da integração dos grupos sociais, da dedicação às causas humanitárias e da escolha voluntária dos grupos que procura integrar.	Muita facilidade para estabelecer relações e transitar por diferentes ambientes sociais – algo que sente grande necessidade de fazer. Encontra sua identidade pessoal nos grupos que integra.
LUA O Eu Emocional	As *emoções* estão voltadas aos amigos e às pessoas com quem convive e se relaciona de maneira mais próxima. Age de forma bastante solícita e cuidadosa com os amigos e deseja nutri-los e ampará-los.	Tem uma atitude maternal e carinhosa com os amigos. Adapta-se a diferentes contextos sociais. É sensível às necessidades e emoções alheias. Cria relações íntimas com os amigos.
MERCÚRIO O Comunicador	A *comunicação* flui muito bem nos grupos que integra, e tem necessidade de se expressar e compartilhar suas ideias. Seu pensamento está voltado às causas humanitárias e se preocupa com a coletividade.	Cria relações por afinidade intelectual, mas que nem sempre são profundas, pois sua atitude é mais mental do que emocional. Aconselha os amigos.
VÊNUS A Amante	Traz *apreciação* por amizades profundas e sinceras. Facilidade para atrair novos amigos. Assume um papel agregador e conciliador nos grupos de que participa.	As amizades são vivenciadas com entusiasmo e alegria, companheirismo e beleza – com um ar quase romântico; tem dificuldade para diferenciar amizade de romance. Forma laços profundos e duradouros.
MARTE O Guerreiro	A *força interior* está voltada aos amigos e às causas sociais. Incomoda-se ao entrar em contato com os problemas dos outros e luta para resolvê-los. Os conflitos sociais são seu campo de batalha.	Facilidade para fazer amizade com homens e circular pelo universo masculino. Renova suas energias por meio do contato social. Pode indicar uma atitude beligerante, por querer comandar os círculos sociais de que participa.
JÚPITER O Grande Rei	*Amplifica* as amizades e o poder de fazer as pessoas se agregarem em torno de determinados propósitos e ideais. O crescimento pessoal está associado aos laços de amizade.	Traz um ar de bondade e generosidade com os amigos. Encontra apoio e sorte nos grupos sociais de que participa. Busca por nobreza nas relações sociais. Tem um papel de destaque nos grupos de que participa.
SATURNO O Desafiador	*Restringe* a abertura pessoal para fazer amigos e integrar grupos. Mas age de maneira responsável e comprometida com todos aqueles que considera parte de seu círculo mais íntimo, preocupando-se com o bem-estar das pessoas ao redor.	Atitude de desconfiança e timidez. Pode indicar um sentimento de castração e impotência perante a sociedade. Tem senso de dever para com as outras pessoas.
URANO O Libertador	Provoca *mudanças intensas* no ambiente social de que participa. Espírito revolucionário e livre, que vê no mundo sua casa. Preocupa-se com causas sociais e o bem-estar comum.	Forma laços livres e leves com as pessoas, buscando nelas semelhanças ideológicas. Tem facilidade para fazer amigos e atrai pessoas diferentes para perto de si.
NETUNO O Sonhador	Traz *sensibilidade* para o campo das relações sociais. Seus sonhos são sempre coletivos. Tem dificuldade para diferenciar onde termina "o Eu" e onde começam "os Outros", absorvendo facilmente emoções e ideias das pessoas.	É muito sensível e solidário às necessidades coletivas e das pessoas ao redor. Consegue compreender profundamente os amigos, mas de algum modo parece ter dificuldade para estabelecer essas relações.
PLUTÃO O Guardião dos Segredos	Capaz de promover *experiências profundas* no contexto social e tocar as profundezas de tudo aquilo que as pessoas sentem, mas não dizem. Busca profundidade nas relações que constrói. Traz à tona os pensamentos do grupo.	Forma laços bastante duradouros e está ao lado dos amigos para todo tipo de coisa. Viverá transformações intensas por meio do contato com os grupos, que têm o potencial de trazer à tona seus sonhos, desejos e impulsos. Relações de poder e dominação.

Lição espiritual

Juntos somos mais fortes; juntos podemos mais – eis como podemos simplificar a lição que a casa 11 nos reserva no mapa astral.

A vida é uma experiência de felizes encontros, ocasião em que temos a oportunidade de conhecer e nos associar a outras pessoas que nos farão crescer, e com as quais poderemos contribuir de alguma maneira.

Na casa 11, qualquer disputa entre "o Eu" e "o Outro", ou entre Individualidade e Coletividade, é rompida e desfeita. Nesta casa nos fortalecemos quando estamos na companhia de nossos pares, sendo que nos transformamos também em fonte de força e energia para eles. Na décima primeira casa, o poder é coletivo, compartilhado e voltado a temas que são de interesse global, afinal, algo só pode ser bom para mim se for bom para o todo, e vice-versa. Essa área do mapa astral nos ensina que, ao trabalharmos para o benefício dos outros, também crescemos e nos transformamos.

É esta casa que nos traz o conforto de sabermos que ninguém precisa ser autossuficiente, tampouco dominar todos os temas ou agir de maneira egoísta, sem pensar no bem da coletividade. Sempre temos outras pessoas com quem contar, a cujos talentos, diferentes dos nossos, podemos recorrer.

A beleza da casa 11 está em celebrar a diversidade como algo necessário para a manutenção do mundo e da sociedade – no fim das contas, somos todos um grande povo, uma só nação, irmãos de alma e de coração. É nesta casa que todas as pessoas se reúnem para transformar a humanidade, sabendo que é apenas por intermédio do contato com o outro que nos tornamos cada vez mais uma unidade.

Casa 12 – o mergulho na totalidade

CORRESPONDÊNCIAS DA CASA 12					
SIGNO	DOMICÍLIO	ELEMENTO	TIPO DE CASA	QUADRANTE	TEMA
PEIXES	NETUNO	ÁGUA	CADENTE	QUARTO	TRANSCENDÊNCIA

Temas fundamentais

O *inconsciente, o contato com a alma, a missão de vida, o karma, os segredos, o desconhecido, o mundo interior, os medos, o sagrado, a redenção, a devoção, o transcendente, as lições emocionais que precisam ser aprendidas e integradas, os aprendizados do espírito.*

Signo regente

A última casa do mapa astral é nossa conexão com o inconsciente coletivo e o mergulho no oceano primordial da vida. Aqui, não há palavras nem explicações, pois sua natureza é muito mais antiga e primitiva que a comunicação verbal – ela é povoada por imagens, símbolos, sensações e sentimentos. Esta é a morada do inexplicável e nossa ligação com o Misterioso, o Sagrado, o Desconhecido. Enquanto sua oposta, a casa 6, é o reino do cuidado com o corpo e da vida cotidiana, na casa 12 penetramos os domínios da alma.

Esta casa sempre foi associada às situações e aos temas da vida que temos mais dificuldade para perceber; onde se escondem nossos inimigos ocultos; e onde habitam as experiências negativas que preferimos esquecer. Por isso, ela é também um ambiente de repressão, profundas transformações interiores, e ainda um espaço de renovação e regeneração. Vemos na casa 12 a morada da espiritualidade, e não da religião institucionalizada, que é tema da casa 9.

Aqui, onde habita apenas o abstrato, está nossa ligação direta com aquilo que chamamos de Divino, e uma casa 12 enfatizada no mapa astral certamente indicará sensibilidade para as realidades psíquicas e místicas da existência.

É na casa 12 que também compreendemos a necessidade humana de dissolução na Totalidade. De algum modo, todos intuímos que, para além das divisões e separações que existem no universo, tudo procede de uma Unidade, e esta casa representa nosso desejo de retornar a essa morada coletiva onde tudo é um – um sentimento que Freud, o pai da psicanálise, chamou de "sentimento oceânico" – uma sensação bastante parecida com a do bebê ainda no útero da mãe, no qual está simbioticamente imerso na totalidade do próprio mundo.

Sendo assim, os que têm a casa 12 proeminente no mapa astral também terão dificuldade para lidar com o mundo concreto e prático ao redor. Viverão imersos no universo interior, no mundo imaginário, tendo uma imensa tendência a escapar da realidade.

Simbolicamente, a casa 12 tem sido associada a hospitais, cárceres, asilos, mosteiros, sanatórios e todas as instituições que aprisionam e isolam o ser humano do mundo comum. E quem tem esta casa enfatizada no mapa astral pode ter justamente essa sensação – ou perceber a própria realidade como uma prisão.

O signo que toca a cúspide da casa 12 indica o tom geral do nosso inconsciente, a energia que rege esse mundo interior e é capaz de estabelecer a conexão com a totalidade. É por intermédio desse signo que descobriremos o planeta regente da casa em questão, o qual revelará as energias psíquicas que atuam sobre nós nesse nível da vida. O planeta associado aos temas da casa 12 é Netuno, por isso analisar sua posição no mapa astral vai aumentar sua percepção sobre as temáticas desse setor.

SIGNO	MUNDO INTERIOR	LIÇÕES ESPIRITUAIS
ÁRIES Regência de Marte	Há uma preocupação natural com a própria sobrevivência, além de um sentimento de ameaça constante. Indica a tendência a reprimir os próprios impulsos agressivos e dificuldade para manifestar sua força pessoal, o que pode acabar irrompendo como explosões de raiva ou, ao contrário, uma atitude de total martirização.	Envolve usar de maneira adequada e criativa o manancial de energia interior que possui, evitando o potencial destrutivo dessa energia dentro de si.
TOURO Regência de Vênus	Traz uma reserva de energia inesgotável e uma resistência inabalável nos momentos de dificuldade e necessidade. Pode indicar dificuldades com as pessoas e as finanças, pois enxerga o valor espiritual das coisas, e não apenas o material. Tem a capacidade de tirar talentos e habilidades de dentro de si em momentos de grande dificuldade.	Envolve aprender a gerenciar com mais sabedoria as próprias posses, sem perder a conexão com o plano espiritual, encontrando valor no mundo interior.
GÊMEOS Regência de Mercúrio	Consegue dizer as palavras certas nos momentos mais necessários, quando está em contato com o próprio mundo interior, mas no restante do tempo torna a comunicação com as pessoas ao redor muito abstrata e difícil de ser compreendida.	Envolve aprender a colocar a comunicação a serviço de propósitos mais elevados, sem se perder em discursos interiores.
CÂNCER Regência da Lua	Sua psique está em contato íntimo com uma fonte de amor e nutrição, que busca distribuir para o mundo ao redor, mas traz também a busca por "salvar", curar e cuidar das pessoas ao redor mesmo quando as relações deveriam ser impessoais.	Envolve aprender a trazer o amor divino ao mundo sem perder a si mesmo nesse processo.
LEÃO Regência do Sol	Necessidade de doar o próprio potencial criativo e energia pessoal para a cura das pessoas e a construção do bem comum. Tendência a sacrificar a si mesmo em nome dos outros.	Envolve aprender a reconhecer a si mesmo e as próprias necessidades como tão importantes e essenciais quanto as das outras pessoas.
VIRGEM Regência de Mercúrio	Indica o desejo interior de doar-se para o bem comum e a humanidade, trabalhando em nome desta. Consegue conciliar bem as ideias do plano físico ao mundo mental e intelectual, e vice-versa.	Envolve aprender a operar sem a necessidade de estruturas rígidas e definidas, entregando-se ao fluxo da vida.

LIBRA Regência de Vênus	Idealiza parceiros e pessoas com quem se relaciona. Tem uma habilidade muito natural para perceber as necessidades das outras pessoas. Possui ainda uma visão interior de beleza e harmonia que busca projetar para o mundo.	Envolve aprender a não depender de outras pessoas para entender os próprios desejos e necessidades.
ESCORPIÃO Regência de Plutão	Indica um estado interior de pessimismo e um sentimento de ameaça ao estar em contato com o próprio conteúdo interior. Vê o contato com a própria intimidade como aversivo e perigoso. O mundo interior é povoado por imagens de desejo, medo e poder. Tudo isso, porém, traz um potencial de purificação e libertação muito profundo.	Envolve aprender a transformar as dores da alma em cura. Grande potencial espiritual.
SAGITÁRIO Regência de Júpiter	Dentro de si há uma fonte de sabedoria e compreensão intuitiva sobre a natureza da vida. Tem fácil acesso ao conhecimento coletivo acumulado pela humanidade, e a intuição é bastante certeira.	Envolve não racionalizar as experiências místicas e aceitar que existem muitas coisas que não poderão ser explicadas nem compreendidas, apenas vivenciadas.
CAPRICÓRNIO Regência de Saturno	Encontra no contato com seu íntimo a estrutura necessária para sustentar a vida, mas tem dificuldade em perceber essas bases concretas fora de si, no mundo lá fora.	Envolve abdicar da necessidade de controle absoluto sobre a vida e aprender a agir de maneira mais leve.
AQUÁRIO Regência de Urano	Grande sensibilidade para perceber a coletividade e a conexão que existe entre tudo o que há. Como a energia psíquica está direcionada para as questões coletivas, indica dificuldade para perceber os próprios limites e definições, ou de lidar com questões íntimas.	Envolve aprender a trabalhar pelo bem comum de maneira concreta, e não apenas intelectual.
PEIXES Regência de Netuno	Indica o contato direto com a espiritualidade e a sabedoria universal. Há um senso de chamado e serviço à coletividade bastante natural. Indica também a tendência a permanecer sempre sob a superfície da vida e se deixar arrastar pelas marés interiores.	Envolve aprender a manter o contato com a realidade para comunicar aquilo que aprende nos planos interiores à realidade exterior.

Planetas

PLANETA	ATUAÇÃO PLANETÁRIA	INFLUÊNCIA SOBRE A CASA 12
SOL O Herói	A *realização pessoal* está na busca por experiências transcendentes e de aprofundamento místico, criando certa dificuldade para lidar com o mundo concreto ao redor.	Fácil acesso ao universo inconsciente e simbólico. É capaz de encontrar sentido para os próprios sofrimentos e dificuldades da vida. Está em busca de se espiritualizar.
LUA O Eu Emocional	As *emoções* voltam-se para os reinos interiores e o contato íntimo consigo. Emoções confusas e de difícil acesso. Naturalmente intuitivo e sensível.	Tendência a guardar os sentimentos para si e não partilhá-los com os outros. Marcas importantes do passado. Facilidade para entender os outros e penetrar em seu mundo oculto.
MERCÚRIO O Comunicador	A *comunicação* volta-se para tentar traduzir o próprio mundo interior, que investiga com curiosidade. Consegue expressar suas intuições. Comunicação simbólica e abstrata.	Tendência aguardar os pensamentos e ideias para si e não partilhá-los com os outros. A mente é inquieta e nunca para.
VÊNUS A Amante	Traz *apreciação* por uniões profundas, buscando por intermédio delas fundir-se às outras pessoas. Expressa um altruísmo genuíno e dedicação total ao parceiro.	Busca a própria redenção na relação com o outro. Dificuldade para expressar desejos e a atração pelas pessoas. Amores platônicos. Relações imaginárias e idealizadas.
MARTE O Guerreiro	A *força interior* se volta ao próprio universo psíquico, que é sua arena de combate. Busca crescer espiritualmente e combater vícios e debilidades.	Dificuldade para manifestar exteriormente sua força e determinação. Gera atitudes explosivas aparentemente sem significado ou explicação.
JÚPITER O Grande Rei	*Amplifica* a sensibilidade para o contato com o mundo psíquico e os planos superiores. Indica uma natureza reclusa e introspectiva. Está em contato direto com a inspiração da própria alma.	Tem grande facilidade para orientar e aconselhar as outras pessoas sobre temas importantes da vida, mas muitas vezes perde-se nas próprias emoções e ilusões.
SATURNO O Desafiador	*Restringe* o sentimento de segurança afetiva pela imersão nos próprios medos e angústias. Dificulta a vazão do conteúdo inconsciente. Repressão e culpa.	Tendência a manter muitos segredos. Dificuldade para expressar emoções, angústias e sofrimento, como se sentisse que não tem direito a fazer isso. Busca domar o mundo interior.

URANO O Libertador	Provoca *mudanças intensas* no mundo interior por meio do contato com o próprio íntimo. Dificuldade para lidar com as mudanças concretas do mundo e romper as amarras da dominação.	Instabilidade emocional e humores sempre variáveis. Consegue fazer emergir sua inspiração e criatividade. Vê no mergulho em si mesmo a possibilidade de libertação.
NETUNO O Sonhador	Traz *sensibilidade* para lidar com os planos psíquicos e espirituais. É artisticamente inspirado. Tendência naturalmente introspectiva. Está em constante busca pelo autoconhecimento.	Recolhe-se no mundo interior para recuperar as forças. Necessita de profundos mergulhos em si mesmo para dar conta da realidade. Consegue lidar bem com as dores da alma das pessoas ao redor.
PLUTÃO O Guardião dos Segredos	*Experiências profundas* envolvendo o mergulho no íntimo para liberar medos, angústias e sofrimentos aprisionados ali. Atitude curadora e regeneradora. Faz emergir os potenciais da alma.	Sensibilidade profunda; capacidade de entender os medos e dores das pessoas. Intui naturalmente sobre a alma humana e seus temores. Pode criar problemas que não existem, sendo constantemente ameaçado por temores internos.

Lição espiritual

Como a casa que rege a própria espiritualidade e as lições da alma nesta vida, a lição espiritual que ela nos reserva pode ser compreendida por meio da própria interpretação do mapa astral, conforme os quadros apresentados anteriormente.

A casa 12 vem para nos lembrar de que, apesar de cada um ser um universo único e particular, tudo está intimamente conectado, e, por mais que haja em nós o desejo de conhecer e controlar todas as coisas, o universo ainda é um grande desconhecido – sempre haverá algo inacessível, algo que estará além de nosso alcance. Esse é o domínio da casa 12, que permanece impulsionando-nos em direção à evolução.

A vida é um grande mistério, que também se expressa por intermédio de todos nós. Toda alma é vasta como o mar desconhecido onde habitam tesouros fascinantes e monstros assustadores.

Todos temos essa imensidão dentro do nosso ser, esperando para ser navegada, mas nunca desvendada por completo. Por isso, talvez a grande lição da casa 12 seja a humildade – nunca seremos capazes de compreender tudo o que há, e a vida não é nada além de evoluir para ampliar a consciência, uma constante autodescoberta.

CAPÍTULO 6

ASPECTOS

Você já se perguntou o que são todas aquelas linhas coloridas que conectam os planetas no seu mapa astral?

Elas representam aquilo que chamamos de **aspectos**: determinadas posições relativas dos planetas e luminares no mapa, formando ângulos específicos entre si; ou seja, os planetas não só ocupam casas e signos, mas, dependendo de sua posição, interagem diretamente com outros astros no mapa astral. É por isso que duas pessoas que tenham a Lua em Câncer na casa 1, por exemplo, ainda assim vão se expressar emocionalmente de maneira diferente – porque não basta apenas interpretar os planetas nos signos ou casas; é preciso também entender como suas forças se relacionam e atuam umas sobre as outras.

Quando falamos dos aspectos, costumamos entrar em uma área um pouco mais complexa da Astrologia, que foge do conhecimento geral. Entretanto, ter um conhecimento básico acerca deles é fundamental para uma leitura mais esclarecida do nosso mapa astral, ao entender como todas essas forças interagem dentro de nós.

Os aspectos são aquilo que torna um mapa astral conectado e dinâmico – se compreendermos cada planeta como uma potência individual, estaremos, do mesmo modo, pensando em um ser humano fragmentado. São os aspectos que contribuem para trazer a unidade do mapa, transformando as peças separadas do quebra-cabeça em um todo coeso.

Os principais aspectos que podem ser estudados no mapa astral, e que veremos a seguir, são a **conjunção**, a **oposição**, o **trígono**, a **quadratura** e o **sextil**. Para entendê-los, é preciso relembrar que o centro do mapa astral é a própria pessoa no momento do seu nascimento. Então, se traçarmos uma linha reta ligando cada planeta ao centro do mapa astral, ou seja, a você, essas linhas passarão a formar ângulos de distância entre cada planeta, e cada aspecto estará relacionado à formação de um ângulo com valor específico.

A circunferência completa do mapa astral possui 360°. Quando dividimos esse valor por dois, obtemos 180°– os astros estarão de frente um para o outro, formando uma oposição. Se dividirmos a circunferência por três, obteremos 120°, a distância relativa a um trígono. Se dividirmos o mapa astral em quatro, teremos quatro quadrantes de 90°cada um e, portanto, quando os astros têm essa distância relativa, eles formam uma quadratura. Por fim, dividindo a circunferência do mapa astral em seis partes, obteremos o ângulo de 60°, relativo ao sextil.

O trígono é visto como o mais benéfico dos aspectos, seguido pelo sextil. A oposição é considerada o pior dos aspectos, seguida da quadratura, pois trazem desafios. As conjunções são neutras e vão depender da harmonia ou desarmonia entre os planetas, mas, para simplificar, pense da seguinte forma: os aspectos positivos dos astros vão se fortalecer entre si, porém os negativos também. Uma conjunção sempre será uma moeda de duas faces, e você poderá analisar ambas.

A oposição, como o próprio nome indica, é um aspecto de conflitos, tensões e disputas entre os astros. Seus interesses são antagônicos, e o efeito no mapa astral é de guerra – um está sempre desafiando o outro. Será bastante difícil integrar os aspectos e temas associados a cada um dos astros envolvidos, pois seus interesses serão sempre opostos.

Toda oposição no mapa astral é uma oportunidade de conciliação. Será preciso harmonizar positivamente essas duas funções. Como cada planeta direciona suas energias para uma área diferente de interesses, também podemos pensar que isso, de alguma forma, amplia o leque de possibilidades. Essas serão nossas grandes tensões na vida, os campos que exigirão mais energia, esforço e dedicação de nossa parte.

O benéfico trígono traz harmonia positiva para as interações entre os dois planetas. Há uma constante troca de energia positiva entre eles, que permanecem sempre em comunicação. Quando um astro (ou a área da vida que ele representa) enfrenta dificuldades, o outro vem em seu socorro e coloca suas habilidades à disposição. São os trígonos que revelam nossas aptidões e habilidades fundamentais, e também as forças benéficas da própria personalidade. Entender os trígonos do mapa astral significa compreender os talentos naturais que possuímos.

Já as quadraturas podem ser entendidas como bloqueios, obstáculos. São as dificuldades que precisamos enfrentar e superar todos os dias. Diferente da oposição, em que as forças planetárias se movem em direção oposta, na quadratura elas competem o tempo todo. É interessante perceber que as quadraturas sempre acontecem em signos de mesma qualidade – cardinais, fixos ou mutáveis –, o que de certa maneira deixa de tornar a energia completamente oposta. Na verdade, ela mostra que ambos os signos disputam o mesmo território.

O sextil indica onde surgem oportunidades para nosso crescimento e aprimoramento. Enquanto no trígono as forças planetárias estão sempre sustentando uma a outra, o sextil indica que, durante a vida, vivenciaremos diversas oportunidades para conciliar essas forças e que, por meio da potência de um planeta, podemos elevar a de outro.

Enfim, a conjunção faz os astros funcionarem em unidade. Um sempre influenciará o outro, como se caminhassem de mãos dadas pelo céu. A função de um planeta sempre será tocada pela energia do outro – por isso, a conjunção não é considerada positiva nem negativa – isso dependerá da boa relação entre os planetas, e da quantidade de aspectos positivos e negativos que cada um deles formar com outros astros no céu.

Para fins de uma primeira análise, considere que as semelhanças entre esses dois planetas vão se potencializar de maneira positiva, enquanto as diferenças vão fazê-los se atrapalhar o tempo todo.

É importante ressaltar ainda que existem outros aspectos possíveis no mapa astral, como o semissextil, o quintil, a semiquadratura e o quincúncio, mas eles são vistos como secundários e, portanto, para os propósitos do nosso livro, não serão analisados.

Aspectos positivos *versus* aspectos negativos

Parece bastante simples, não é? Quanto mais aspectos positivos e menos aspectos negativos, mais fácil será nossa vida.

Bem, como você já deve ter notado, a Astrologia costuma ser um pouco mais complexa que isso. É verdade que um grande número de aspectos benéficos indicará mais harmonia entre as forças planetárias, enquanto os aspectos negativos indicarão mais tensão entre os planetas, mas isso nem sempre significa que nossa vida será melhor ou pior. Você deve pensar no mapa astral de maneira qualitativa, e não apenas quantitativa.

Muitos astrólogos têm percebido que os aspectos positivos do mapa astral costumam se tornar não apenas pontos por onde tudo flui melhor, mas também áreas potenciais de **acomodação**, justamente porque representam pontos que não demandam tanto esforço. Analisando mapas astrais de artistas, políticos e outras personalidades históricas, perceberemos que muitas vezes essas pessoas se destacaram exatamente nas áreas onde existem aspectos negativos. Por quê? Porque eles são os pontos que demandam mais de nossa atenção e energia, logo, quando nos empenhamos para trabalhar com tais aspectos, superamos as dificuldades e acabamos obtendo sucesso naquilo que parecia ser o mais difícil para nós. Insisto: não podemos pensar na Astrologia como determinista; não são os aspectos que vão indicar seu sucesso ou falha, mas sua atitude pessoal em relação a eles e o nível de dificuldade ou facilidade enfrentado.

Não deixe que os aspectos de tensão do mapa astral o assustem ou o façam desistir de determinadas áreas de sua vida. Muito pelo contrário, esses aspectos são fontes de aprendizado, representando aquilo que precisamos superar e equilibrar dentro de nós. Da mesma maneira, não se acomode nos aspectos positivos; use-os a seu favor, mas não se torne dependente de nenhum deles.

Como interpretar os aspectos

Para começar a se aventurar na arte de interpretar os aspectos do mapa astral, é preciso entender:

- *como atuam os astros envolvidos;*
- *que forças interiores estão associadas a cada astro;*
- *que tipo de relação entre eles é determinada pelo aspecto.*

Por exemplo, sabemos que Marte é o Guerreiro Interior e rege nossa força de vontade, nível de energia, resistência, poder de expansão, agressividade, potencialidades e impulsos. Já Vênus é a Amante e rege nosso poder de atração e também aquilo que nos atrai, os relacionamentos, a sociabilidade e a noção de beleza. Um trígono representa uma interação harmoniosa entre os planetas, em que ambos unem forças; portanto, um trígono entre Vênus e

Marte indicaria que nossa força interior se expressa em harmonia com o amor e a beleza; que enfrentamos as batalhas da vida de maneira apaixonada; e que nossas relações são sempre intensas e calorosas. No campo do amor e dos afetos, sempre teremos a iniciativa e a determinação de Marte, enquanto nas batalhas da vida teremos o poder da sedução, do encanto e da harmonia a nosso favor. Uma união positiva entre esses dois planetas só poderá significar que não há espaço para nada destituído de paixão em nossa vida, pois a força deles se combinará de modo harmônico para que se impulsionem mutuamente. Tudo o que diz respeito ao tema de um planeta será influenciado positivamente pelo outro.

Agora, vamos pensar no oposto. E se Marte e Vênus formarem uma quadratura no céu? Toda quadratura indica tensões e conflitos, o que significa que os planetas se influenciarão de maneira negativa. Se positivamente Marte vai trazer paixão e vitalidade aos relacionamentos, negativamente ele provocará brigas, desentendimentos, conflitos, tentativas de dominação e jogos de poder. Ou então o rápido Marte fará com que percamos o interesse em pouco tempo, levando-nos a relacionamentos que podem ser intensos, mas que são passageiros e desprovidos de significado. Já no que diz respeito aos temas de Vênus – a autoestima, por exemplo –, eles serão sempre pontos de conflito e tensão para nós. Ou, ainda, todos os nossos impulsos sexuais, que são regidos por Marte, estarão sempre em conflito com nosso coração.

Agora é hora de você experimentar. Use os quadros nas páginas seguintes para estabelecer relações com os planetas de acordo com os aspectos formados no seu mapa astral. Basta definir se a relação é positiva ou negativa e depois associar a atuação de um dos planetas às áreas da vida regidas pelo outro, e vice-versa como pode ser visto no quadro da próxima página. É bom lembrar que, com relação aos aspectos, as quadraturas e oposições estão indicadas no mapa a seguir, em linhas vermelhas, bem como o sextil e trígonos por linhas azuis, que estão dispostas no círculo interno do mapa. Contudo, essas cores poderão variar de acordo com o software de astrologia escolhido na hora de fazer o mapa, porém, sempre mostrará os mesmos aspectos.

Mapa Natal de André Mantovanni

Data: 24/08/1980 (Dom) Fuso horário: -03:00
Hora: 08h55m   Latitude: 23:33S
Local: Sao Paulo/SP (Brasil) Longitude: 46:38W

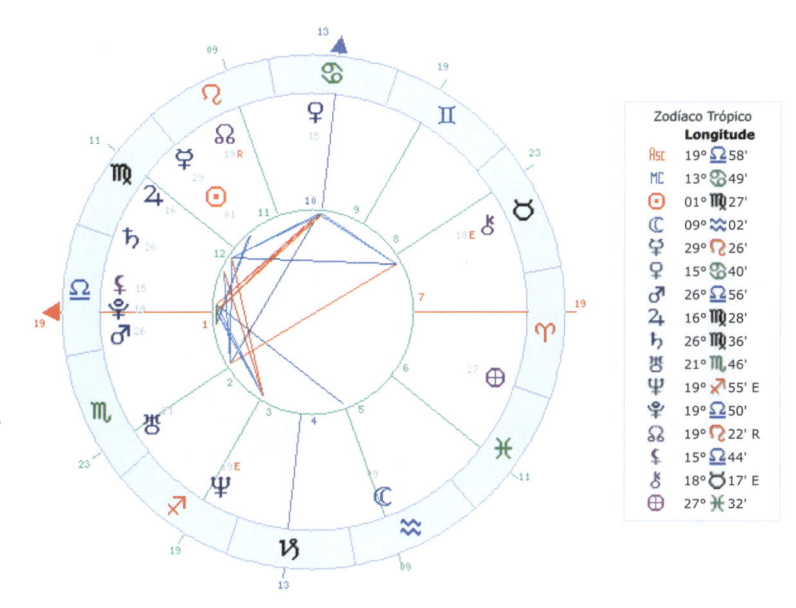

Zodíaco Trópico
Longitude
Asc 19° ♎ 58'
MC   13° ♋ 49'
☉   01° ♍ 27'
☽   09° ♒ 02'
☿   29° ♌ 26'
♀   15° ♋ 40'
♂   26° ♎ 56'
♃   16° ♍ 28'
♄   26° ♍ 36'
♅   21° ♏ 46'
♆   19° ♐ 55' E
♇   19° ♎ 50'
☊   19° ♌ 22' R
⚷   15° ♎ 44'
⚴   18° ♉ 17' E
⊕   27° ♓ 32'

Resumo: Sol (☉) em Virgem (♍) na casa 11   Ascendente (Asc) em Libra (♎)
Lua (☽) em Aquário (♒) nas casas 4/5   Meio do Céu (MC) em Câncer (♋)
Fase da Lua: Crescente

Crédito de uso do mapa:

Mapa Natal reproduzido com autorização da Sadhana Informática
(disponível em: <www.sadhana.com.br>).

O Mapa Natal foi extraído do **Vega Plus Online – Software on-line de Astrologia**
(disponível em: <www.vegaplus.com.br>).

SÍMBOLO	ASPECTO	DISTÂNCIA	ATUAÇÃO	COR DA LINHA NO MAPA ASTRAL
☌	Conjunção	0° a 5°	Potencialização	**Variável**
✶	Sextil	60°	Cooperação	**Azul**
□	Quadratura	90°	Obstáculo	**Vermelha**
△	Trígono	120°	Harmonia	**Azul**
☍	Oposição	180°	Confronto	**Vermelha**

PLANETA	ATUAÇÃO POSITIVA	ATUAÇÃO NEGATIVA	TEMAS
SOL O Herói	Expressão positiva de; Manifesta seu brilho pessoal com; Harmonia para; Traz vigor para; Traz clareza para: Vocação para;	Dificuldade de integrar na personalidade; Evita lidar com; Problemas com; Percepção distorcida de;	Energia vital, consciência, esperança, alegria, confiança, identidade, autoimagem, vocação, clareza, perspicácia, criatividade, expressividade, disposição.
LUA O Eu Emocional	Traz fertilidade para; Expressa positivamente emoções sobre; Sente-se seguro emocionalmente com; Desperta intuição para; A intimidade é cheia de;	Traz instabilidade sobre; Inseguranças ligadas a; Dificuldade para ter intimidade na presença de; Ilusões com; Sentimentos negativos sobre;	Fecundidade, criatividade intuitiva, sensibilidade, empatia, sentimentos, fragilidades, expectativas, vínculo emocional, carinho, apego, humores.
MERCÚRIO O Comunicador	Boas ideias sobre; Facilidade para comunicar e expressar; Flexibilidade para lidar com; Compreensão de; Pensamento lógico; Capacidade de negociar sobre/com; Inteligência sobre; Habilidade de interagir com; Persuasão para tratar de; Facilidade para se adaptar a;	Dificuldade para pensar sobre; Dificuldade para falar sobre; Racionaliza as experiências de; Falta de inteligência sobre; Experimenta superficialmente; Traz incertezas e questionamentos sobre; Foge de; Traz inconstância sobre;	Fala, aprendizado, pensamento, escrita, negociações, acordos, linguagem, mudanças constantes, situações sociais, lidar com o público.
VÊNUS A Amante	Sente atração por; Enxerga a beleza em; Expressa a beleza em; Harmonia para; Sorte para; Usa seu carisma para; Encanta por meio de; Expressa afetividade com;	Deseja superficialmente; Relaciona-se superficialmente com; Projeta uma imagem negativa sobre; Traz apego a;	Sedução, amor, romance, carisma, atração, vaidade, sensualidade, beleza, compromissos, lealdade, fidelidade, harmonia, desejo, união, autoestima.
MARTE O Guerreiro	Canaliza a força de vontade para; Intensifica positivamente; Aumenta o interesse em; Desperta paixão por; Traz invencibilidade para;	Cria conflitos sobre; Gera dificuldade em; Cria impaciência por; Faz-nos oprimir; Cria ansiedade sobre; Faz-nos correr riscos com; Relação rápida e superficial com;	Determinação, garra, força de vontade, dinamismo, impulsividade, iniciativa, paixão, desejo, coragem, sexualidade, intensidade, conflitos, agressividade, batalhas.

JÚPITER O Grande Rei	Traz sorte para; Expande o poder de; Eleva nossas ideias sobre; Traz expansão positiva para; Aumenta o interesse por; Busca o refinamento das experiências de;	Exageros sobre; Torna-nos radicais sobre; Desperta fanatismo por; Problemas com autoridades que expressem; Cria compulsões por; Autoconfiança cega sobre; Dificuldade para perceber seus defeitos sobre; Preguiça de;	Expansividade, riqueza, prosperidade, crescimento, figuras de autoridade, posições de autoridade, capacidade de orientação, progresso, satisfação.
SATURNO O Desafiador	Traz segurança para; Traz compromisso e responsabilidade com; Traz uma visão realista sobre; Organização para lidar com; Objetividade ao tratar de;	Faz-nos reprimir; Faz-nos conter e limitar; Dificuldade para expressar; Dificuldade para concretizar; Enxerga de maneira ameaçadora; Traz perdas referentes a; Experiências negativas com;	Consolidação, segurança, disciplina, senso de dever, comprometimento, realidade concreta, estabilidade, respeito, velhice, sabedoria, rigidez, tudo o que leva tempo.
URANO O Libertador	Manifestações positivamente inesperadas de; Expressa livremente; Visão libertária e inovadora de;	Manifestações negativamente inesperadas de; Visão ameaçadora de; Expressa tempestuosamente;	Autonomia, liberdade, independência, originalidade, criatividade, amizade, pensamento social e coletivo, excentricidade, fraternidade, solidariedade.
NETUNO O Sonhador	Sensibilidade para antecipar; Mergulho positivo em; A inspiração e a criatividade se direcionam para; Sonhos sobre; Visão idealizada de;	Busca exílio em; Imersão negativa em; Visão distorcida e nebulosa de; Ilusões sobre; Dificuldade para perceber;	Inspiração, imaginação, intuição, espiritualidade, sensibilidade, devoção, tudo o que é simbólico.
PLUTÃO O Guardião dos Segredos	Manifesta seu poder pessoal com; Consegue curar e regenerar; Vivência positivamente profunda de; Controle positivo de;	Compulsão por; Possessividade sobre; Falta de controle sobre; Marcas profundas sobre; Obscuridade para expressar; Experiências negativas com;	Poder pessoal, perdas, finais, regeneração, transformação, recomeços, cura, mistério.

Aprofundando a interpretação dos aspectos

Você pode enriquecer ainda mais sua interpretação de como um planeta atuará sobre o outro ao considerar:

- *o signo que cada astro ocupa;*
- *a casa que cada astro ocupa;*
- *a casa regida pelo signo relacionado ao astro;*
- *a presença de outros aspectos envolvendo esses mesmos astros.*

É importante lembrar que a análise dos aspectos no mapa astral é bastante dinâmica e complexa. O que fizemos aqui foi dar a você apenas uma noção inicial de como perceber as relações entre esses planetas. Se desejar uma análise mais profunda sobre tais interações, é importante procurar um astrólogo profissional, que poderá analisar seu mapa com mais riqueza de detalhes e fazer associações que nem sempre são óbvias ou simples para aqueles que estão trilhando os primeiros passos pela vasta jornada da Astrologia e pelos conhecimentos que ela envolve.

CAPÍTULO 7

QUÍRON E A FERIDA SAGRADA

O mito do Curador Ferido

Na mitologia grega, Quíron leva o nome de Curador Ferido. Filho de Cronos, foi um centauro conhecido por ser sábio, eloquente e bondoso, além de um excelente médico, capaz de curar todos os males. Durante uma batalha, Quíron foi ferido na coxa por uma flecha envenenada e passou a sentir dores terríveis; porém, por ser filho de um Titã, ele era imortal, e dessa forma seu sofrimento estava condenado a ser eterno, pois Quíron era incapaz de curar a si mesmo.

Assim, ele sofreu por muito anos, até que o herói Hércules fez um acordo com Zeus: Quíron abriria mão de sua imortalidade, para que seu sofrimento cessasse, e, em troca, Zeus libertaria Prometeu, o herói grego que tinha roubado o fogo do Paraíso e o trouxera à humanidade, por essa razão sendo condenado a um sofrimento perpétuo. Zeus tinha determinado que Prometeu só escaparia de seu sofrimento quando um imortal abrisse mão de sua vida eterna por ele, e assim foi feito: Prometeu escapou de seu tormento eterno e Quíron morreu, dando fim também à sua dor infinita. Como homenagem, Quíron foi elevado aos céus e transformou-se na constelação de Sagitário.

Crédito da imagem: *Chiron. Etching.* Credit: Wellcome Collection. CC BY

O Quíron astrológico, apesar de receber o nome do centauro que se tornou a constelação de Sagitário, não está relacionado a uma constelação, e sim a um corpo celeste descoberto em 1977.

Ele foi chamado primeiramente de asteroide, mas hoje alguns preferem classificá-lo como cometa, cuja órbita está entre Saturno e Urano. Sua posição no mapa astral pode ser identificada pelo símbolo ao lado, e seu papel em nossa personalidade é bem descrito pelo mito do centauro: ele representa nossa ferida sagrada, aquela dor profunda que carregamos na alma e que parecemos ser incapazes de curar, mas com a qual precisaremos conviver durante toda a vida, enquanto o tempo nos serve como chave para grandes aprendizados e evolução espiritual.

É interessante notarmos que o símbolo astrológico de Quíron se parece muito com uma chave – símbolo antigo que representava a abertura dos portais que guardavam atrás de si novas possibilidades. Isso mostra que nossa ferida sagrada não é apenas fonte de grande sofrimento, como poderíamos pensar, mas também uma chave por meio da qual poderemos entender melhor quem somos.

A chave de Quíron é aquela que abre nosso coração para que possamos olhar para dentro da alma e contemplar ali dores e feridas profundas, que preferimos deixar trancadas e escondidas do resto do mundo. Essas dores existenciais, tão pessoais e particulares, nos deixam vulneráveis a ponto de desejarmos escondê-las não só dos outros, mas de nós mesmos.

Portanto, apesar de Quíron ser considerado um corpo celeste moderno para a Astrologia, a ferida sagrada de Quíron é uma dor profunda que sempre nos acompanhou, embora, justamente por ser tão dolorosa, prefiramos evitá-la.

Quíron vem nos trazer a chave da compreensão e do entendimento capazes de nos fazer entrar nesse recanto doloroso de nosso ser, não só para que possamos nos conhecer melhor, mas também para que, de alguma forma, encontremos certo tipo de alívio. Assim como a ferida de Quíron nunca pôde ser curada, talvez a ferida sagrada de nossa alma, indicada no mapa astral natal, seja tão antiga e profunda que não haja uma cura completa para ela – mas certamente há maneiras de aprender a lidar e conviver com essa ferida, amenizando sua dor.

Quíron era o curador ferido capaz de trazer alívio ao sofrimento de todos os que o procuravam, embora ainda assim permanecesse incapaz de curar a própria dor. Mesmo ferido, ele continuou oferecendo seus serviços de cura aos outros, desse modo exercendo seu papel de curador sagrado. Assim, ele próprio podia encontrar um alívio momentâneo para seu sofrimento, pois, apesar de não conseguir fazê-lo cessar, era sua ferida que o lembrava constantemente dos tormentos pelos quais todos passavam, e assim ele entendia melhor aqueles que o procuravam.

Devido a sua ferida sempre dolorosa, Quíron permaneceu compassivo para aliviar o sofrimento dos demais e, ao entender melhor a própria dor, podia, da mesma maneira, trazer alívio a todas as outras almas em sofrimento que cruzavam seu caminho.

Compreendendo isso, podemos entender melhor o papel de Quíron em nossa personalidade: muito mais que uma dor intensa, ele representa também nossa capacidade de curar as outras pessoas.

Todos temos um curador sagrado dentro de nós, que é capaz de aliviar o sofrimento de outros corações humanos, mas só podemos fazer isso se tivermos coragem suficiente para contemplar nossa ferida sagrada e tirar dela o poder da cura. Ao fazê-lo, a ferida sagrada deixa de ser apenas fonte de sofrimento, ganhando então um nobre propósito: lembrar-nos de que, de algum modo, todas as almas humanas carregam em si algum sofrimento profundo, que só pode ser aliviado pelo contato com o outro.

Assim, Quíron percorre os 12 signos do zodíaco distribuindo à humanidade não apenas 12 feridas sagradas, mas também 12 poderes de cura – e a chave para que possamos aplacar essa dor profunda em nós é colocando-nos a serviço dos demais, aliviando essa mesma dor nas pessoas ao redor.

Quíron leva aproximadamente cinquenta anos para dar a volta completa pelo zodíaco, mas, como sua órbita é diferente da dos planetas convencionais, o tempo que ele permanece em cada signo é variável.

Em seu mapa astral, o signo em que Quíron se encontra representará sua ferida sagrada, e a casa em que ele se posiciona revelará a área da vida em que essa dor se manifesta.

Quíron nos signos

SIGNO	A FERIDA SAGRADA	PODER DE CURA E REDENÇÃO PESSOAL
Áries	Não sentir-se capaz de realizar nada, o que provoca passividade e cria dificuldade para se proteger. Não desenvolve autonomia.	Ajudar os outros a encontrar a própria identidade.
Touro	Dificuldade em sentir-se saciado, nutrido e amparado. Falta de estrutura e estabilidade. Problemas com o corpo e a autoimagem. Dificuldade para manifestar prosperidade e lidar com dinheiro.	Encontrar o caminho para a satisfação pessoal baseada não apenas em posses, mas no valor interior.
Gêmeos	Incapacidade de se comunicar com clareza e de formar vínculos sociais. Tendência ao isolamento e à anulação das próprias ideias em detrimento das dos demais.	Ensinar as pessoas a escutar as próprias ideias e ajudá-las a encontrar sua voz no mundo.
Câncer	Não sentir-se amado ou digno de receber amor. Medo profundo da rejeição. Feridas com a família ou a figura materna.	Acolher dores psicológicas das pessoas e ensiná-las a se nutrirem emocionalmente.
Leão	Bloqueio para enxergar o brilho pessoal, para expressar a própria vontade e se colocar diante dos demais. Insegurança profunda.	Desenvolver nas outras pessoas a criatividade, os talentos e as habilidades que fazem delas seres únicos.
Virgem	Problemas com a saúde e o cuidado pessoal. Busca incessante e destrutiva pela perfeição e organização.	Curar e ficar a serviço do outro.
Libra	Medo intenso de estabelecer relações profundas, principalmente românticas, ou necessidade de estar sempre com alguém para suprir as necessidades interiores.	Encontrar o equilíbrio nas relações entre o eu e o outro.
Escorpião	Vivência de perdas profundas e dificuldade para lidar com a própria sexualidade. Tendência autodestrutiva.	Conduzir os outros por transformações interiores e aplacar sua dor.
Sagitário	Sentimento constante de aprisionamento. Dificuldade para seguir o próprio destino ou sentir-se livre. Fundamentalismo e ceticismo.	Colocar sua sabedoria a serviço das outras pessoas. Ensinar.
Capricórnio	Desejo incontrolável de provar o próprio valor a si mesmo e ao mundo. Sentimento de inferioridade. Necessidade de controle.	Ajudar cada um a encontrar o próprio valor.
Aquário	Sentimento de aprisionamento por convenções sociais e expectativas do mundo. Necessidade de transgressão e quebra de paradigmas.	Expressar a própria individualidade sem isolar-se de grupos sociais. Servir a interesses coletivos.
Peixes	Crises existenciais constantes, solidão e perda de conexão com a realidade. Necessidade de escapar do mundo objetivo. Sentir-se "de outro mundo".	Mergulhar no inconsciente para encontrar a cura profunda para as dores da alma.

Quíron nas casas astrológicas

CASA OCUPADA	ONDE A DOR SE MANIFESTA E COMO PODEMOS ATUAR COMO CURADORES
Casa 1	Na própria identidade. Culpa existencial. Na relação com o corpo físico, com a autoimagem. Dificuldade em criar a própria individualidade, além de autonomia e autenticidade. Experiências de *bullying* da infância. Está constantemente mudando a ideia que possui sobre si mesmo.
Casa 2	Na estrutura de vida, na segurança material e nas posses. Escassez. Provoca o sentimento de perda e insatisfação. Dificuldade em obter estabilidade financeira e sensação interior de que o universo não dá o que a pessoa genuinamente merece.
Casa 3	Na vida social, com amigos e relações básicas com outras pessoas ao redor. Sentimento de nunca conseguir expressar verdadeiramente o que pensa ou de não se sentir ouvido nem compreendido pelas pessoas. Também pode indicar questões importantes com irmãos.
Casa 4	Na família, nas relações afetivas primárias mais profundas durante a infância, provavelmente com a figura materna ou a família imediata, que ofereceu experiências ameaçadoras à segurança da criança. Dificuldade em se sentir parte da família. Sofrimento profundo relacionado à solidão.
Casa 5	Na criatividade e capacidade de se expressar. Tendência a isolamento e timidez. Medo profundo da rejeição e dificuldade em enxergar o próprio valor e mostrá-lo ao mundo. Dores profundas relacionadas à infância ou nas relações com os próprios filhos.
Casa 6	No trabalho, nas funções sociais desempenhadas, na noção de serviço aos outros e nas responsabilidades do dia a dia. Também pode indicar saúde física frágil. Dificuldade em assumir compromissos e medo de não estar à altura.
Casa 7	Em parcerias e relacionamentos mais íntimos. Na capacidade de estabelecer vínculos sinceros com os outros e de confiar neles. Provoca um medo profundo de ser enganado pelos outros nas relações.
Casa 8	Na sexualidade, nos temas íntimos considerados tabus e nas camadas profundas da consciência, envolvendo as potencialidades destrutivas que todos trazemos dentro de nós.
Casa 9	Nas instituições formais com as quais haja vínculo, como as relacionadas à religião ou ao ensino, sobretudo o superior. Provoca a dificuldade de expansão pessoal e tendência constante a se diminuir e se limitar. Também pode indicar experiências negativas na infância com viagens ou pessoas vindas de longe.
Casa 10	Na carreira, na imagem pública e na maneira como é percebido pelos outros. Traz profunda falta de confiança e uma imensa dificuldade em lidar com autoridade muito rígida. Pode indicar experiências castradoras na infância, o que provoca um sentimento de não ser capaz nem bom o bastante na vida adulta.
Casa 11	Nos grupos sociais onde se insere. Dificuldade em se sentir parte de um grupo; sentimento de rejeição. Provoca a necessidade de isolamento e solidão. As amizades podem representar grandes desafios.
Casa 12	No inconsciente. Manifesta-se por meio de medos irracionais, fantasias, fobias e ilusões da mente, e também em sonhos e traumas mais profundos.

CAPÍTULO 8

LILITH: A DEUSA NEGRA QUE NOS HABITA

O mito da Mulher Terrível

A figura de Lilith vem da cultura babilônica, onde ela é representada como uma mulher com longas asas e pés de coruja, sempre nua – o que enfatizava seu aspecto selvagem, livre e indomável.

Sua imagem estava relacionada a Inanna, Deusa do Amor, da Sexualidade e da Fertilidade, muito semelhante a Vênus. Lilith era chamada de "mão esquerda de Inanna", aquela que levava os homens para participar dos ritos de prazer nos templos sagrados. À medida que a sociedade foi se tornando cada vez mais patriarcal, reprimindo a mulher e tudo o que diz respeito à natureza feminina na humanidade, Lilith foi perdendo seu status de mulher livre e poderosa para se tornar um demônio, um vampiro no imaginário popular.

Crédito da imagem: *Queen of the Night*. Credit: British Museum. CC0.

No mapa astral, a figura feminina predominante é a Lua: a Grande Mãe, doadora da vida, nutridora de todos os seres vivos, o poder que faz as sementes germinarem, as flores desabrocharem e os frutos amadurecerem. Com sua luz e orvalho noturno, na mitologia se diz que a Lua dá vida à Terra, da mesma maneira que a Lua astrológica é a nutrição emocional profunda, o amparo de nossa criança interior, e, com Vênus, representa a maneira como interiorizamos a figura feminina em nossa psique.

É por meio da análise da Lua e de Vênus no mapa astral que as mulheres podem entender melhor sua relação com o próprio universo feminino, e que os homens conhecem sua maneira de lidar e interagir com a figura feminina interior que enxergam e buscam nas mulheres ao redor.

Mas as potencialidades femininas da alma humana não são representadas apenas por essas duas deusas luminosas, a Mãe e a Amante – há também uma Mãe Terrível, uma Amante Rebelde dentro de cada um de nós, habitando os cantos mais sombrios e obscuros do nosso ser e, a partir desse lugar, influenciando nossas escolhas, desejos e paixões. Essa é Lilith, a Lua Negra, a Deusa Sombria da qual ninguém pode fugir. Na Astrologia, ela não é nem um planeta nem um asteroide, mas um ponto específico do céu que representa o centro gravitacional da Lua, atraindo-a para que permaneça girando ao redor da Terra, ou seja, ela é um aspecto oculto da própria Lua no céu do nosso nascimento, que nos ajudará a compreender os aspectos sombrios do Eu Emocional.

Lilith leva nove anos para completar uma volta inteira ao redor do zodíaco.

Do ponto de vista histórico, a figura de Lilith encarna o temor primitivo que os homens sempre sentiram em relação às mulheres e ao feminino. Ignorantes sobre sua participação no processo de fecundação, a mulher era vista como um ser mágico capaz de criar vida dentro de si de maneira espontânea e que mensalmente sangrava por dias, sem morrer, ao passo que, quando os homens eram feridos na caça ou em batalhas, isso quase sempre implicava sua morte. Assim, o poder sexual e fértil da mulher foi temido justamente por ser incontrolável e incompreensível para os homens. Da mesma maneira que eram tidas como doadoras da vida, simbolicamente elas também representavam a promessa de morte, destruição e aniquilação. É por isso que as sociedades, quando dominadas por uma cultura masculina e patriarcal, impõem tabus sobre o corpo da mulher, tentando controlar seu potencial.

Arquetipicamente, isso também representa um processo interior e psicológico para toda a humanidade: foi criada uma imagem feminina sombria, e ela se tornou um depositário de tudo aquilo que era tabu em relação ao feminino, ou seja, no campo das emoções e do desejo. Por isso, Lilith representa todos os nossos desejos secretos e proibidos, os apetites sexuais mais primitivos, que precisaram ser silenciados e ocultados, nosso impulso de transgressão, a busca por desobediência e liberdade.

Ocorre, porém, que essa força animalesca e selvagem não pode ser eliminada de nós, apenas banida da consciência. Entretanto, ela continua atuando em nosso inconsciente, e busca constantemente uma maneira de voltar à superfície e se expressar. A principal maneira pela qual faz isso é por meio de nossas fantasias.

Quando Lilith se expressa positivamente, ela é fonte de poder pessoal e satisfação – a Lilith benéfica que trazia alegria e prazer à humanidade; mas, quando continua sendo reprimida, sua força se transformará em um potencial destrutivo que se voltará contra nós ou contra o mundo – a Lilith terrível que traz destruição e caos.

Assim como a figura da mulher inspirava um medo primitivo no início da humanidade, a Lilith astrológica representa uma ameaça potencial à consciência racional e solar, e por isso confrontar a Lilith pessoal é uma tarefa muito desafiadora, embora também fonte de alegria e liberdade.

Entender a Lilith astrológica nos ajudará a compreender melhor as pulsões e forças inconscientes às quais estamos submetidos, os desejos interiores que tememos e que ameaçam a boa imagem construída pela tríade Sol-Lua--Ascendente.

A chave para integrar Lilith está justamente em vê-la como mais um aspecto de nosso próprio ser, e não como uma força externa. Quando a abraçamos e a aceitamos, ela deixa de exercer seu controle sombrio, tornando-se apenas mais uma parte da personalidade que precisamos expressar de forma saudável e positiva.

A passagem de Lilith pelos signos indicará a energia interior que precisamos aprender a liberar de maneira saudável na vida, e que vai reger tanto nossos desejos e fantasias ocultas quanto o potencial de aprisionamento interior. Quando essas forças estão desequilibradas dentro de nós, elas terão um potencial destrutivo; porém, quando conseguimos equilibrá-las, elas serão fonte de inspiração e crescimento. Já a casa ocupada por Lilith representará um aspecto da vida que pode se tornar nossa prisão interior, onde os vícios e as compulsões podem se manifestar, e onde prazer e dor podem se confundir, tornando-se uma só força – ou seja, entender a casa que Lilith ocupa também vai nos ajudar a conhecer qual setor de nossa vida precisa de mais atenção nesse sentido.

Para compreender Lilith no mapa astral, precisamos saber que ela tratará sempre de uma contradição: ao mesmo tempo que representa uma força potencialmente reprimida em nós, da qual fugimos e a qual combatemos externamente, ela também exerce um imenso fascínio, uma força que ao longo da vida desejaremos experimentar de algum modo.

Lilith nos signos

SIGNO	A SOMBRA INTERIOR REPRIMIDA	MANIFESTAÇÃO DA REBELDIA INTERIOR	ANTASIAS INTERIORES E DESEJOS NEGATIVOS
Áries	A ira. O direito à independência.	Contra o aprisionamento, o controle externo e a perda da autonomia.	Sexualidade intensa e calorosa; atração por parceiros fortes. Negativamente, pode se manifestar como violência e dominação de sua parte ou então do parceiro.
Touro	A gula. O prazer sensorial e a riqueza.	Contra a possibilidade de perda da estabilidade e de suas posses.	Atração por pessoas de boas condições financeiras e situação estável. Desejo oculto de possuir o outro para si. Negativamente, viverá nas relações a falta de estabilidade que tanto teme.
Gêmeos	A manipulação, principalmente pela fala e pelas ideias. Prestidigitação.	Conflitos intelectuais, necessidade de liberdade de pensamento e reconhecimento das próprias ideias.	A inteligência é afrodisíaca e se deixa seduzir por palavras. Negativamente, se envolverá com pessoas mentirosas e enganadoras.
Câncer	A insensibilidade. Reprime as emoções e isso acaba se tornando uma fraqueza.	Contra as tentativas de ser manipulado ou controlado emocionalmente.	Fantasia de ser cuidado e protegido. Busca por intimidade. Negativamente, reproduzirá dilemas familiares no relacionamento.
Leão	A soberba. A autoestima e o valor pessoal. Sede de poder.	Contra a autoridade e tentativas de dominação e jogos de poder.	Busca por figuras de poder e autoridade, ou de total submissão. Paixões intensas e desejo de ser adorado. Negativamente, se expressa como desejo de total controle do outro ou total subordinação a ele.
Virgem	O orgulho. A capacidade de realizar planos e gerir a própria vida é ameaçada.	Contra a invasão do espaço pessoal.	Disputas e competitividade nos relacionamentos. Busca por parceiros que transmitam organização e estabilidade. Negativamente, vivenciará nas relações a ausência total de regras e limites.

Libra	A desconfiança. Medo iminente de traição; dificuldade em estabelecer parcerias genuínas.	Contra a agressividade, a falta de cordialidade e a instabilidade.	Atração pela estética e por fantasias relacionadas à beleza. Negativamente, usa o charme e a sedução para manipular o parceiro.
Escorpião	A luxúria. Negação e anulação das próprias necessidades e dos desejos interiores.	Contra a indiferença ou a limitação da própria liberdade.	Necessidade de quebrar tabus e vivenciar experiências intensas. Negativamente, a sexualidade é usada para controlar e punir o parceiro.
Sagitário	A desobediência. Necessidade de subverter leis, crenças e regras institucionalizadas.	Contra a depreciação das próprias ideias e dos valores pessoais.	Fantasias ligadas à aventura e à liberdade. Atração por parceiros que compartilhem os mesmos ideais de expansão. Negativamente, se expressará na ausência total de compromisso.
Capricórnio	A tirania. Desejo oculto de controle e dominação sobre tudo e todos.	Contra hierarquias rígidas e o abuso de poder.	Desejos de riqueza, sucesso e poder. Atração por figuras mais velhas e dominadoras. Negativamente, é insensível e faz o que for preciso para conseguir o que quer.
Aquário	O egoísmo. Sentimento constante de aprisionamento.	Contra a privação da própria autonomia em prol da coletividade.	Seduz projetando no outro a imagem que deseja ver. Negativamente, vai rivalizar com o parceiro e entrará em disputas de poder.
Peixes	A autoenganação. Fuga para ilusões interiores.	Contra tudo o que limitar ou restringir seus sonhos.	Vivenciará a sexualidade de maneira mística e transcendente. Negativamente, usará as experiências eróticas para fugir da realidade.

Lilith nas casas astrológicas

CASA OCUPADA	ONDE LILITH BUSCA TRANSGREDIR
Casa 1	Na maneira como se percebe, e consequentemente na aparência e na forma de se comportar. Torna-se uma figura bastante sedutora e poderosa.
Casa 2	No campo das posses materiais, com uma necessidade de conseguir poder por meio de bens e dinheiro. Busca um estilo de vida luxuoso.
Casa 3	Na comunicação e na vida social de maneira geral, buscando conquistar, por meio da palavra, o auxílio dos outros para realizar os desejos pessoais. Segundo alguns astrólogos, aqui Lilith está domiciliada.
Casa 4	Na família e no lar. Indica momentos de tensão na infância, em especial com a mãe (ou quem quer que tenha cumprido esse papel). Dificuldades em constituir a própria família.
Casa 5	Na maneira de se expressar e despertar a atenção do outro. Comportamento sedutor e sexual intenso. Indica dificuldades para lidar com crianças e filhos.
Casa 6	No campo do trabalho e do dia a dia, especialmente nas hierarquias. Cria um comportamento insubordinado.
Casa 7	No casamento e nos relacionamentos amorosos. Atração por parceiros sombrios. Projeção da sombra interior no outro.
Casa 8	No campo da sexualidade, que poderá se expressar de maneira intensa e destrutiva. Muitas vezes indica feridas, tensões e inseguranças com a própria intimidade.
Casa 9	Na fé, na política ou na formação acadêmica. Pode se manifestar como fanatismo e dogmatismo sedutor, capaz de orientar e guiar outras pessoas de maneira carismática.
Casa 10	Na sua posição social. Busca poder, fama, autoridade e influência. Pode se expressar como um comportamento manipulador e controlador.
Casa 11	Em grupos e causas sociais. São idealistas e transgressores que lutam pela liberdade coletiva. Por serem rebeldes e diferentes, sentem dificuldade em se sentir parte de grupos ou da sociedade.
Casa 12	Nas experiências psíquicas. Cria uma personalidade intuitiva e capaz de se comunicar com outros planos da realidade.

CAPÍTULO 9

A RODA DA FORTUNA: O POTE DE OURO NO FIM DO ARCO-ÍRIS

O mito da Deusa da Boa Sorte

Fortuna é a deusa romana que personifica a sorte e o acaso. Ela era vista como uma deusa que distribuía aleatoriamente bênçãos entre os seres humanos. Costumava ser representada cega ou vendada, simbolizando que a sorte não escolhe quem visita, e trazia nas mãos uma cornucópia da qual vertiam riquezas. Também era ela quem espalhava os infortúnios – os momentos de azar que nos surpreendem de maneira aleatória. Ela passou a ser conhecida como uma das Deusas do Destino, sendo invocada para trazer sucesso e prosperidade.

A Roda da Fortuna, ou *Rota Fortunae*, era um de seus símbolos mais preciosos, já que remetia aos movimentos da vida, com seus altos e baixos, e ao girar do destino de cada um, que se encontra nas mãos dessa deusa.

Crédito da imagem: *La Fortuna. Tarot Naibi di Giovanni Vacchetta*, 1893. Domínio público. Colorida digitalmente.

No mapa astral, a Roda da Fortuna não é um corpo celeste, mas um ponto calculado com base na posição de cada elemento da tríade básica da personalidade: Sol, Lua e Ascendente. A Roda da Fortuna é um ponto médio entre eles, representando por isso uma região específica do mapa (e do próprio ser) onde essas três forças encontram a harmonia perfeita. Trata-se de uma área da vida de grande sorte, que nos ajuda a compreender como as forças da saúde, riqueza e boa reputação atuam sobre nós. Também pode indicar um aspecto da vida em que somos constantemente beneficiados e costumamos receber uma ajuda extra do cosmo.

A Roda da Fortuna costuma ser compreendida como um ponto kármico por meio do qual recebemos bênçãos e boa fortuna de acordo com méritos de vidas passadas – é como se os pontos que acumulamos em outras vidas se tornassem disponíveis para nos auxiliar nos momentos de dificuldade nesta encarnação.

Você pode localizá-la em seu mapa astral por meio do símbolo de uma cruz inclinada dentro de um círculo.

O signo e a casa ocupados pela Roda da Fortuna indicarão o tipo de sorte com o qual você foi abençoado nesta encarnação, e, apesar de nem sempre ela falar sobre prosperidade financeira, sua posição também pode revelar a área da vida em que tudo fluirá melhor e de onde poderemos obter prosperidade com nossos dons e talentos.

Eis algumas dicas para começar a interpretar sua Roda da Fortuna, estabelecendo uma relação com o restante do mapa.

Introdução à interpretação da Roda da Fortuna

- Os planetas que ocupam o mesmo signo que a Roda da Fortuna serão indicativos de talentos e vocações que estão mais facilmente disponíveis para você. Quando há uma conjunção de um planeta com a Roda da Fortuna, o tipo de sorte estará diretamente influenciado por este planeta, que também se manifestará mais fácil e intensamente.

- Verifique qual é o signo ocupado pela Roda da Fortuna e depois procure pelo planeta regente desse signo. Sua posição e seus aspectos também serão um indicativo de sua sorte e talentos.

- Analise os aspectos que são formados com a Roda da Fortuna: trígono, conjunção e sextil com Sol, Vênus ou Júpiter são bons indicativos financeiros, por exemplo. As casas 2, 5, 8 e 11 também são consideradas posições mais afortunadas, bem como o signo Ascendente.

- A conjunção entre Roda da Fortuna e um planeta mal aspectado, ou de influências negativas, atenuará seu poder e o forçará a atuar de maneira mais benéfica.

- Quadraturas e oposições com Marte ou Saturno indicarão mais dificuldades para manifestar as bênçãos da Roda da Fortuna; o mesmo acontece se o planeta regente do signo que ela ocupa estiver retrógrado. As casas cadentes (3, 6, 9 e 12) também são consideradas posições menos privilegiadas. Mas isso não significa que você deve esperar coisas negativas, afinal, a Roda da Fortuna é um ponto extremamente benéfico. Isso significa apenas que você vai precisar se esforçar um pouco mais do que o normal para receber essas bênçãos.

- O signo e a casa ocupados pela Roda da Fortuna indicarão as habilidades que lhe estarão disponíveis com mais facilidade e a área da vida onde você vai encontrar sucesso.

A Roda da Fortuna nos signos

SIGNO	DÁDIVAS TRAZIDAS	COMO MANIFESTAR A SORTE
Áries	Espírito inovador, com iniciativa, garra e coragem. Capacidade de iniciar projetos e inovar.	Deve buscar aplicar suas ideias e projetos pessoais sem medo de correr riscos nem de ocupar posições de liderança.
Touro	Vida financeira confortável, segurança material e estabilidade.	É preciso agir com persistência e paciência para concretizar os projetos. Favorece o contato com a natureza.
Gêmeos	O dom da palavra falada e escrita; espírito livre.	Por meio do ensino, da comunicação de maneira geral e do contato social com as pessoas.
Câncer	Criatividade e habilidade de nutrir emocionalmente a si e os outros.	Na busca pelo cuidado e pela construção de vínculos emocionais e íntimos.
Leão	Posições de liderança e destaque; reconhecimento, carisma, poder de persuasão e dons artísticos.	Por meio da autossuperação constante e de ideais mais elevados.
Virgem	Intelectualidade, boa saúde, organização, capacidade de cura e cuidado.	Buscando cumprir sua verdadeira vocação e ser útil aos outros.
Libra	Equilíbrio, senso de justiça, beleza, poder de harmonizar e equilibrar conflitos.	Formando relações verdadeiras e equilibradas.
Escorpião	Capacidades investigativas e analíticas; busca pela verdade; intuição e percepção simbólica.	Na busca por experiências profundas e genuínas, intensas e transformadoras.
Sagitário	Viagens; desejo de expandir e buscar novos horizontes. Sorte de maneira geral.	Explorando novos territórios.
Capricórnio	Ambição, poder para concretizar os objetivos e sorte geral no trabalho.	Na criação de estruturas sólidas e concretas.
Aquário	Pensamento livre, criativo e original. Visão à frente do tempo. Inovação.	Dedicando-se a causas coletivas e buscando contribuir com a comunidade.
Peixes	Intuição, sensibilidade, empatia, magnetismo pessoal.	Buscando níveis mais elevados de consciência.

A Roda da Fortuna nas casas astrológicas

CASA OCUPADA	ÁREA DA VIDA BENEFICIADA
Casa 1	A sorte se manifesta por meio da própria personalidade. Traz carisma, o poder de começar novos projetos e autoconfiança. Beneficia o corpo, a saúde e a aparência.
Casa 2	Sorte nas finanças e na aquisição de bens materiais. Traz presentes inesperados. A satisfação na vida virá pelas posses.
Casa 3	Sorte por meio da comunicação, da vida social e, às vezes, da relação com os irmãos. Forma laços fraternos profundos. Também favorece os estudos e o aprendizado.
Casa 4	A sorte e a ajuda recebida na vida virão principalmente por meio da família, da repetição de ações bem-sucedidas dos ancestrais e da terra natal. Também pode indicar heranças.
Casa 5	Sorte em jogos e sorteios de forma geral. Atividades de recreação, arte e entretenimento podem se tornar lucrativas. Indica vivência de paixões intensas.
Casa 6	Sorte na saúde e no trabalho, principalmente se este estiver ligado ao bem-estar e ao cuidado. Traz organização positiva para o dia a dia e sorte na rotina.
Casa 7	Sorte e sucesso por meio de parcerias bem estabelecidas e bons casamentos. Faz as pessoas certas se aproximarem de você e favorece profissões ligadas à diplomacia, à lei e à justiça.
Casa 8	Sorte nas finanças, em especial por meio de instituições diretamente relacionadas a dinheiro, como bancos. Recebe ajuda constante de outras pessoas. Pode indicar riquezas herdadas.
Casa 9	Sorte em instituições de ensino ou religiosas, ou ainda por meio de viagens e deslocamentos importantes e decisivos na vida, ou ao menos da interação com a cultura de outros países. Pode indicar vida espiritual intensa e com uma posição de liderança.
Casa 10	Sorte na carreira e na posição social ocupada. Favorece a criação dos próprios negócios e traz apreciação do público ao redor.
Casa 11	Sorte por meio de grupos, organizações sociais e amigos. Pode indicar ganhos inesperados de dinheiro e a concretização fácil de sonhos e aspirações.
Casa 12	Sorte por meio da espiritualidade e do contato com o simbólico e o inconsciente. Favorece o serviço aos outros, os dons psíquicos e mediúnicos e as experiências paranormais.

POSFÁCIO

Chegando ao fim desta obra, pode parecer que sua jornada pela Astrologia e pelo mapa astral terminou, mas saiba que na verdade ela está apenas começando.

Uma das coisas mais belas sobre a Astrologia são suas riquezas arquetípica e simbólica intermináveis, ou seja, tudo o que exploramos aqui foi apenas o básico para que você pudesse começar a trilhar esse processo de descoberta interior e caminhar ao encontro de seu real propósito nesta encarnação.

Se você deseja se aventurar mais profundamente nesse conhecimento antigo, não basta memorizar o significado de cada planeta, cada signo e cada casa, e suas relações muitas vezes complexas e aparentemente contraditórias; é preciso aprender a enxergá-los como elementos que compõem uma imensa paisagem. Tudo o que fizemos aqui foi descrever os principais elementos que formam essa cena, para que você possa vislumbrar as mensagens enviadas pelo céu no momento de seu nascimento. Mas conectar todos esses elementos individuais para formar uma paisagem maior... isso dependerá única e exclusivamente de você – ao pesquisar, estudar e aprimorar esse saber.

Para encontrar a verdadeira profundidade e os tesouros ocultos que a Astrologia revela, não basta o estudo formal – você vai precisar mergulhar em suas imagens ancestrais, em seus padrões de força e energia, no poder dos elementos e na sabedoria de cada constelação. Essa é a linguagem da alma, e é apenas por meio dela que esse conhecimento poderá se tornar cada vez mais claro e disponível para você e as pessoas ao redor.

Lembre-se disto: a vida de cada pessoa é um universo estrelado, povoado por deuses, símbolos e energias antigas, animais cósmicos desenhados no céu para nós no momento da criação.

A força de todas as estrelas e planetas vive dentro de você. Por intermédio da Astrologia, podemos conhecer melhor como todos esses poderes atuam sobre a alma, inspirando-nos, confrontando-nos e nos abençoando. Mas essa jornada é sua, apenas sua.

Não cometa o erro que tantas pessoas cometem ao olhar para a Astrologia: ela nunca deve ser vista como um conhecimento limitante, usado para justificar suas falhas, defeitos e dificuldades, muito pelo contrário; ela é um mapa de crescimento que pode nos indicar os melhores caminhos de superação.

Saiba disto: o sucesso ou o fracasso nunca poderá ser um mérito das estrelas. Ele é única e exclusivamente o resultado de nossa consciência e do labor constante. Então, use o céu estrelado do seu nascimento da mesma maneira que os antigos navegadores faziam ao se lançarem em mares desconhecidos para desbravar os quatro cantos da Terra: deixe que as luzes celestes sejam seu guia, seu mapa, sua orientação, mas saiba que são suas mãos que devem segurar os remos, levantar as velas e segurar o leme com firmeza, determinando a direção que a embarcação de sua vida tomará.

Para finalizar, deixo com você as palavras de Pico Della Mirandola, que, em seu famoso discurso *A Dignidade do Homem*, explicou-nos sobre a maravilhosa condição humana, que é a liberdade.

> Tu, porém, não estás coarctado por amarra nenhuma. Antes, pela decisão do arbítrio, em cujas mãos depositei, hás de predeterminar a tua compleição pessoal.
>
> Eu te coloquei no centro do mundo, a fim de poderes inspecionar, daí, de todos os lados, da maneira mais cômoda, tudo que existe. Não te fizemos nem celeste nem terreno, mortal ou imortal, de modo que assim, tu por ti mesmo, qual modelador e escultor da própria imagem segundo tua preferência e, por conseguinte, para tua glória, possas retratar a forma que gostarias de ostentar. Poderás descer ao nível dos seres baixos e embrutecidos; poderás, ao invés, por livre escolha da tua alma, subir aos patamares superiores, que são divinos.
>
> Ó suprema liberalidade de Deus Pai, ó suma e maravilhosa beatitude do homem! A ele foi dado possuir o que escolhesse; ser o que quisesse.

Desejo a você uma excelente viagem, repleta de beleza e sucesso. E, quando o Sol da existência começar a se pôr no horizonte para cada um de nós, que possamos olhar para trás e celebrar a viagem sem arrependimentos nem dúvidas.

Que todos possamos nos tornar os heróis vencedores que nascemos para ser. Tal como está escrito nas estrelas, que seja assim na vida de cada um de nós.

- **André Mantovanni**

REFERÊNCIAS BIBLIOGRÁFICAS

ARROYO, Stephen. *Normas Práticas para a Interpretação do Mapa Astral*. 2ª ed. São Paulo: Pensamento, 2011.

BANZHAF, Hajo; HAEBLER, Anna. *Palavras-chave da Astrologia*. 3ª ed. São Paulo: Pensamento, 2007.

BARBAULT, André. *Tratado Prático de Astrologia*. 2ª ed. São Paulo: Cultrix, 1990.

CARTER, Charles. *The Zodiac and the Soul*. 3ª ed. Londres: Theosophical Publishing House, 1960.

CASEY, Caroline. *Making the Gods Work for You*. 1ª ed. Nova York: Three Rivers Press/Harmony, 1998.

CASTRO, Maria Eugênia de. *Astrologia, uma Novidade de 6.000 Anos*. 1ª ed. Rio de Janeiro: Nova Fronteira, 2007.

_____. *Dimensões do Ser*. 1ª ed. Rio de Janeiro: Hipocampo, 1991.

ELIADE, Mircea. *O Sagrado e o Profano*. São Paulo: Martins Fontes, 2001.

GREENE, Liz. *Astrologia Mítica*. 1ª ed. São Paulo: Pensamento, 2013.

_____. *Jung's Studies in Astrology*: Prophecy, Magic, and the Qualities of Time. 2ª ed. Londres: Weiser Books, 2018.

_____. *Relating*: An Astrological Guide to Living with Others on a Small Planet. 2ª ed. York Beach: Weiser Books, 1978.

_____. *Saturn: A New Look at an Old Devil*. 1ª ed. York Beach: Weiser Books, 2011.

_____. *The Astrological Neptune and the Quest for Redemption*. 1ª ed. York Beach: Weiser Books, 2000.

_____. *The Astrology of Fate*. 1ª ed. York Beach: Weiser Books, 1984.

_____. *The Inner Planets*: Building Blocks of Personal Reality. 1ª ed. York Beach: Weiser Books, 1993.

HAND, Robert. *Planets in Transit*: Life Cycles for Living. 1ª ed. Atglen: Schiffer Pub, 2002.

LISBOA, Claudia. *Os Astros Sempre nos Acompanham*. 1ª ed. Rio de Janeiro: Best Seller, 2013.

MARCH, Marion; MCEVERS, Joan. *Curso Básico de Astrologia, vol. II*. 10ª ed. São Paulo: Pensamento, 2010.

PAUL, Haydn. *A Rainha da Noite*: Explorando a Lua Astrológica. São Paulo: Ágora, 1990.

_____. *O Senhor da Luz*: Explorando o Sol Astrológico. 1ª ed. São Paulo: Ágora, 1992.

PICO DELLA MIRANDOLA, Giovanni. *A Dignidade do Homem*. 2ª ed. Campo Grande: Solivros/Uniderp, 1999.

RUDHYAR, Dane. *As Casas Astrológicas*. 3ª ed. São Paulo: Pensamento, 1995.

_____. *The Astrology of Personality*. 1ª ed. Nova York: Doubleday, 1970.

SANDOVAL, Maria Thereza Conde et al. *Astrologia: Doze Portais Mágicos*. 1ª ed. São Paulo: Talento, 2001.

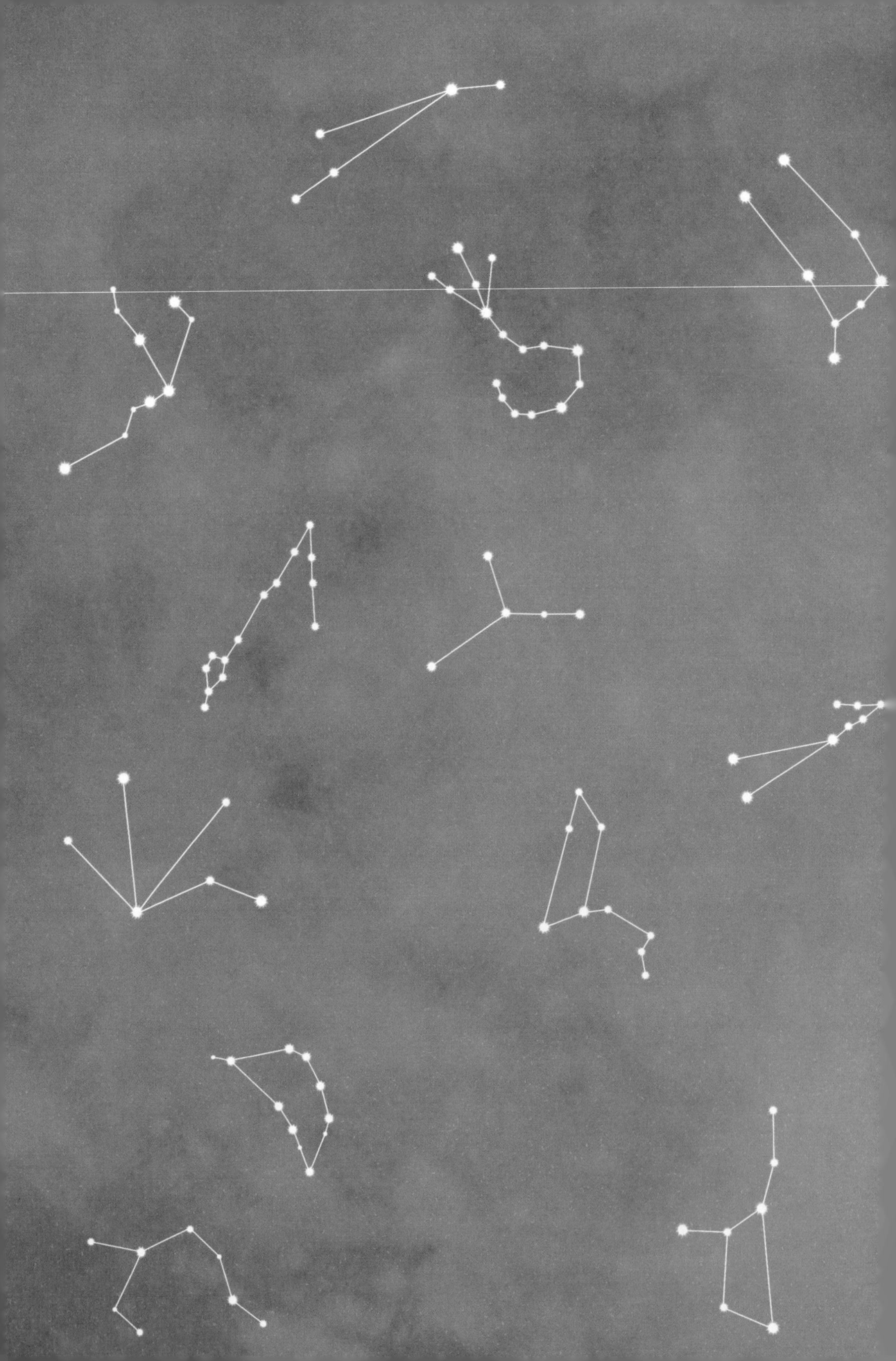

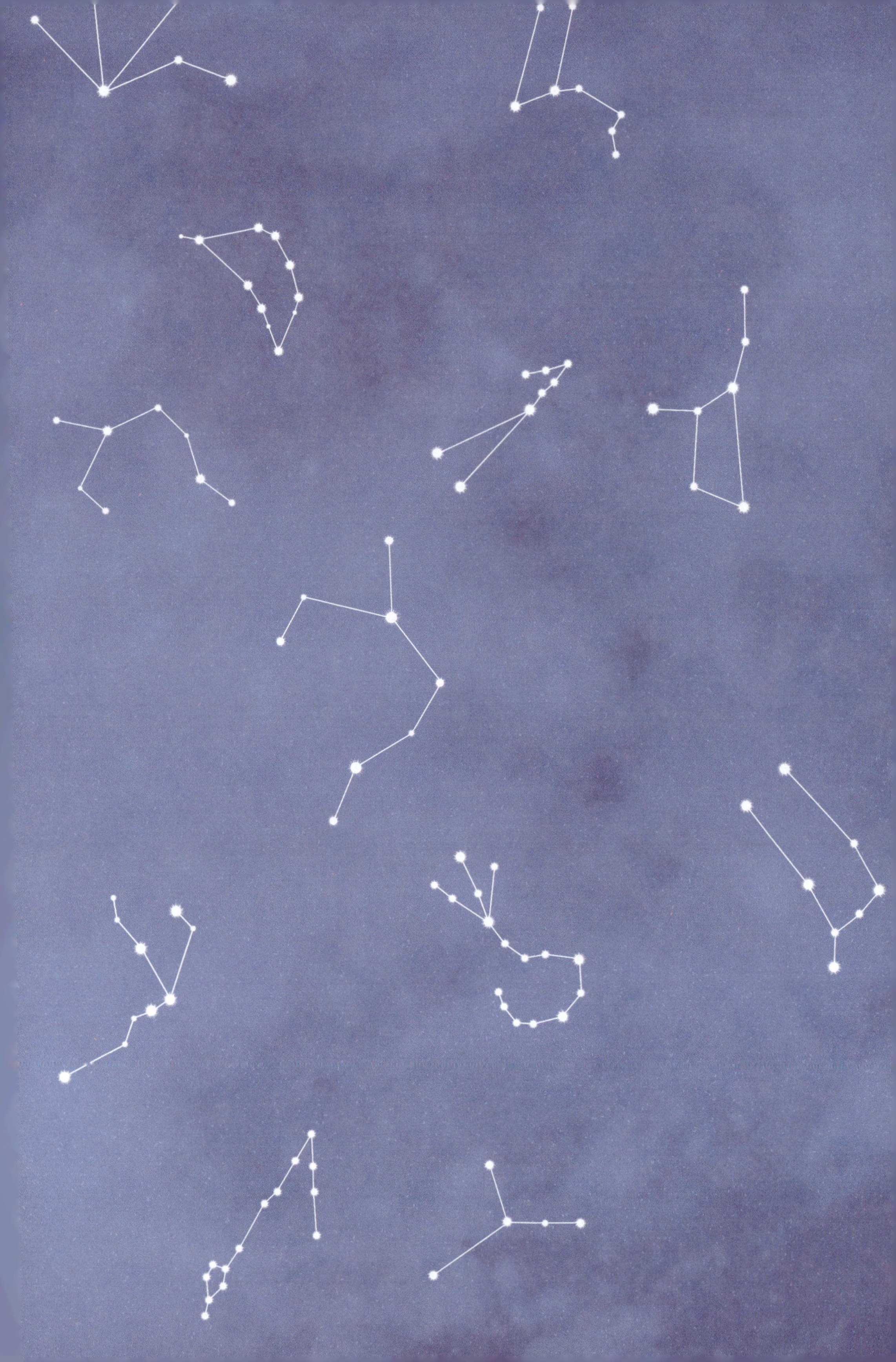

Instagram: @andremantovanni

Facebook: andremantovannioficial

Youtube: andremantovannitv

Site: andremantovanni.com.br

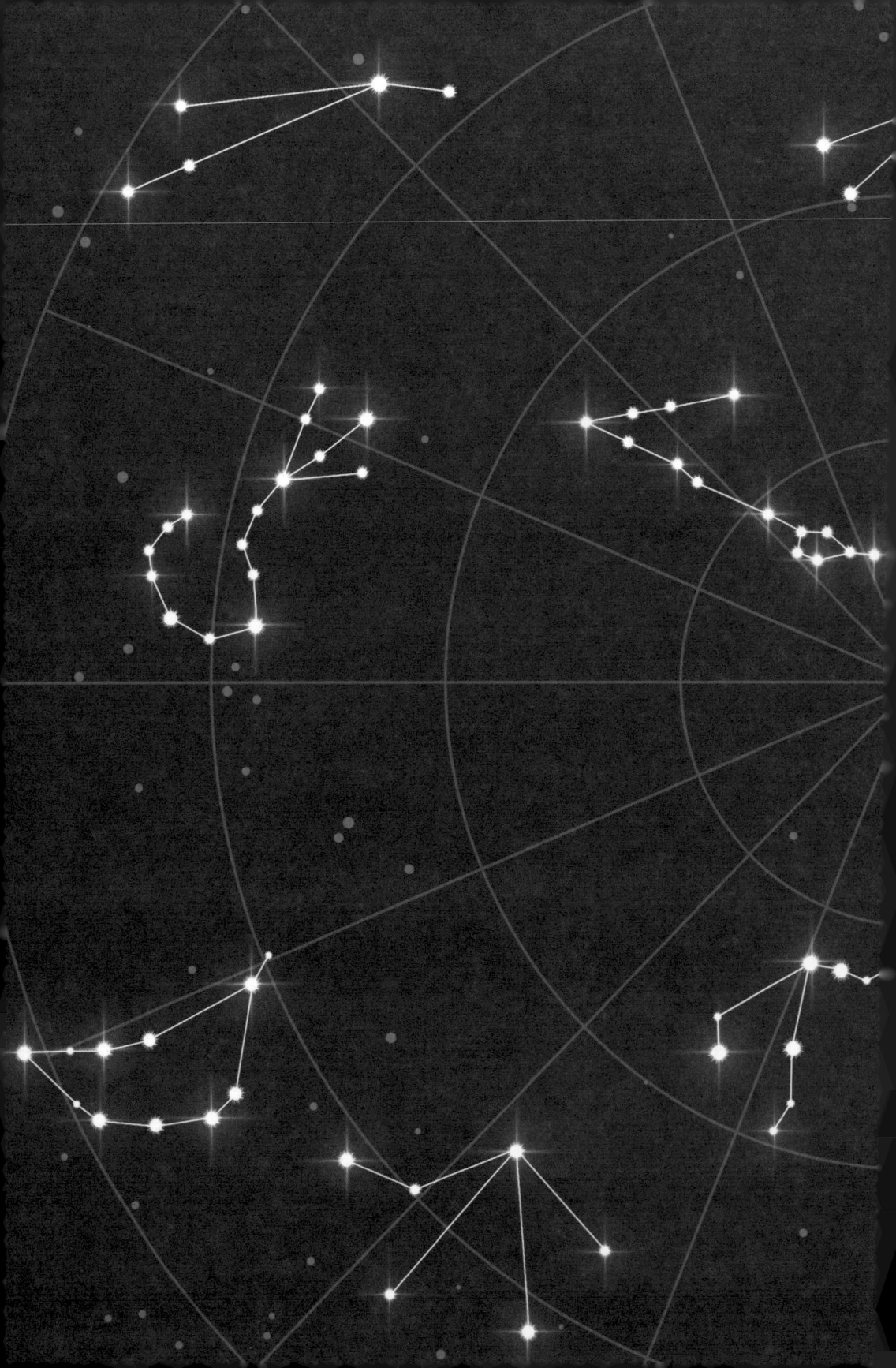